謹訳 源氏物語 三

改訂新修

林望

目次

装訂　太田徹也

須《す》磨《ま》

源氏二十六歳の三月から二十七歳の三月まで

源氏、須磨へ……

どこもかしこも嫌《いや》なことばかり、官位を剝奪《はくだつ》しようとする動きやらなにやら、源氏の身の上には困惑《こんわく》すべきことばかり立ち続いている。

〈こんなことでは、しいて知らぬふりをして過ごしていても、世の中は放っておいてはくれまい。今よりもっともっと辛《つら》いことが出来《しゅったい》するかもしれぬ〉と源氏は思うようになっていた。

あの在原行平《ありわらのゆきひら》が流離《りゅうり》の日々を送った須磨《すま》の里は、その昔にはしかるべき人の住まいなどもあったかもしれないが、今は、落莫《らくばく》たる片田舎《かたいなか》で、その寂《さび》しさはぞっとするくらい、海士《あま》の家だってめったにないところだと噂《うわさ》に聞いている。が、いまこんな身の上になってみると、人の多い、騒がしい住まいなどは、とかく煩《わずら》わしく心に適《かな》わぬことであろうから、いっそ須磨あたりに隠遁《いんとん》したいとも思うし、さりとて、都からあまり遠く離れてしまっては、やはり都のことばかりが気にかかるにちがいないし、はた目もいかがと思われるくらい、源氏の思いは堂々巡りをして定まらない。

あれもこれも、今までの栄光に満ちた日々のことや、またこれから先の暗澹《あんたん》たる未来のことや、思い悩み続けていると、悲しいことのみ、さまざまに心を苦しめる。厭《いと》わしいものだと思い捨てている世も、それではいざほんとうに世を捨てて片里《かたざと》に住み離れてしまうことを思うと、なかなか捨てがたいことばかり多いのだった。

そのなかでも、あの紫上が、明け暮れにつれてますます思い嘆いている様子は、胸が痛んで心を動かされる。ひとたびは別れても、末にはまた相逢《あいあ》うこと必定《ひつじょう》、とは思うものの、それにしても、たった一日二日だけでも、別々のところで夜を明かす折々などは、紫上のことが気がかりだし、女君のほうでも、心細くてしかたないくらいなのだ。〈……思えば、何年と年限の定まらぬ流離の暮らしともなれば、これが逢瀬《おうせ》の限りになるかもしれないと思いながら別れていくことになる。なにぶん無常の世の中ゆえ、ほんとうにそのまま永《なが》の別れになってしまうことだってあるかもしれない……〉と、源氏は堪《た》え難《がた》い思いに駆《か》られる。〈それだったら、いっそこっそりと紫上を連れて行こうかしら〉と思い思いする時もあるけれど、〈……いやいや、そんなふうに心細い海辺の、波や風よりほかには誰も訪ねてきてはくれないような所に、こんなにかわいくて弱々しげな人を引き連れていくというのは、なんとしても似つかわしいことではあるまい。そんなことをすれば、自分の心にとっても、却《かえ》って物思いの種になるかもしれぬし……〉と思い返す。

紫上のほうでは、

「どんなに辛い暮らしでも、いっしょに居られるのだったら、堪《た》えられるのに」

と、連れていって欲しい思いを仄《ほの》めかしつつ、ひたすら恨《うら》めしげに思っている。

またあの花散里《はなちるさと》の君《きみ》も、源氏の通うことは稀々《まれまれ》ではあったけれど、頼りなく悲しい身の上を、ただ源氏のお陰を被《こうむ》ってかつがつに過ごしているのであってみれば、こたびのことを思い嘆いているというのも、まず道理であった。

そのほか、まったくなおざりにちらりと契《ちぎ》ったり通《かよ》ったりしたことがある程度であっても、源氏の都落ちについて人知れず心を痛める人たちはずいぶん多かったのである。

今は入道《にゅうどう》の宮となっている藤壺《ふじつぼ》からも、忍び忍びのお手紙は常に届けられる。宮は、〈こんなことが、万一にも漏《も》れ聞こえたなら、世間はまたなんと噂するだろうか……〉と、自分の身にとって憚《はばか》られるのだが、それでも止《や》むに止まれぬ思いなのであった。このお手紙を見るにつけても、源氏は、〈ああ、あの過ぎてしまった昔に、こんなふうに思いをかけてくださっていたら……お情《なさけ》をお見せくださっていたならなあ……〉と思い出しては、〈しょせんあの方とは、こんなふうに心を痛めるばかりの縁《えにし》であったのだな〉と、ただ悲しみに暮れるのであった。

三月二十日過《やよいはつか》ぎに、源氏は都を離れた。

世間の人には、今出立《しゅったつ》するとも知らせず、ごくごく身近に仕えている者に限って、七、八人ほどのお供を連れ、たいそうひそやかに出《い》で立っていった。

しかるべき女君たちには、別離《わかれ》の文《ふみ》だけを、密《ひそ》かに書き送ったが、いずれも、読んだ人の心にしみじみと沁《し》みるように筆を尽くして書いてあった。おそらく、その文どもにはずいぶんと見どころがあったに違いないのだが、折しも慌《あわ》ただしい気分に紛《まぎ》れて、はっきりと聞き置かぬままになってしまったことであった。

源氏、致仕大臣《ちじのおとど》への暇乞い

出立の日から二、三日前に、夜の闇《やみ》に紛れて、もとの左大臣《さだいじん》の邸《やしき》に源氏はやってきた。

網代車《あじろぐるま》の、それもまったく粗末なのに乗り、しかも下簾《したすだれ》を垂《た》らして、まるで女の車のように窶《やつ》して邸に入ってきたのも、つくづくと悲しく、もしや夢ではなかろうかとさえ思われた。

かつてここに葵上《あおいのうえ》と夫婦として過ごしていた部屋も、なにやらひどく寂しげに荒れ果てた感じがしている。

若君の乳母《めのと》たちや、昔からいて今もお暇《いとま》を取らずにいる女房どもはみな、源氏の訪れを珍しがって、われもわれもと参上してくる。そうして、源氏の顔を見るにつけても、とりたてて思慮深くもない若い女房たちまでが、世の無常を思い知らされて涙にくれている。

ようやく五歳になった若君は、かわいらしい盛りで、はしゃぎながら走って来る。

「おうおう、ずいぶん来なかったのに、この父を忘れていないのは感心感心」

と、抱き上げて膝《ひざ》に乗せたりする様子を見ても、女房たちは涙をこらえることができないようである。

やがて致仕大臣《ちじのおとど》（前《さき》の左大臣）が、こちらの部屋に渡ってきて対面する。

「お邸に閉じこもって所在なくお過ごしの間に、何ということもない昔の思い出話でも、参上してお話し申し上げたいとは存じましたのですが、なにぶんこの老体の病が重《おも》りましてなあ、もはや公《おおやけ》のほうにも出仕《しゅっし》いたしませず、お役目もすっかり返上してしまいましたのに、私事《わたくしごと》には、ぴんしゃんと腰を伸ばしてうろうろしているなどと、世間の取り沙汰《ざた》となりましょうし、いや、隠居した今となりましては、なーに、誰に遠慮も要《い》らぬことながら、なにぶん世間の口というものは手厳《てきび》しゅうございますでなあ。……こうして辛い思いをなさっておいでなのを拝見するにつけましても、げに『寿《いのちなが》きものは則《すなは》ち辱《はぢ》多し』とかや、物の本にも見えてございますとおりにて、命長きことが厭わしくなるなどという、まず世の末でございますかな。かつては、……天下を逆《さか》さまにしても、まさかまさか、かようなことになろうとは、思いもかけぬことでございましたが、今の御身《おんみ》のありさまを拝見いたしますれば、もうなにもかも面白からぬことのみで……」

致仕大臣は、こんな愚痴をこぼしながらひたすら涙にくれている。

「それもこれも、みな前世の悪業《あくごう》の報《むく》いと申すことでございますから、詮《せん》ずるところ、ただわたくし自身の不徳《ふとく》の致《いた》すところでございます。わたくしの如く官位爵位を剝奪されるような大罪でなくて、些細《ささい》なことに関わっただけで蟄居謹慎《ちっきょきんしん》を命じられた者が、ふつうの生活を続けるのは重い罪に当たると、唐土《もろこし》のほうの法律《さだめ》にはなっているそうでございます、……聞けば、わたくしを遠国《おんごく》へ追放というようなことが諮《はか》られているとか……、たぶん殊《こと》の外《ほか》重い罪に当たるということになっているのでございましょう。されば、いかにわたくし自身として良心に恥じぬからとて、素知らぬ顔で日々を送りますのもなにかと憚られますので……、むしろ、今以上に重い、遠流《おんる》などの罪に処せられる前に、自分のほうからこの都の暮らしを退《しりぞ》こうと思い立ちましたのでございます」

など、源氏は、情理《じょうり》を尽くして致仕大臣に話して聞かせる。

大臣は、昔の物語、故桐壺院《きりつぼいん》の御事《おんこと》などかれこれ話すなかにも、とりわけ故院が、朝廷《おおやけ》や源氏の将来についてお諭《さと》し置きになったそのお気持ちなどを語り出しては、涙が流れて、直衣《のうし》の袖を目から放すことができない。これには、さすがに源氏も、心強く泣かずにいるということができぬ。

若君は、無邪気な様子であちらこちらを歩き回って、そこにいた誰彼にまつわり付いたりする。そんな様子も、大臣には、たまらなく思われるのであった。

「あの亡くなりました娘のことは、なんとしてもこの胸を去りませぬし、片時も忘れることができませぬ。今もただ悲しいばかりでございますれば、このたびの事にいたしましても、もしあれが生きて《い》おりましたら、どんなにか嘆き悲しんだことだろうかと思いますと、まずよくぞ短命で、かかる悪夢を見ぬうちに逝ったものと、まあそんなふうに思って、自らを慰《なぐさ》めておりますが……。ただ、あのまだ幼い若君が、かような年寄りばかりのなかに留《とど》まって、父の君になつかれぬ期間が……さよう何か月に亘《わた》りましょうかと……そのことが、この老人には、なによりも悲しく存ぜられますでなあ。いにしえの人も、じつは良からぬことをしていながら、罪《つみ》せられぬ……なんてこともございましたに……。運命とでも申しますかなあ、無実の讒言《ざんげん》に遭《お》うて罪せられる、というようなためしは、唐土《もろこし》の朝廷《みかど》のほうでも、いくらもございましたこと。されど、さような場合とて、誰かがじっさいに讒言するのでないかぎり、ことは起こらぬはず……いったいこれは、どうしてこうなったのか、ああでもあろうか、こうでもあろうかと、考えても考えても、さっぱり思い当たる節《ふし》がございませぬ……」

などなど、多くのことを語りあったのであった。

息子の三位《さんみ》の中将《ちゅうじょう》もやってきて、酒なども出た。

やがて夜が更けたので、源氏はそのままここに泊まることになった。その夜もすがら、女房たちを御前《おまえ》に侍《はべ》らせて、故人の思い出話などをこもごも交わしあった。

他の人よりも格別に、密かに情《なさけ》をかけていた中納言《ちゅうなごん》の君は、古歌に「言へばえに言はねば胸に騒がれて心ひとつに嘆くころかな（口に出して言おうとすればとても言えぬ。といって何も言わなかったら胸のうちに恋心が騒いでならぬ、ただ私の心ひとつに嘆いているころでございます）」と歌われているような気持ちで、悲しく思っているらしい。そのさまを見て、源氏は独り密かに心を動かしている。

やがて皆が寝静まった頃、そっとこの君の閨《ねや》へ忍んでいって、源氏は格別に心をつくして睦言《むつごと》を交わしたのであった。されば、この人と別れの睦言を交わしたくて、今宵《こよい》こちらに宿ったのであったらしい。

間もなく夜が明けてくる。暁《あかつき》。

源氏はまだ真っ暗なうちに立ち出《い》でると、空には夜明けも近きにまだ残る月が美しく光を落としていた。花に彩《いろど》られていた桜の木もそろそろ盛りを過ぎ、散り残った枝の陰が白々《しろじろ》とした月光に形を落として、あたりには薄く霧《きり》が立ち、風景はかすかにかすんで見える。秋の夜の月の面白さよりもまた一段と美しい春の暁の月である。

源氏は、簀子《すのこ》の勾欄《こうらん》の隅《すみ》あたりに押し掛かるようにして、この暁の庭の景色を見渡している。

中納言の君は、お見送りをしようというのであろうか、隅の開き戸を押し開けたまま、廂《ひさし》の端に控えている。

「またそなたと対面することは、思えばほんとうに難しい。まさか、こんなふうに別れなくてはならぬ仲だとは思いもかけず、逢おうと思えばいつでも気安く逢えたはずのこの何か月かを、こうものんきに逢わずに過ごしてしまったな」

源氏は、こんな言葉をかける。中納言の君は、なにも言えず、ただ黙って泣き崩れている。

若君の乳母《めのと》の宰相《さいしょう》の君を通じて、大宮（葵上の母宮）から、手紙が届けられた。

「本来、わたくし自身お目にかかってご挨拶《あいさつ》を申し上げたかったのですが、ただもう心乱れを鎮《しず》めておりましたところ、まだこのように夜深い時分に早くもお帰りになるよし、そんなことも、以前にはなかったことと、それも悲しい心地がいたします。かわいい人が、まだぐっすり眠っております間《あいだ》は、せめてお待ち下さるかと思っておりましたのに、それも叶《かな》いませず……」

この文面を見ては、源氏も声をあげて泣いた。

鳥部山《とりべやま》もえしけぶりもまがふやと
海士《あま》の塩焼く浦見にぞ行く

鳥部山に、ああして燃えていた荼毘《だび》の煙に、似ていはせぬかと思って、別れの恨みを晴らしにと、海士どもが塩を焼く煙の立つ浦見に参ります

そんな歌を、返事ともなく、源氏は低唱する。

「暁の別れは、いつも辛いものでございましたが、いやいや、こんなにも辛い、もう一つの暁の別れがあるとは……そのことをよくご分別くださるかたも、きっとおられましょうね」

そんなふうに、源氏が、恋人との別れならぬ親子の別れの辛さを伝えると、宰相の君は、

「いつだって、別れという文字は辛う存じますが、今朝はまた、たぐいなく悲しいことと思い知ることでございます」

と、もうすっかり鼻声でかろうじて答える。その悲しみはまことに深い。

「まだまだ、申し上げたいことは、ややまございますが、これ以上は心が鬱《ふさ》いでどうす

ることもできぬところでございます。どうぞお察しくださいませ。そのぐっすり眠る人は、旅立ちの前にもう一度会いたいとは思いますが、そんなことをいたしますと、却《かえ》ってこの都の巷《ちまた》を逃《のが》れにくくなりますので、強いて心を強く思い直しまして、このまま急ぎ失礼させていただきます」

源氏はそんなふうに大宮へ伝言を頼んだ。

いよいよ源氏は邸を出て行く。その様子を女房たちは物陰から覗《のぞ》き見ていた。入《い》り際《ぎわ》のたいそう明るい月のもとの源氏は、つくづく清艶《せいえん》ですっきりと美しくて、しかもこうして物思いに伏《ふ》し沈んでいる様子を見たなら、虎《とら》や狼《おおかみ》でさえ感涙に咽《むせ》ぶことであろう。まして、ここにいるのは虎狼《ころう》ならぬ、いとけない頃から源氏のお世話をしてきた女房たちであってみれば、ただいまの喩《たと》えようもない零落《れいらく》の姿をみては、あんまりだと思うのであった。

そうそう、大宮のお返事には、こうあった。

なき人の別れやいとど隔《へだ》たらむ
煙となりし雲居《くもゐ》ならでは

亡き人との別れは、もっともっと遠く隔たったものになってしまうでしょう。
娘が煙となって立ち昇ったのは都の空、あなたがこれから見上げるのは、
はるか鄙《ひな》の里の空でございますから

葵上との別れに源氏との別れまで取り合わせて、悲しみは尽きることなく、いよいよ源氏が邸を出ていったときには、その名残惜《なごりお》しさに、邸じゅうの人々が不吉なまでに泣き崩れた。

二条の院の、その人気ない淋しさ

二条の邸に帰ってみると、東の対《たい》の女房たちも、一睡もできなかったらしく、所々に群《む》れいて、ただ呆然《ぼうぜん》として世をはかなんでいる様子であった。侍所《さむらいどころ》を見れば、親しく仕える者どもはこぞってお供に参る心を固めて、それぞれの家族や知友と別れを惜しみにいっているのであろうか、がらんとして人気《ひとけ》がない。

その他の人々は、この二条の邸に挨拶に来るだけでもどんな咎《とが》めを受けるか分からない、それもとかくに面倒なことばかり多くなってくるので、かつては所狭しと集《つど》うていた

馬や車が、今は影も形もない。この寂しさを見ても、〈世の中は辛いものであったな〉と今さらながらに源氏は思い知らされた。

侍所に据《す》えられた食器の台なども、半ばは塵《ちり》が積もっている。畳《たたみ》も、所々引き上げて裏返してある。まだ目《ま》の当たりに見ているうちからこんなふうになってしまっているのでは、まして、自分が留守にしている間には、どれほど荒《あ》れゆくことだろうと、源氏は荒涼とした思いを噛《か》みしめている。

源氏との別れを惜しむ紫上

西の対に渡ってみると、紫上は、格子戸《こうしど》も下ろさずにひたすら思い沈んで夜明かしをしていた。簀子などに、お付きの若い女《め》の童《わらわ》があちこち臥《ふ》して、それが今、源氏の姿を認めると慌《あわ》てて起き出してくる。その宿直《とのい》の姿の愛らしいのを見ても、源氏は、心細い思いに駆られる。

〈ああ、この子らも、何年も留守にしている間には、きっと辛抱できずに、みな散り散りにここを去ってゆくのだろうな……〉などと、まさかそんなこともあるまいと思われるようなことにまで、源氏は、目を留めて悲観するのであった。

「昨夜は、致仕大臣《ちじのおとど》のところへ参って、しかじかのことに、ついつい夜を更かした。それで、やむを得ず泊まってくることになったのだ。おや、そなたはまた、例の、心外なことを考えていたのではないか。私はね、こうして都にいるうちだけでも、なんとかしてそなたといつも一緒にいたいと思っているのだけれど、なにぶん都から遠く離れるとなると、あれもしておこう、これもしなくてはと心を悩ますことがたくさんあって、ひたすら家に籠《こも》っているというわけにもいかないのだよ。いつ命が果てるとも知れぬ無常の世に、このまま誰に挨拶もせずに行って、万一なにかあったら、あの源氏という男は情知らずな人間だったと、そう思われてしまうだろう。だから、そんなふうに、そなたに心外な邪推をされては、私も立つ瀬がないというものだよ」

こんなふうに、紫上を慰《なぐさ》めると、

「心外とおっしゃるのですか、こんなに情ない目を見るよりほかに、妻として心外なことが、ほかにございましょうか」

と、女君はそれだけ言って、ただただひどいと思い込んでいる様子は、他の女たちとはまったく違っているのであった。それも当然なことであったけれど。

父君の兵部卿《ひょうぶきょう》の宮《みや》は、庶腹《おとりばら》の紫上のことは、もともと疎《おろそ》かに思っていたところに、源氏のこの失脚騒動で、うかうかと関係を続けてはどんな災《わざわ》いがふりかかるかもしれないと、世の聞こえばかり気にかけて、手紙一つよこさない。まして、直接に見舞いに訪れるなどは一切しなかったので、その冷淡な扱いを人はどう見るだろうかと、紫上は恥ずかしく思う。こんなことなら、なまじっか父宮に自分の居所を知られぬままいたほうがよかったとまで思う。

ところが、継母《ままはは》にあたる北《きた》の方《かた》などが、「あの姫は、急に幸せになったと思ったら、また急に不幸せになるとは、せわしいことだこと。おお、不吉な。目をかけてくれる人が、つぎつぎと別れていく運命を背負っているのだね、あれは」と冷笑しているということを、さる便りがあって、漏れ聞いたりするにつけても、紫上はなんという嫌なことだろうと思って、以後はこちらからも一切音信を断ってしまった。

かくて、紫上にとっては、源氏のほかにこれといって後ろ楯《うしだて》とすべき人もなくなり、まことに北の方の言い草のとおりの、あわれな身の上となったのであった。

「もし万一、これから何年という長い間、世に許されることがないようなら、たとえ巌《いわお》の中に住まっていようとも、そなたを迎え取っていっしょに暮らそう。ただ、今は、もし女連れで下っていったと人が聞いたら、それはなんと思うだろう。さぞ穏《おだ》やかならぬ思いがするであろう。いいかね、お上《かみ》に対して畏《かしこ》まり謹慎する者は、明るい光のさすところに出てもいけない、というのだから、まして安閑《あんかん》とした振舞いをすることは、それ自体が重い罪に当たるのだからね。いや、私は罪《つみ》せられるような後ろめたいことは全くしていない。けれども、こうなるのには、前世からの因縁があってのことに違いないと思う。だから、ここで愛する人を連れてゆくなどというのは、もとより前例もなく、またこんなふうにどんどん悪くなっていく物狂おしい世の中にあっては、それがために、ますます辛《つら》い目をみることだってあるに違いないのだよ」

などと、源氏は、懇篤《こんとく》に諭《さと》し聞かせるのだった。

翌日は、日が高くなるまで、二人は閨《ねや》を共にして起きてこなかった。

帥《そち》の宮《みや》（桐壺院の親王《みこ》、源氏の異腹の弟）や、三位の中将などが、やってきた。源氏は対面すべく、いそぎ直衣《のうし》などを着た。それも、もう位階《いかい》を剝奪された者なのだからというので、紋《もん》を織り出さぬ無地の直衣で、かえってたいそう親しみ深い感じのするのを着て、窶《やつ》し姿にしていると、それもまた魅力的なのであった。

いままで女君と同衾《どうきん》していて寝乱れた鬢《びん》を掻《か》き撫《な》でようと鏡台に向かって見ると、そこには、すっかり面瘦《おもや》せした顔が映っていて、源氏は我ながら貴《あて》やかですっきりと美しいと思う。

「こんなに、すっかり衰《おとろ》えてしまった。このまるで影のように瘦せてしまったのは、悲しいことよな……」

と口に出して言うと、紫上は、目に一杯の涙を溜《た》めて、かすかに源氏のほうを見た。それもまた正視に堪えない心地がするのであった。

身はかくてさすらへぬとも
君があたり去らぬ鏡の影は離れじ

私の身は、こうして遠くへさすらっていくけれど、あなたの身辺を去らぬ鏡に映った私の面影《おもかげ》は、決してここを離れはすまい

源氏がこう詠みかけると、女君は即座に応《こた》える。

別れても影だにとまるものならば

鏡を見てもなぐさめてまし
お別れしても、その面影だけでもここに留まってくださるのなら、
わたくしはせめてこの鏡を見て、みずからの心を慰めていましょう。でも……

柱の陰に隠れて、涙を見られまいとしている紫上の様子は、やはり数多い源氏ゆかりの女君たちのなかにもたぐいない美しさであったと、今さらながらに思い知るほどのありさまであった。

帥の宮は、しみじみとした物語など交わして、日暮れのほどに帰っていった。

源氏、花散里への訪れ

あの花の散る里のあたりでも、麗景殿《れいけいでん》の女御《にょうご》からは、心細さに、しょっちゅう源氏に文を届けさせてくる。これも道理であったが、同じ邸に住む花散里《はなちるさと》（三の君）にも今一度逢うこともなく都を去ってしまったら、さぞ薄情な男と恨まれるだろうと思うので、その夜、源氏は、この花散里のもとへ訪ねていった。しかし、源氏は、かつは疲れてもいる

し、かつはまた億劫でもあるので、ずいぶんと夜更けてから訪れたのであった。

ゆけば、お目当ての花散里ではなくて、姉君の女御のほうが、まずは対面する。

「わたくしごとき物の数でもない者を、人並みに数えてくださって、こうしてお立ち寄りくださいますこと、うれしゅうございます」

など、くどくどと礼を言う様子は、ここに書き続けるのも煩《わずら》わしいので、このくらいにしておきたい。

じっさい、この邸のひどく心細いありさまを見るにつけても、ただ源氏のおかげを蒙《こうむ》って過ごしてきた年月《としつき》が偲《しの》ばれ、これからその源氏が去ったなら、ひどく荒れ果ててしまうだろうことが思いやられて、邸の内は森閑《しんかん》と静まり返っている。

月が、おぼろおぼろとさし昇ってきた。

池は広く、築山《つきやま》に木々が茂りあって影も暗い。どこもただ心細く見えるにつけても、これから先、都をはるかに離れて巖のなかに住むような暮らしが思いやられる。

西面《にしおもて》に住む花散里は、〈こんな状況のなかでは、きっとここまではお出で下さらないのでは……〉と、すっかり悲観的に思っていたところ、しんみりと趣深《おもむきぶか》い月光が、清艶《せいえん》に、またしみじみと射《さ》している折も折、源氏の動くにつれて薫《かお》ってくるその袖の香《か》が、似るものとてもない芳《かぐわ》しさで、たいそう忍びやかに入ってくる。花散里は、すこし躙《にじ》り出てきて、そのまま二人並んで月を見ている。

こうしてまた、ここでもかれこれの物語などするうちに明け方も近くなってしまった。

「なんて短い夜なのだろう。こればかりの対面とても、再び叶《かな》うのはなかなか難しいと思うにつけても、いままで何ということもなく過ごしてきた年月《としつき》が悔やまれる。……それにしても、千古《せんこ》の昔から末々《すえずえ》に至るまでの語りぐさになるようなこの身のなりゆき、これでは、どうしても心安らかには過ごすことのできぬ運命なのであろうね、きっと……」

源氏は、過ぎ去った日々のことをあれこれと語るうちに、鶏《にわとり》も喚《そそのか》し顔にしばしば鳴くので、人目を憚って夜が明けぬうちに急ぎ出ていく。

折しも、月が山の端《は》に沈んで姿を隠そうとしている。花散里には、その沈みゆく月影が、今や遠く去っていこうとする源氏の姿と重なって、別れには常のことながら切々《せつせつ》たる胸の痛みを感じた。

花散里が着ている濃い紫の衣に、その月光が白々《しろじろ》と落ちている。「あひにあひて物思ふころの我が袖に宿る月さへ濡るる顔なる（どこまでもぴったりと合っているのですね、恋の物思いに暮れている私の袖は涙に濡れて、そこに月が宿って、その月も濡れているように見えるのですから)」という古い歌の心も、まことにその通りだと思われる。

月かげのやどれる袖はせばくとも
とめても見ばやあかぬ光を

月影が映っている私の袖の涙の海はこんなに狭いけれど、
なんとかして沈まないように留《とど》めていつも見ていたい、
見ても見てもこれでもう十分ということのない、この光る君を

こう歌いかける女君の様子は、いかにも悲しげで、はた目にもいたわしいので、源氏は、出て行こうとする足を留めて、

「ゆきめぐりつひにすむべき月かげの
しばし曇《くも》らむ空《そら》なながめそ

この大空を行き巡っては、やがて澄《い》むだろう月の光だ。
私も遠く行きめぐっては、やがてここに住《い》むことになろうから、
今こんなに曇っているからといって、空を眺《なが》めて物を思うのではないよ

思えば人生などはあてにならぬものだ。そうして、行く末が分からないからこそ、心が悲しみに暮れて涙が落ちるのだろう。しかしね、私はきっと戻ってくるから、そんなに悲しんではいけないよ」

と、そんなふうに慰めて、源氏は、明け方の薄明《はくめい》の中を帰っていった。

旅立ちへ万端の用意

帰ると、源氏はすぐに、出発のための万端の用意にとりかかった。

まず、日頃から親しく仕《つか》えて時勢になびかぬ者たちだけを選んで、二条の邸の事務のあれこれを任せる責任者と実務者に分けて定め置き、また須磨までお供したいという者どもを、それとは別個に選び出した。これからあの寂しい山里に住むのに必要な調度《ちょうど》については、どうしても欠くことのできない品だけを、それもことさら質素な作りの物を選んで用意させる。また、持参する書物とては、『白氏文集《はくしぶんじゅう》』などが納められた箱、そのほかには、琴一張《きんいっちょう》、その程度のものを調《ととの》えた。かれこれ数多い調度や、はなやかな装束《しょうぞく》などは、まったく持参しない。まるでこの品々だけを見れば、賤《いや》しい山の民の用意かと思うほどの品揃《しなぞろ》えであった。源氏の側仕《そばづか》えの女房たちの仕置きは、すべて西の対に任せることにした。そうして、所領の荘園《しょうえん》やら牧場《まきば》やら、しかるべき領地の地券証文などは、みな紫上に預け置く。それ以外の邸内の蔵々や宝物収蔵所の仕置きについては、紫上の乳母、少納言《しょうなごん》の君の信頼できる人柄を見込んで、腹心《ふくしん》の家来と共に一切管理すべく申し付ける。

また源氏近侍《きんじ》の、中務《なかづかさ》・中将《ちゅうじょう》などという女房たちは、源氏から賜《たまわ》ったお情はごく素っ気ないものであったとはいうものの、ただ日々に身近でお世話をしていること自体がこよなき慰めであってみれば、これから源氏の居ない邸に仕えていても何の甲斐《かい》があろう、いっそお暇《いとま》を頂戴《ちょうだい》しようかと思っていたのだったが、

「幸いに命永らえて、この都に再び帰ってくる時もあるだろうから、それを待っていようと思う者は、この西の対にお仕えせよ」

と言い聞かせて、身分が上の者も下の者も、こぞってこの御殿《ごてん》に引き移らせた。

若君の乳母たちにも、また花散里の住む御殿の人々にも、雅《みや》びやかな贈り物はもちろんだが、実用的な暮らし向きの品々まで、源氏は、痒《かゆ》いところに手が届くように、きちんと用意して届けさせるのであった。

源氏、朧月夜の尚侍に別れの文を送る

朧月夜《おぼろづきよ》の尚侍《ないしのかみ》のもとへは、無理をおして文《ふみ》を通わせる。
「なにもお見舞い頂けないのも仕方のないこととは存じておりますが、今はこれまでと、この世を思い切るほどの憂《うれ》いも辛さも、類《たぐ》いのないことでございます。

逢ふ瀬なき涙の河に沈みしや
流るるみをのはじめなりけむ

貴方との逢瀬が果たせずに、浅瀬もないほど深い涙の河に沈んでしまったのが、流れていく水脈（みお）を、私が流れていく身となった、その始まりだったのでしょうか

こんなふうに、ただ悲しく思い出しておりますあのこと、あれだけは、罪を逃れがたいことでございました」

はたしてこの文が無事に尚侍の手元に届くかどうかも覚束《おぼつか》ないので、事細かには書かずにおいた。

これを受け取った女の身には、どうにもならぬほど思いが募って、こらえてもなお涙がこぼれてこぼれて、袖では抑え切れぬほどであった。

涙河《なみだがは》うかぶ水泡《みなわ》も消えぬべし

流れてのちの瀬をも待たずて

この袖に流れる涙の河に浮かぶ水の泡のように、はかなく消えてしまう私の命でございましょう。この河が流れ流れての末の逢瀬をも待つことができずに……

この歌を泣きながら書いているせいで、いくらか乱れにじんでいる筆跡も、それはそれでひと風情《ふぜい》であった。

源氏は、〈ああ、この君に今ひとたびの対面もなきままに遠くへ行かなくてはならないのか〉と思うと、残念でならないけれど、すぐに思い返して、朧月夜の君の周囲には、二人の関係を疎《うと》ましく思っている縁者が多くいて、女君もひとかたならず周囲の目を気にしているところであったから、そこを慮《おもんぱか》って、源氏は無理やりに逢いに行きたいとは言えぬままになった。

出発前夜、源氏、桐壺院の御陵参拝のついでに藤壺を訪う

いよいよ明日出発という日の夕方、源氏は桐壺院のお墓を拝《おが》むために、北山《きたやま》へ詣《もう》でた。折しも月の出が遅い時分で、暁にならないと月は出ない。そこで、真っ暗な闇に乗じて、入道の宮、すなわち藤壺のところへやってきた。

近くの御簾の前に御座《おまし》を設けて、人づてでなく藤壺自身が応対する。そうして、なにを差し置いてもまずは東宮《とうぐう》のことがひどく気にかかるということを源氏に訴えた。かかる惜別の情はいずこも同じとは申しながら、源氏と藤壺のように、互いに物思いの深いどうしの語らいともなれば、また格別に切実な思いが募ったことであったろう。親しみ深く好ましい藤壺の気配は昔とちっとも変わらない。源氏は、ずっとつれなくもてなされたお心の程について、ちらりと恨み言も言いたいと思ったけれど、今さらそんなことを口にするのも、さぞ鬱陶《うっとう》しく思われるに違いなかろうし、また、中途半端にそんなことを口にすれば、自分の心だってもう一度乱れまさるに違いないのだからと心中に念じて、ひたすら我慢している。そうしてただ、

「こんなふうに思いもかけない罪を身に受けましたことにつきましては、よくよく思い合わせるべき事が、ほかならず一つございますから……天罰のほども恐ろしいことに存じます。もとより死んでも惜しくはないこの命など投げ出しましても、ただ東宮さまの御代《みよ》が、無事実現いたしますならば……」

とのみ、辛《かろ》うじて言うにとどまったのも、思えば道理というものであったろうか。これは、宮も、逐一思い当たることであったから、ただもう心が騒いで、なんと返事のしようもないのであった。源氏は、その他のあれもこれも思い出すことが山ほどあって、ひたすらに泣いている。その蒼ざめた美しさも、限りなく魅力的であった。

「これよりわたくしは、北山の故院さまの陵《みささぎ》に詣《もう》でてまいります。なにかおことづてがございましょうか」

源氏は、そんなことを尋ねてみるが、藤壺は胸が迫ってすぐには何も答えられない。ただもう、ひたすら心を鎮めようとしている様子であった。

見しはなくあるは悲しき世の果てを
そむきしかひもなくなくぞ経《ふ》る

ずっと逢い見て過ごした方はすでに亡く、こうして現世におられる方は、
悲しい運命にさすらってゆかれる、この世の果て、
わたくしはもうそんな世の果ては見たくもないので捨てた世でございましたが、
その甲斐もなく、泣く泣く時が経《た》ってまいります

宮はせめてこんな歌を詠んだが、二人とも尽きせぬ心の悲しみやら、次々と思いの募《つの》りくることやら、とても歌に詠みおおせるようなことではなかった。源氏は、別れに、こんな一首を贈った。

別れしに悲しきことは尽きにしを
またぞこの世の憂《う》さはまされる

故院とお別れしたときに、悲しい思いはもうし尽くしたかと思っておりましたが、
今また、その御子の代の、この世の辛さはいっそうまさってまいります

やがて有明《ありあけ》の月の出を待って、宮のもとを立ち出でる。お供にはただ五、六人ばかり、下仕《しもづか》えに至るまで、ごく親しい者だけを連れて、源氏自身は馬に乗ってゆく。いまさら言うまでもないことながら、位爵《いしゃく》を剥奪された今は、かつての栄華の時代とはまったく出で

立ちを異にするのであった。

誰もみなたいそう悲しく思うなかにも、あの賀茂《かも》の斎院《さいいん》の御禊《みそぎ》の日に、仮の御随身《みずいじん》として従った右近《うこん》の将監《ぞう》の蔵人《くろうど》は、本来なら得られている筈《はず》の叙爵《じよしやく》も得られぬままに過ぎ、それどころか、ついには除籍されて蔵人の職をも免ぜられるという憂《う》き目にあっている。かくては何の面目《めんぼく》も立たぬゆえ、このたびの須磨下向《げこう》のお供として源氏と運命を共にする人数のうちに加わっていた。

一行が賀茂の下社《しもしや》のあたり、その社《やしろ》を指呼《しこ》できるところを通過したとき、右近の将監は、ふとあの日を思い出して馬より降りると、源氏の馬の轡《くつわ》を取った。

ひき連れて葵《あふひ》かざししそのかみを
思へばつらし賀茂のみづがき

君と相共に葵を頭に挿《さ》してお参りをした昔（そのかみ）のことを思い出しますが、思えばその神も、ずいぶんと冷淡なことでございますなあ、賀茂の神垣のなかにおいでの神よ

こんな歌を詠みながら、〈それにしても、馬上の君は、ほんとうのところどういうお気持ちでおられるのであろう、あの折は、どんな人よりも華やかな御身《おんみ》でいらしたものを〉

と思うにつけても、将監の胸は痛む。

やがて社殿の正面を通る折には、源氏も下馬して社のほうを伏し拝み、神にしばしのお暇乞《いとまご》いをする。

憂き世をば今ぞ別るるとどまらむ
名をばただすの神にまかせて

この辛《つら》い俗世と今きっぱりと別れてまいります。あとに留まる評判について、
その善悪は賀茂の糺《ただす》の神が糺してくださいましょうから

かくいさぎよい歌を源氏が奉納するのを見ては、多感なる若人の将監は、ただもう身にしみて感激し、すばらしい方だと思うのであった。

北山の陵墓《みささぎ》にお参りして、院がこの世におわしたころのお姿ありさまなど、源氏は、まるで目の前のことのように思い出した。上御《かみご》一人《いちにん》というような方でも、亡くなってしまった人は、どうあっても帰ってこない。それが何ともいえず無念に思われた。源氏は、陵墓に向かって、このほどのさまざまな事柄を泣く泣く訴えたけれど、それに対しての故院の是非のお考えを明確にお伺いするということはできぬことゆえ、源氏の処遇、東宮の行く

末などなど、あれほど懇篤に念を入れてご遺誡《ゆいかい》なさったことは、いったいどこに消えてしまったのだろうかと、いまさら何を言っても始まらない思いがするのであった。

お墓への道は、もう草茫々《ぼうぼう》になっていて、その草を分けて参詣《さんけい》すると、ひどく露《つゆ》に濡れ、涙に濡れ、それればかりか、月も雲に隠れて辺りは真っ暗になり、森の木立もいっそう深々と感じられて、心が冷え冷えとするようであった。もはやどうやってここから帰ろうかということも分からぬほど、悲しみにくれ惑《まど》うて、せめてまたお墓に拝跪《はいき》すると、あたかもそこにおられるように、生前の面影がはっきりと見え、源氏は、ぞっとするような戦《せん》慄《りつ》をおぼえた。

亡きかげやいかが見るらむよそへつつ
ながむる月も雲隠れぬる

今は亡き父の面影は、いったいどうご覧になるのであろう。
ああしてわが父だと思って見上げていた月影さえ、今は雲隠れしてしまったけれど

東宮への別れの文

かくてすっかり朝になるころに、やっと帰京して、源氏は宮中の東宮（春宮）にも手紙を書き送った。藤壺の代理として腹心の王命婦《おうみようぶ》を東宮のお側に侍らせているので、その命婦の局《つぼね》に宛てて、

「今日いよいよ都を離れて参ります。いま一度参上してと思っておりましたのも果たせぬままになりました。そのことが他のどんなことよりも、わたくしには辛く思えることでございます。万事は、愚意のほどご高察の上、よしなに申し上げてください。

いつかまた春の都の花を見む
時うしなへる山賤《やまがつ》にして

いつまた春の都の桜花を……春宮《とうぐう》さまを……みることができましょうか。
この身は時世《じせい》に見限られた賤しい山の民となりましては」

と、こういう惜別の歌を、もう花の散ってしまった桜の枝につけて贈ったのであった。

王命婦は、「こんなご消息が……」とて、東宮のお目にかけると、幼心にも、真面目な顔をして見ている。

「お返事は、いかが申し上げましょうか」

命婦は尋ねた。すると、

「すこしの間会《あいだ》わないのだけでも恋しいのに、遠く離れてしまうのは、ましてどれほど恋しいか、と伝えるように」

との仰《おお》せ、なんというあっさりとしたお返事だろうかと胸に迫る思いで命婦は東宮を見た。

〈おもえば、いかがかと思えるようなことに、源氏の君はお心を砕いておいでだった。あの頃は、わたくしもそのお仲立ちなど申し上げて……〉などとその折々の思い出がそれからそれへと思い浮かんでくる。

〈あんなことをなさらなければ、苦しい物思いもなく、源氏の君も藤壺の宮さまも、安らかな思いで過ごすことができたものを……ご自分から求めて苦悩なさったこと〉と、すべてが悔やまれて、まるで自分の心一つで、あのような良からぬことが出来《しゅったい》したかのように、命婦は自らを責める。

そのお返事に、

「胸がいっぱいでまともなお返事ができません。東宮さまには、仰せの通りにお伝えいたしました。東宮さまがいかにも心細く思っておいでのご様子には、心打たれまして」

などと、とりとめない文面であったのは、おそらくよほど心が乱れていたのであろう。

「咲きてとく散るは憂《う》けれどゆく春は
花の都を立ち帰り見よ

咲いたと思ったらすぐに散ってしまうというのは辛いことでございますが、
過ぎゆく春と申しましても、やがてまた立ち帰ってまいりましょう。
その春のように、どうぞ源氏の君もこの花の都に立ち帰って、
春宮《とうぐう》さまをご覧になってくださいませ

やがてその時がございますれば……」

命婦はこんなふうに書き送って、お名残惜しい思いの物語を女房たちとあれこれと交わし、東宮の内の皆々、こぞって忍び泣きをするのであった。

一目でも源氏の姿を実際に見た人は、こんなふうに思い崩れて呆然《ぼうぜん》としている様子を、

嘆き惜しまぬ人とてない。まして、常々お仕えしていた者は、源氏自身は知っているはずもないような下働きの女ども、はては厠掃除《かわやそうじ》の婢《はしため》まで、源氏のたぐい稀《まれ》な庇護《ひご》のもとに過ごしていたのに、〈……ああ、これからは暫《しばら》くの間でも、そのお姿を拝見せずに日々を過ごさなくちゃならないのね〉と、誰もが思い嘆いている。

源氏をめぐる世間の思い

世間一般の人々も、この度の源氏の失脚については、決して無関心ではいられまい。源氏の君は、七歳になって以来、帝《みかど》の御前《ごぜん》に昼も夜も仕えてきて、その奏上することは何一つ実現しないことがなかったというわけであったから、源氏の恩沢《おんたく》に与《あずか》らぬ人など天下に一人もなく、その恩恵《おんけい》を喜ばない人があろうはずもなかったのである。

お蔭《かげ》を蒙《こうむ》った人たちは、特に高貴な家柄の上達部《かんだちめ》や弁官《べんかん》などのなかに多かったことはもちろんだが、それより以下の身分の者たちも、数知れずあった。その誰もが、源氏のお蔭であるということを知らないわけではなかったけれど、当面のところは、なにぶんこの厳しい世情を思い憚《はばか》って、源氏方に近づいてくる者もなかった。

世は騒然として源氏を惜しむ声に満ち、また下々の者どもも朝廷《おおやけ》の仕置きを非難し恨みはしても、しかし、我が身を捨てて源氏方に参上しお見舞いを申したとて何の甲斐があろうかと思うのであってみれば、こんな折には、外聞《がいぶん》を気にして恨めしい態度を取る人ばかり多い。それゆえ、〈世の中は、さても面白からぬものだな……〉とばかり、源氏は万事につけて思うのであった。

出立の日、源氏、紫上と別離の悲しみ

出立の当日は、紫上のところで、なにかとのどかに物語などして、一日を過ごしてから、慣例に従い、もう夜も更けた時分になって二条の邸を立ち出でる。狩衣《かりぎぬ》などを着しての旅装束にいたく窶《やつ》した姿で、

「おお、月が出たな。もう少し端近《はしぢか》なところに出て見送っておくれ。須磨に下ってしまったら、どんなにか、お話ししたいことがたくさん積もった、と思うようになるだろう。一日二日、たまさか逢わずに過ごす夜があるだけだって、訳の分からぬくらいに心晴れぬ心地がするものを、ましてや……」

と言いざま、源氏は御簾《みす》を巻き上げて、紫上を廂《ひさし》の間《ま》の端に誘《いざな》い寄せる。女君は、ただもう泣き沈んでいたが、その涙を一生懸命に抑えながら躙《にじ》り出てきては、月光のなかにたいそう心を惹《ひ》きつける様子で座っている。

〈我が身がこんなふうに、これからさきどうなってしまうか分からないような世だというのに、こうして遠く別れてしまったら、この君は、どういうふうに流浪《るろう》の日々を過ごすことになるだろうか〉と、源氏には、気がかりで悲しくてならないけれど、ここで自分が思い沈んでいたなら、ただでさえ深く思い詰めている紫上が、さらにさらに悲しむことだろうと思うから、

「生《い》ける世の別れを知らで契《ちぎ》りつつ
　命を人に限りけるかな

まさかこんなふうに生き別れをするなんてことを知らずに、そなたと契りながら、この命の限りにと約束したのであった、けれども……

まことに人の世は儚《はかな》いことだ」

などと、さしたることもないような調子の歌を詠んで聞かせる。紫上は歌を返す。

惜《を》しからぬ命にかへて目の前の
別れをしばしとどめてしがな

お別れするのでしたら、惜しくはないこの命に代えても、
この目《ま》の当たりの別れを、もう少しだけでも止めたいものでございます

なるほど、そんなふうに思っているのかと思うと、見捨てても行きがたい気持ちになるが、かれこれするうちに、だんだん夜が明けてくる。これですっかり朝になってしまったらみっともないと思うゆえ、源氏は、急いで出立《しゅったつ》していった。

源氏、須磨への道行

道すがらも、紫上の面影が、ふっと脳裏に浮かんで離れず、胸塞《ふさ》がる思いで船に乗った。

おりしも春の日永《ひなが》、そこへ追い風にも恵まれて、まだ日も高い申《さる》の刻時分《とき》(午後四時頃)に須磨の浦に着いた。ほんの近間《ちかま》の道行きでも、船などというものには乗ったこともない

ので、その心細さも、また反対に面白さも一通りではなかった。

昔、「大江殿《おおえどの》」と呼ぶ駅楼《えきろう》があったところは、今ではえらく荒れ果てて、松の木だけがその名残として残っている。

唐国《からくに》に名を残しける人よりも
ゆくへ知られぬ家居《いへゐ》をやせむ

昔、唐土《もろこし》の国で、遠流《おんる》されて名を残した人よりも、私は、さらに行方《ゆくえ》も知れぬさすらいの住まいをするのであろうか

源氏は、楚《そ》の王族であった屈原《くつげん》が南方に放《はな》たれて汨羅《べきら》の淵《ふち》に身を投げたことなど、かれこれ思い出しながら、鬱々《うつうつ》とした思いにかられる。

須磨の浦に、寄せては返す波を見てはまた、「いとどしく過ぎゆく方の恋しきにうらやましくもかへる波かな（もうこんなにも遠く過ぎてきてしまった、その離れてきた都の方角が恋しくて、帰りたくてならぬに、この浦から、うらやましくもかえっていく波だなあ）」という古歌を朗唱しているさまは、いかにもこれは言い古された歌ではあるが、こんな場合に源氏が歌うのであってみれば、いっそ珍しいものに感じられて、お供の者たちは、ただ悲しいとの

み思っているのであった。

過ぎてきた後ろのほうを振り返ってみると、山々には春霞《はるがすみ》が立って渺茫《びようぼう》とはるかに遠く感じられる。まことに、唐《から》の詩人たちが「三千里の外遠行《ほかえんこう》の人」とやら、「三千里の外行《ほかこう》李《り》に随《したが》ふ」とやら詠んだような、遠い遠い旅人になったような心地がして、船の櫂《かい》のしずくが滴《したた》り落ちるように、堪《こら》えがたく涙が流れるのであった。

故里《ふるさと》を峰《みね》の霞は隔《へだ》つれど
ながむる空はおなじ雲居《くもゐ》か

あの懐かしい故里の都は、霞に隔てられて見えないけれど、こうして物思いに耽《ふけ》りながら眺める空は、都の人も私も同じ、あの雲の居るあたりでもあろうか

およそ何を見ても、源氏には、辛くないということはないのであった。

須磨という所

須磨の浦の住まいは、あの在原行平《ありわらのゆきひら》中納言が、「わくらばに問ふ人あらば須磨の浦に藻《も》

塩垂《しほ》れつつ侘《わ》ぶと答へよ（もしたまさかに、私の安否を尋ねてくれる人があったなら、あれは須磨の浦で、潮に濡れ、涙を垂らしながら世の中を悲観して暮らしていると答えておくれ）」という歌を詠んだと伝えられる家のあったあたりから遠からぬところにあった。海岸からはすこし引っ込んで、身にしみてぞっとするような山中《やまなか》である。その粗末な垣根の様子をはじめとして、みな目慣れぬ珍しいものと源氏の目には映る。茅葺《かやぶ》きの家に、葦《あし》を葺いた廊《ろう》（渡り廊下）のような物など、いずれも鄙《ひな》の趣も面白く作りなしてある。こういう家居《いえい》はまことに風変わりだが、〈ははあ、こんな折でなかったら、これまた一興というところであろうにな〉と、源氏は、あの五条あたりの茅屋《ぼうおく》やら、常陸宮《ひたちのみや》の荒れ邸やら、昔の遊び心の通い所を、ふと思い出した。

そこから近いところにある荘園の預かり役人を召し寄せて、これから必要なことどもなどを、良清《よしきよ》の朝臣《あそん》が、源氏腹心《ふくしん》の家来として、なにかと指図したりするのも、また胸に沁みる思いがする。

こうして、須磨の仮住まいは、またたく間に整備され、風情ゆたかに姿を変えていくのであった。

遣水《やりみず》（庭に引き入れた流水）は浚《さら》って深くし、植木なども植え、これでよしと落ちついてみた心地は、まるで現実とは思えない。

摂津《せっつ》の国司も、もともとは源氏の家筋《いえすじ》に親しく出入りしていた者なので、ひそかに好意を寄せて親切にしてくれる。かくて、こんな旅の仮住まいであるにもかかわらず、ずいぶん大勢の人が騒がしく出入りするのではあったが、そんななかに、風流韻事《ふうりゅういんじ》、学問政治のことなど、まともに話し相手になれるような人士《じんし》も居なかったから、まるで見知らぬ国に来たような心地がして、源氏の気持ちは少しも晴れず、〈さてもさても、こんなところで、どうやって年月《としつき》を過ごすことにしようか……〉と、先のことばかりが思いやられた。

長雨の季節、源氏、京の人々に文を遣わす

しだいに万事が落ち着いてきて、長雨《ながめ》のころになると、京《きょう》のことがなつかしく思いやられる。恋しい人もたくさんあるが、なかでも、紫上が物思いに沈んでいたさま、東宮のこと、また葵上が遺した若君が無邪気に動き回っていた様子などをはじめ、あの人のこと、この人のことと、源氏は思いやっている。

そこで源氏は、京へ使者を立てた。が、肝心の二条の邸の紫上宛てと、入道の宮、藤壺

宛ての手紙ばかりは、書こうとするたびに涙にかきくれて、なかなか筆が進まない。宮宛てのは、こんなことを書いた。

「松島《まつしま》のあまの苫屋《とまや》もいかならむ
　須磨の浦人しほたるるころ

　松島の海士（あま）……松が浦島の尼（あま）の苫屋ではいかがお過ごしでしょうか。
わたくしのほうは、須磨の浦人が潮《しお》を垂れるように、悲観して涙に濡れております

いつということもなく、四六時中悲しい日々でございますが、過去の因縁《いんねん》、未来の行方など思いますにつけても心は真っ暗で、涙にくれておりますために、海の汀《みぎわ》も水かさが増している今日この頃でございます」

朧月夜の尚侍のもとへの文は、いつものとおり、中納言の君への私信のように装って、その中にそっと忍ばせておいた。

「こうしてなすところもなく、ただ過ぎ去った日々のことが思い出されますにつけても、

こりずまの浦のみるめのゆかしきを
塩焼く海士やいかが思はむ

なお懲《こ》りずまに、この須磨の浦の海松布（みるめ）ではありませんが、あなたと再び逢い見る目があったらいいのにとは思いますが、それは塩を焼く海士のような世間の人々が、さてどう思うことでございましょうか」

このほか、こまごまと思いの丈《たけ》を書き尽くした手紙の文言を、思いやっていただきたい。さらに、致仕大臣《ちじのおとど》へも、若君の乳母の宰相の君にも、必要なことをしかるべく書いて遣《つか》わした。

源氏の文と、紫上の悲嘆

京では、これらの手紙を、おのおの邸で見ては、それぞれの心を乱している人々がむやみとたくさんいる。

二条の邸の紫上は、別離の日からそのまま起き上がることもできなくなり、ただ限りなく思い焦《こ》がれているばかり、これには近侍の女房たちも、なんといって慰めていいやら、その心細さに困惑しきっている。

紫上は、源氏が日頃から使い馴《な》らしていた調度品、あるいは弾き馴らしていた琴《きん》、脱ぎ捨てた衣《ころも》の匂いなど、なににつけても源氏が恋しいばかりで、まるで亡き人を追慕するような嘆き方ゆえ、かつは不吉なことでもあることから、少納言の君は、僧都《そうず》に頼んで、二つのことを祈ってもらうことにした。ひとつには源氏の無事帰京を、もうひとつは、女君がこんなにも思い嘆くばかりなのを、心鎮めて物思いのない身にならせたまえと、その二つを願って御修法《みずほう》させたのである。いずれも、女君の悲嘆があまりにかわいそうなので、仏に祈願したというわけであった。

紫上は、妻の勤めとして、旅先での夜着などを調製して届けさせる。また固織《かたお》りの平絹《ひらぎぬ》の直衣《のうし》や指貫《さしぬき》、いずれも無紋《むもん》の生地で仕立てたのは、常の服装とはずいぶん違っている心地がして、それもまた悲しいのであった。手許《てもと》の鏡を見れば、源氏がお別れの前に「身はかくてさすらへぬとも君があたり去らぬ鏡の影は離れじ」と詠み置いたことも、あらためて思い出されて源氏の面影が彷彿《ほうふつ》とし、たしかに鏡は女君の身を離れはしないけれど、それとて何の甲斐もない。

源氏が出入りした戸口のあたり、また寄り掛かっていた真木《まき》(杉・檜)の柱など、何を見ても、そのたびに女君は、胸が一杯になってしまう。いや、こんなことは、思慮分別が具《そな》わって世情に通じた年輩の人でもそうなのだから、ましてや、紫上ともなれば、子どもの頃から馴れ睦《むつ》まじくして、事実上の父母役を兼ねる如《ごと》くに育てられたのだから、そういう源氏を恋しく思うのは蓋《けだ》し当然というものであった。

これが仮に死別という場合であれば、なんといっても仕方のないことで、時と共にだんだん忘れることもできるのであろうけれど、生憎《あいにく》に源氏は存命で、しかし須磨というところは、聞けばそんなに遠いところでもないらしい。といって、何年何月までと日限を限った別れでもないのであってみれば、考えれば考えるほど、思いは尽きないのであった。

藤壺の嘆き、朧月夜の返事

入道の宮も、東宮の将来のことを思うと、源氏の流離が嘆きの上の嘆きとなったことは、言うまでもない。源氏との前世からの因縁のような縁《えにし》の深さを思うと、どうして浅い思いで済まされたことであろう。

この数年は、ただ世間の取り沙汰などに憚《はばか》って、〈……少しでも情のある様子を見せたなら、そのことにつけて、万一にも誰かが見咎《とが》めはしないだろうか……〉と、そればかりを思って、ひたすらに忍んできた。源氏のいじらしい気持ちなど、多くの場合は見て見ぬふりをして過ごし、あえて素《そ》っ気《け》ない態度で持て扱っていたのだが……〈とかく、こんなにも嫌《いや》になるような世間の人の口さがなさだけれど、それでも、あのことについては、すこしも噂が立たなかった。そこだけは無事であったについては、あの方のなさりようも、ずいぶん強引で心の赴《おもむ》くままになさっていたように見えたけれど、じつはそんなことはなかったのかもしれない。逢えばひたぶるに情熱的であったけれど、外に向かってはせいぜい目立たぬように、本心を隠し通しておいでだったらしい……〉と、そう思い当たる。こうなるとさて、恋しいという気持ちがどうして抑えられるだろうか……。

藤壺からの返事には、だから、少し細やかな心が込められていた。

「このごろは、たいそう、

塩垂《しほた》るることをやくにて松島に
年ふる海士もなげきをぞつむ

塩水が垂れるように、泣くことを自分の役目（やくめ）と心得て、この松島に年を重ねてまいりました海士も、その塩焼くためになげきという木を積み重ねております」

一方、朧月夜の尚侍のほうからは、

「浦にたく海士だにつつむ恋《こひ》なれば
くゆるけぶりよ行くかたぞなき

須磨の浦に塩を焼く海士ですら人目をつつむ恋（こひ）という火《ひ》でございますから、その火で燻《くゆ》らせる胸の煙を上げることもできず、思いをどこへやったらいいかわかりません

もうこれ以上のことはとても……」

とだけ、ほんの短く走り書きして、中納言の君の手紙のなかに包み込んであった。その中納言の君の手紙の文面には、尚侍が思い慕って嘆くさまなど、心を込めて書いてあった。源氏の心にも、この尚侍《かむ》の君をしみじみといとしく思うところもあったので、これらの文を読んでは、ついつい嗚咽《おえつ》が漏れた。

紫上の返事

紫上からの文は、特に心細やかに書き送った手紙への返事だったので、しみじみと心に沁みるようなところが多かった。

浦人《うらびと》のしほくむ袖にくらべ見よ
波路《なみぢ》へだつる夜の衣《ころも》を

どうか、そちらの浦人が潮を汲《く》んで濡れそぼっている袖と比べてみてください。遠い波路を隔てて泣いているわたくしの夜の衣の袖とどちらが濡れまさっているだろうかと

女君から贈られてきた御衣《おんぞ》などの、色合い、また仕立ての細やかさなど、いかにも美しく仕上がっている。かくのごとく、紫上が、なにごとにも巧みな腕前であるのを見ても、源氏は、〈今こんなところに住んでいると、他の女のところへ忙《せわ》しなく通いかかずらう心配もないわけだから、もしここに紫上がいてくれたら、二人だけでしんみりと落ち着いて暮らせるのになあ〉と思うにつけても、肝心の紫上がここにいてくれないことが残念でな

らぬ。そうして、夜も昼も、その面影が浮かんできて、堪え難く思い出されることばかりゆえ、いっそ迎えを差しつかわして、こっそりとここに呼ぼうかと思ったりもする。しかしまた思い返して、〈いやいや、そんなことはできぬ。この辛《つら》いことばかりの世だ、まず前世からの悪業《あくごう》による罪を消さなくては〉と観念しつつ、そのままひたすら精進《しょうじん》して、あけくれ仏道修行に専念している。

致仕大臣《ちじのおとど》の方からの手紙には、若君のことなどを知らせてくるのも、また悲しいけれど、〈いずれは再び逢い見ることもあるに違いない。致仕大臣はじめ、三位の中将など、後ろ楯として心丈夫な人たちもついていることだから、それほど気がかりでもない〉と、あえて思いなすのは、恋の道には迷っても、この子供への愛情には、却って迷わぬものなのであろうか。

伊勢より六条御息所の使者来たる

そうそう、事繁《ことしげ》く騒がしいことの紛《まぎ》れに、書き漏らしていた。

あの伊勢《いせ》の斎宮《さいぐう》へも源氏は文の使いを出した。すると、御息所《みやすんどころ》からも使者が立って、わざわざかかる辺鄙《へんぴ》なところまで尋ね尋ねしてやってきた。その文には御息所の真率《しんそつ》な気持ちが心深く書いてあった。言葉のつかいよう、文字の書きよう、いずれも人並み外れて優美な趣があって、その素養の深さがあらわれている。

「とても現実とは思えませぬ須磨あたりへのご退隠と承《うけたまわ》りますのは、まるでいつまでも明けぬ夜にうなされているような感じがいたします。さりながら、そう何年にもわたってのご逗留もなさいますまいと、拝察いたしおりまするにつけても、ただこの罪深い我が身ばかりは、またお目にかかることなど、遠い遠い先のことかと。

　うきめかる伊勢をの海士《あま》を思ひやれ
　藻塩《もしほ》垂るてふ須磨の浦にて

浮海藻（うきめ）を刈る伊勢の海士のように、憂き目を見ておりますわたくしを思いやってください。

そちらでも海士たちが藻塩から塩水を垂らしているように、あなたが涙を垂らしているという須磨の浦で

よろずに思い乱れなどいたしております世の中のありさま、この先、いったいどんなふ

うになっていくのでございましょうか」
などと細々《こまごま》と認《したた》めてあった。また、

「伊勢島《しま》や潮干《しほひ》の潟《かた》にあさりても
いふかひなきは我が身なりけり

伊勢の海の潮干の潟で漁《あさ》っても、何の貝も獲《と》れないように、
何を言う甲斐もない我が身でございます」

と、この御息所の手紙は、深くしみじみと考えながら、書いては置き、置いてはまた書くというようにして、白い唐渡《からわた》りの紙に四、五枚ほども巻き続けて書いた長文で、その墨付きなどもまことに見るべきものがある。

〈……ひとたびは心深く愛した人であったのに、ひとつだけ嫌だなと思うあのことがあったばかりに、私はとんだ心得違いをしてしまった。あんな仕打ちに、あの御息所も私のことをさぞうんざりとお思いになって別れを決意されたのであったろうか〉と思うと、今さらながら、お気の毒な、そして申し訳もないことをしてしまったと、源氏は思うのであった。

かかる折の手紙として、あまりに心に響くものがあったので、源氏は、その伊勢からの使者にさえも親しい気持ちが湧《わ》いて、二、三日留《とど》めおいては伊勢のほうの珍しい話などをかれこれ語らせて聞いた。使者は若々しく嗜《たしな》みの感じられる侍所《さむらいどころ》の武者《むしゃ》であった。

須磨の仮屋《かりや》は、なにぶんこんなにも粗末な住まいなので、本来なら対面など許されるはずもない侍の身分のものでも、自然と近く寄ってお話をする。それで、ちらりと見えた源氏の容貌《ようぼう》を、侍は、たいそう魅力的なお方だと、涙を落として感激しているのであった。

かかる文をよこした伊勢の御息所への返事を書いたその言葉の素晴らしさを、想像していただきたい。

「このように都を離れるべき身と、もし前もって判《わか》っておりましたなら、いっそあの時に、あなたの跡《あと》を慕《した》って伊勢へ行けばよろしゅうございました……などと思っております。なすこともなく、心細い思いにまかせて、

伊勢人の波の上《うへ》漕ぐ小舟《をぶね》にも
浮《う》き布《め》は刈《か》らで乗らましものを

伊勢人のあなたが波の上を漕いでいく小舟で、浮海藻（うきめ）を刈らないで……

憂き目を見るのでなくて、相共に乗っていけばよかった

海士がつむなげきのなかに塩垂れて
いつまで須磨の浦にながめむ

こちらでは海士が積むなげきという木のなかに、塩が垂れるように涙を垂らして、
いったいいつまで、須磨の浦に住んで物思いに沈んでいることでしょう

お目にかかってお話など申し上げることは、いつになるとも判りませぬが、ただ尽きせず悲しいばかりでございます」

などなど、細やかに書いてあった。こんなふうに、源氏は、どの女君たちとも、けっして疎略でなく手紙を交わしている。

花散里からの文

かの花の散る里の、麗景殿の女御も花散里も、悲しい気持ちのままに、あれこれと文に書いて送ってきたのを読んでみると、そこには二人の心がそれぞれによく表われている。

こんなふうに取り集めた文をつぎつぎに読んで行くのも興味深く、また珍しい感じもして、どの手紙もじっと見ては心を慰めているのだが、それもまた一方では物思いの種ともなるようであった。

荒れまさる軒のしのぶをながめつつ
しげくも露のかかる袖かな

ご一別以来、荒れまさる我が家の軒に、生《お》いまさるばかりの軒忍（ノキシノブ）をながめながら、君をしのぶほどに、その忍草の露のように、わたくしの袖には涙の露がしきりとかかります

花散里の文のなかには、こんな歌が詠まれてあった。さては、みっしりと生《お》い茂った雑草以外には、あの家を守るものもないのであろうと推量して、源氏ははるかにそのありさまを京まで尋ねやると、この長雨で築地《ついじ》塀《べい》が所々崩れてしまったとの報告が至る。そこで源氏は、京の邸を預かっている家来に使いの者を送り、都近い国々の荘園の者どもを徴用して、崩れた塀の修理に当たらせるようにと命じたりもするのであった。

朧月夜の尚侍、参内

朧月夜の尚侍は、源氏との艶聞《えんぶん》が露見して世間の物笑いになり、参内《さんだい》も停止《ちょうじ》の処分となって、たいそう悲観して過ごしていたのだが、この姫は、父右大臣のとりわけ可愛がっている娘であったから、弘徽殿大后《こきでんのおおきさき》にも、また内裏の帝にも、ご宥恕《ゆうじょ》をしきりにお願いしたところ、もともと尚侍という職位は、女御や御息所など帝の御寝《ぎょしん》に親しく仕えると定まった后《きさき》がたとは違って、内侍司《ないしのつかさ》の長官という公的な立場に過ぎないゆえ、参内して復職することも大事なかろうとお考え直しになった。そもそも憎いのは朧月夜のほうではない。源氏という人間が憎いからこそ、こんな厳格な処分にもなったというわけゆえ、源氏が失脚した今となっては、もはやその処分も意味がないということとなり、ついに朧月夜は許されて復職参内することになった。

しかし、そうなったにつけても、朧月夜の心中には源氏への思慕が深く染みついていて、参内しても、源氏のことばかりが恋しく思い出されるのだった。

七月《ふみづき》になって、朧月夜は参内した。

もともと帝は、この朧月夜をご寵愛《ちょうあい》なさることひとかたならぬものがあった名残で、周囲の人の誹《そし》りも耳に入れることなく、以前のとおりずっとお側《そば》に侍《はべ》らせ、かれこれの恨み言を仰せになるかと思えば、また一方でしみじみと末々までの約束をなさることもあった。

帝は、そのお姿もお顔立ちも、たいそうすっきりと穢《けが》れなく美しい方であったけれど、それでもなお、朧月夜の心の中には、源氏のことを思い出すことばかり多いのは、まことに恐れ多い次第であった。

管弦の御遊びの折に、

「あの源氏の君がここにいないのは、とても物足りない思いがするね。そう思っている人は、私以外にもずいぶん多いことだろう。源氏がいないと、何ごとも艶消《つやけ》しな感じがする」

帝は、そんなことを仰せになる。そしてまた、

「思えば、故院の仰せおかれたご遺言のお心に背《そむ》いてしまったな。さぞこの身に罪を得たというものだろうね」

とも仰せになって涙ぐまれたりもする。これには朧月夜も涙を堪《こら》えきれぬ。

「世の中というものは、いまこうして生きているほどに面白からぬものだと、つくづく思い知った。だから、この世に生き長らえようなどとは、すこしも思わぬ。……もし万一、私が死んだら、そなたはどうお思いか。いやいや、あの男がさして遠からぬ須磨に下っただけでも、あれだけ悲しんだのに比べて、私が遠いところへ逝ってしまっても、あれほどに悲しみはしてくれぬだろうね、くやしいけれど。昔の歌に『生ける世に恋といふものを相見ねば恋のうちにもわれぞ苦しき（私はいまだ本当の恋というものを知らないから、今こうして恋していると、幸福な思いなどなくて、私はただ苦しいばかりだ）』などと歌っているけれど、本当の恋を知ろうと知るまいと、恋は苦しいばかりに決まっている。この歌は、きっと大したことのない者が歌い置いたものであろうな」

帝は、いかにも心惹かれるような表情で、こんなことを、心をこめてしみじみと仰せになるのにつけて、朧月夜はこらえ切れず、ぽろぽろっと涙をこぼした。

「おお、その涙……それはいったい、誰のために落とす涙なのかな」

帝はそういって憫笑《びんしょう》される。

「思えば、今までそなたとの間に皇子《みこ》たちのないことは、いかにも物足りない思いがする。……東宮のことは、故院が、くれぐれもご遺言あそばされたとおりに、将来は日嗣《ひつぎ》の皇子にと私は思っているのだが、世の中はままならぬ、なにかと妨げになるようなことばかり出て来るのだからね。それが私には辛いのだけれど」

など述懐されたのは、つまり、帝のお心を無視してご政道を壟断《ろうだん》する人があるのに、まだお若い心には、断固として之《これ》を斥《しりぞ》けるような強いところがないお年頃ゆえ、我ながらふがいないとお思いのことも多かったのである。

須磨の侘び住まい

須磨には、秋風が吹いて、まことに「木《こ》の間《ま》よりもりくる月の影見れば心づくしの秋は来にけり（木の間から洩《も》れてくる月の光を見ると、ああ、物思わせる秋が来たなあと感じる）」という古歌の心も偲《しの》ばれる季節になった。ここは海からは少し遠いけれど、いにしえ行平《ゆきひら》の中納言が、「旅人は袂《たもと》涼しくなりにけり関吹《せきふ》き越ゆる須磨の浦風（旅行く人の袂も涼しくなったなあ、あの関を越えて吹いてくる須磨の浦の風に）」と詠んだという、あの須磨の浦の波音が、夜々《よるよる》ごとに耳近く聞こえて、しみじみと身に沁《し》みること比類なきものは、こういうところの秋であった。

あたりには人気《ひとけ》もすくなく、みなぐっすりと寝静まっているのに、源氏ひとりは眠れずにいる。そうして、枕を立てて四方《よも》に吹き渡る嵐の音を聞くと、もうすぐそこまで波が打ち寄せて来そうな気がして、涙が落ちるという心地もせぬのに、いつのまにか涙の海に枕も浮くばかりになっている。

起きて、琴《きん》を少しばかり搔《か》き鳴らしてみても、我ながらぞっとするほど寂しく聞こえるので、途中で弾くのをやめてしまう。そして、

恋ひわびて泣く音《ね》にまがふ浦波《うらなみ》は
思ふかたより風や吹くらむ

恋しさに悲観して泣いている声のように聞こえてくるのは、あの浦波の音だ。さては、私が思いを寄せている人のいるあたりから風が吹いてくるのだろうか

源氏は、こんな歌を朗々と美しい声で歌った。その声に、寝ていた者たちも皆目覚めて、なんと良い歌、なんと良い声、と感動するにつけて、我慢しきれなくなって、みなおちおち寝てもいられず、起き出してきては小さな音をたてて鼻をかみ交わすのであった。

〈まったく、この人たちはどう思っているのだろうか……〉と源氏は思う。〈我が身一つのために、親や兄弟、みな片時《かたとき》も離れがたく、それぞれの身分につけて思いを寄せている家郷《かきょう》を離れて、こんな辺陬《へんすう》の地まで彷徨《さまよ》ってきている……〉と思うにつけて、〈あの者たちも思えば気の毒だ。もしここで自分が暗い顔をして伏《ふ》し沈んでいたら、家来たちはますます心細いと思うだろう〉と思うゆえ、昼は何くれとなく冗談など言ったりしては、沈みがちな気分を紛らわしている。また所在なさにまかせて、さまざまの色紙《しきし》をそれからそれへと貼《は》り継ぎながら、手習いに和歌などを書き散らしている。珍しい意匠《いしょう》の唐渡り《からわた》の綾絹《あやぎぬ》などには、さまざまの絵を描《か》き遊《すさ》んで屏風《びょうぶ》に仕立ててある、その絵柄など、これまた素晴らしく見どころがある。これなど、かつて瘧病《わらわやみ》の治療に北山の老僧を訪れた折ふし、供した家来どもがあれこれと語り伝えた海山《うみやま》の名勝のありさまを、そのときは遥《はる》かに想像していただけであったけれど、今目《ま》の当たりにして、なるほど描《か》くとも筆も及ばぬ美景ながら、源氏は、無双の才筆を以《もっ》て見事な線描に描きとった。

「この絵に、ちかごろの名人と謳《うた》われている千枝《ちえだ》や常則《つねのり》などを召して、きれいに絵の具で彩色をさせたいものでございますなあ」

と人々は口々に残念がった。

親しみ深く素晴らしく美しい源氏の様子には、皆世俗の憂《うれ》いを忘れて、側近くいつもお仕えすることを嬉《うれ》しく思いながら、四、五人の者がずっと近侍している。

夕暮れ、海景を眺めながら一同唱和す

御前《おまえ》の植え込みの花も折柄《おりから》色合い豊かに咲き乱れて風情《ふぜい》ある夕暮れには、海の見渡せる廊下のあたりまで源氏は出てきて佇《たたず》んでいる。そのさまの清爽《せいそう》な美しさは、悪霊《あくりよう》に魅入《みい》られはすまいかと不吉な感じがするほどで、まして、この須磨というような世間離れのした場所がらとあって、とてもこの世のものとは思われない。

下には白い綾絹の柔らかな袿《うちき》（下着）を着、そこへ紫苑《しおん》色の指貫《さしぬき》を着して、上着には色濃《こま》やかな縹《はなだ》色（藍染め）の直衣《のうし》、帯はゆるゆるとしどけなく乱れているという打ち解けた服装で、

「釈迦牟尼《しやかむに》仏弟子《ぶつでし》のナニガシ……」

と、まず名乗りをしてから、ゆったりとした調子で経《きよう》を読んでいる。その読経《どきよう》の声には、またこの世では聞いたこともないような天上の響きがある。

遠く目を放《はな》てば、沖のあたりを、舟の船頭どもが大きな声で舟歌など高吟しながら漕《こ》いで行くのが聞こえる。その舟影は、ここからはまるで小さな鳥がちらちらと浮かんでいるように見えて心細げなところへ、空には折しも雁《かり》が連《つら》なって鳴き渡ってくる。その雁の音《ね》が、船頭どもの梶《かじ》の音《おと》に紛れるのを、ぼんやりと眺めながら、涙の落ちるのを掻き払う源氏の真っ白でふくよかな手つきが、黒い数珠《じゅず》に映《は》えているのは、都の家郷に残してきた妻を恋しく思う者たちの心には、みなこよなき慰めとなった。

初雁《はつかり》は恋しき人のつらなれや
旅の空飛ぶ声の悲しき

あの初めて渡ってきた雁どもは、我が恋しい人の仲間なのであろうか。旅の空を飛んでいく声が、ばかに悲しく聞こえるけれど

源氏はこう詠んだ。良清《よしきよ》がこれに唱和する。

かきつらね昔のことぞ思ほゆる
雁はその世の友ならねども

ああして雁が連なって飛んでまいりますように、
それからそれへと連なって昔のことが思い出されます。
あの雁がその昔の友だというわけでもないのですが

次に、民部大輔惟光《みんぶのたゆうこれみつ》の歌。

心から常世《とこよ》を捨てて鳴く雁《かり》を
雲のよそにも思ひけるかな

物好きにも住みやすい常世の世界を自ら捨てて、旅の空に鳴く雁を、
昔は雲の外のひとごとだと思っていたが、今になってみれば、
それこそ自分の身の上と同じだということを悟ったものよ

次に、前《さき》の右近の将監《ぞう》が、

「常世出でて旅の空なるかりがねも
列《つら》に遅れぬほどぞなぐさむ

常世の国を出て、辛い旅の空に鳴く雁の声。

あれはこうしてお供の列に遅れないで随行していることを慰みとして鳴くのであろう

あれらも、友鳥の列からはぐれたとしたら、さぞ心細いことでございましょうなあ」と言う。この右近の将監という者は、親が常陸《ひたち》の介《すけ》（副知事）となって任国に下っていったのにもついて行くことなく、源氏のお供として須磨に来ているのであった。それで、職を免ぜられるなどの苦悩を嘗《な》めては、内心に心を砕いて思い悩んだらしいのだが、うわべには意気揚々と、何の屈託もないような顔つきで過ごしている。

八月十五夜、望郷の懐《おも》い

月がたいそう華やかにさし昇ってきた。

〈おお、きょうは十五夜であった〉と思い出して、源氏は、内裏の殿上《てんじょう》の間《ま》での管弦の御《おおん》遊《あそ》びを遠く恋しく思いやった。

〈この月を、都では、あちらこちらの女君たちが、眺めては物を思っておられるだろうな〉と、思いやるにつけても、源氏の目は、ただ月の顔にじっと注がれずにはいない。

やがて源氏は、白楽天《はくらくてん》が、遠き異境の親友元稹《げんじん》を思って詠じた漢詩《からうた》を低唱し始めた。

「三五夜中《さんごやちう》の新月《しんぐゑつ》の色、二千里《じせんり》の外《ほか》の故人の心……（あの十五夜のさなかに今さし昇った名月の色を見ていると、二千里も離れた異境にある友人の心が思われる……）」

この声を耳にしては、誰も涙を禁じえない。

源氏の胸中には、藤壺の宮が「九重《ここのへ》に霧や隔《へだ》つる雲の上の月をはるかに思ひやるかな（幾重にも幾重にも霧が隔てているのでしょうか。今はすっかり雲の上の月のように遠くなってしまわれた帝をはるかに思いやっております）」と詠まれた、あの歌が浮かんで来て、いいようもない恋しさとともに、なつかしい折々のことが思い出される。源氏は、たまらず、おいおいと声を上げて号泣するのであった。

「もう夜が更けてございます」

と周囲の者が注意しても、源氏はなお寝所《しんじょ》に入ろうとはしない。

見るほどぞしばしなぐさむめぐりあはむ
月の都は遥かなれども

月を見ている間だけは、すこしの間心が慰められる。

月はああして、日々に月々に巡り巡ってゆく。
天上の月のような都は遥かに遠いけれど、いつかあの月のように巡り合うこともあるであろう

藤壺の宮が「霧や隔つる」と詠んだあの夜、帝が心から打ち解けて昔の物語などをゆくりなくも交わしてくださった、その様子が故院にいかにもよく似ておられたことなども恋しく思い出されて、また、

「恩賜《おんし》の御衣《ぎょい》は今ここに在り、捧《ささ》げ持ちて日《ひ》毎《ごと》に余香《よきやう》を拝《はい》す（帝から賜《たまわ》った御衣《おんぞ》は、今ここに在る。それを捧げ持ってはその御衣に染みた残《のこ》んの香を聞いて恩徳《おんとく》を偲んでいる）」と、配所《はいしょ》に沈んだ菅原道真《すがわらのみちざね》公の詩を誦《ずん》じながら、源氏は寝所に入っていった。

帝から賜った御衣は、詩に謳ってあるとおり、片時《へんし》も身辺を離さず、傍《かたわ》らに置いてある。

憂《う》しとのみひとへにものは思ほえで
ひだりみぎにもぬるる袖かな

帝に対しては、ただひとえに心憂きことばかり、物思いをすることはできぬ。
私は罪も賜ったけれど、この御衣のように御恩も賜った。

この単衣《ひとえ》の衣の袖は、右と左と、それぞれ憂さと恋しさと、別々に濡れてしまっているのだ

大宰の大弐、上京の途次、船中から消息す

その頃、大宰《だざい》の大弐《だいに》が筑紫《つくし》から上京してきた。大弐は、ともかく勢い盛んで係累《けいるい》はなはだ多く、しかも娘が大勢いて、家族全員で旅するのはとても大変なので、北の方一行は船で上京する。

この船が、浦伝いに景色を眺めながら上ってくるのだが、須磨はまた、ことに風景絶佳《ぜっか》の地ゆえ、北の方の心がとまった。まして、源氏の大将がここに侘《わ》び住まいをしていると聞けば、いずれ甲斐のないことながら、色好みの若い娘たちは、船の中にいてさえ、もうすっかりその気になって、自然に張りつめた気持ちになってしまっている。ましてて、かつて源氏と逢ったことのある五節《ごせち》の君は、綱で引くこの船の、綱を引き過ぎて通り過ぎてしまうのを残念に思っている。ちょうどそこへ、風に乗って、琴《きん》の調べがそこはかとなく聞こえてきた。

ところは昔《むかし》床《ゆか》しく風光明媚《ふうこうめいび》な須磨の里ではあり、ここにおいでのかたは申し分のないご

身分のかたではあり、そこへ楽《がく》の音《ね》が微《かす》かに聞こえて心細さまでもかれこれ取り集めて、船中の、情《なさけ》を解する者どもは、みな泣いた。

大弐から、源氏に手紙が伝達されてくる。

「まことに遥かな遠国《おんごく》より上京いたしますにつきましては、なにはともあれ真っ先にお目にかかって、都のお話など、あれこれ承りたいと存じておりましたが、思いがけず、かかるところに隠棲《いんせい》しておいでのこととて、お住まいのあたりをつい通り過ぎてしまいました。恐れ多く、また悲しいことでございます。さりながら、このあたりは旧知の者も多く、しかるべき友人のあれやこれやと面会を求めて大勢やって参りますので、なにかと人目も繁《しげ》きゆえにいささか憚るところもございまして、参上することが叶いませぬ。いずれ機会を改めて参上仕《つかまつ》りましょう」

などと言い訳のようなことが書き連ねてあった。

ただ、大弐の息子の筑前《ちくぜん》の守《かみ》は挨拶にやってきた。この筑前は、源氏の引き立てによって蔵人《くろうど》に昇格し、その後もなにかと目をかけてやっていた男なので、こうして再会するのはまことに悲しい。その悲しさも一入《ひとしお》に思うけれども、大弐の周囲には人目も多いことで、源氏に面会するということは、どうも具合が悪く、長居することは憚られるらしい。

「都を離れてのち、昔親しかった人々と相《あい》まみえることはずいぶん難しくなったというのに、あの者は、こうしてわざわざ立ち寄ってくれたのだね」

こんなことを源氏は口にし、また返書にもそういう旨を認《したた》めた。

筑前の守は、泣く泣く帰って、かしこにおける源氏のありさまを父に語ると、大弐をはじめ、迎えの人々までが、大声で泣く様子はなにやら縁起でもないことが起こっているようにさえ見えた。

そんな騒ぎのさなかに、船中の五節の君からは、あれこれ算段の末に手紙が届いた。

「琴《こと》の音にひきとめらるる綱手《つなで》縄《なは》

たゆたふ心君知るらめや

君のお弾きになる琴の音に、つい引き止められる船の綱手の縄でございます。その綱手の縄がゆらゆらと揺れるように、わたくしの心もゆらゆら揺れておりますのを君はご存じですか

女のほうから消息を差し上げる好き心のほども、どうぞお咎めくださいますな。古歌にも『いでわれを人な咎めそ大船《おほふね》のゆたのたゆたにもの思ふころぞ（どうかもう、私を咎めな

いでくださいませ。あの大船が引き綱に引かれてゆらゆらと揺れるように、私は物思いに心が揺れておりますこの頃なのですから)』とございますほどに」

と、こんな文面が届けられた。源氏は、これを開き見て、にっこりと微笑む。その風姿《ふうし》は、見ているほうが恥ずかしくなるほどに美しい。

「心ありて引き手の綱のたゆたはば
うち過ぎましや須磨の浦波

もしあなたにまことの恋心があって、その船の引く手の綱のようにゆらゆらすると仰せならば、さて、うっかり通り過ぎておしまいになるでしょうか、この須磨の浦波を

されば、これも古歌に『思ひきや鄙《ひな》の別れに衰へて海士の縄たきいさりせむとは(まさか思いもしないことでした、こんな鄙に別れ来て、すっかり零落して海士の釣縄を手繰《たぐ》り手繰り、漁《いさ》りなどすることになろうとは……)』と、ございますとおりの身の上にて、ああ」

と返事には書き送った。

往古《おうこ》には、流離の道真公のように、駅《うまや》の長《おさ》に詩句《しく》を取らせたという故事もあるけれど、こんな消息を交わしたのでは、五節の君は、この須磨の浦にそのまま降りて留まりかねな

いようにすら思われた。

源氏を思う人々と、弘徽殿大后の非難

都では、月日が経っていくにしたがって、帝をはじめとして、みなが源氏を恋しがる折々も多くある。とりわけ、東宮は、常に思い出してはこっそりと泣くのを、お側で見ている乳母、いや、それにも増して命婦《みようぶ》の君は、すべての事情を弁《わきま》えているだけに思いは並々でない。

入道の宮、藤壺は、東宮のお身の上に何かまがまがしいことが起こりはせぬかと心配しているところに、源氏までがこうして流離の日々を送るようになってしまったのを、たいそう思い嘆いている。

源氏の異母兄弟の宮たちや、仲良くつきあっていた上達部《かんだちめ》なども、源氏退隠当初は、なにかと消息をやりとりすることもあった。そういうときには、しみじみとした漢詩を作り交わしたりして、それまた世の中の称賛のたねとなるわけであったのだが、弘徽殿大后がこれを聞いて黙認するはずもなく、厳しい非難を浴びせかけた。

「朝廷《おおやけ》の勘気《かんき》を蒙《こうむ》った者は、思いのままにこの世の美味を味わうことすらあってはならぬことと聞いております。それなのに、あの源氏は、なにやら風流な家をこしらえて、世の中を誹《そし》り難《なん》じて、のうのうとしている。そんな男に、まるであの、鹿をさして馬と言ったという唐国《もろこし》の故事さながらにお追従《ついしょう》するとは……」

などと言って大后が指弾《しだん》していたというような噂が聞こえてくると、こんなことに関わるのは煩わしいというので、ぱったりと消息をする人もいなくなってしまった。

紫上の日々、女房たちも心服する人柄

二条の邸の紫上は、時が経っても少しも心の慰《なぐさ》むときがない。東の対《たい》に仕えていた人々も、みなこの西の対に移り住んできた最初のころは、紫上のことを、まあそれほどのこともあるまいと高をくくっていたのだが、側近く仕える日々が重なり、だんだんと親しんでみると、その、人を惹《ひ》きつける美しい容姿も、また細《こま》やかな気配りのできる心ばえも、ともかく思いやり深く魅力のある方なので、お暇《いとま》を頂戴して退去するという人もない。

その嗜《たしな》みの奥ゆかしいことは、ともかく不用意に姿を見られぬように注意深く過ごし、

たまにしかるべき身分の女房たちにだけは、ちらりと姿を見せることもある。なるほど、これほどの方だからこそ、おおくの女たちを見知っている源氏が、とりわけて寵愛するのも、まずもっともなことと思われた。

源氏、退居《たいきょ》の日々

須磨の仮住まいも久しくなってくると、源氏には、〈こんな生活はとても堪えがたいから、やっぱり紫上をここに呼ぼうか〉という思いが萌《きざ》してくる。が、またすぐに〈いやいや、自分ながら呆《あき》れ果てた悪因縁によって、この侘び住まいだ。それなのに、どうしてあの紫上を連れてこられよう。今ここであの姫と共住《ともず》みするなどということは、かかる身の上にはいかにも不相応なことだ〉と、思い直すのであった。

なにしろこんな鄙《ひな》のことゆえ、なにもかも都とは大違いで、見たこともない下民《げみん》どもの暮らしぶりを、見も馴れない心のうちには、〈……さても、こんな下民どもに交じって暮らすなど、思えば、我ながらびっくりするほど勿体《もったい》ないことよな〉と、みずから思いもする。

たとえば、煙が住まいの近くまで漂ってくる。〈なるほど、これがあの、海士《あま》の塩焼く煙、と歌に詠んであるあれか……〉と思っていると、それが大違いで、じつは住まいの背後の山で、柴《しば》というものを燻《くすぶ》らせている山賤《やまがつ》の立てる煙であったりした。そんなことも珍しく思って、こう詠んだ。

山がつのいほりに焚《た》けるしばしばも
こととひこなむ恋《こ》ふる里人《さとびと》

あの山賤《やまがつ》どもの庵《いおり》で焚いている柴々、ではないけれど、この山賤の庵のような住まいに蟄居している私に、しばしば消息をよこして欲しいものだ、恋しい人里の……あの都の人々も

冬になった。

雪が降って荒涼とした季節になると、空の様相もとりわけてぞっとするような感じに眺められて、せめて琴《きん》を弾き遊《すさ》びながら、良清に歌を歌わせ、また民部大輔の惟光も横笛を吹いて、管弦の合奏などして遊ぶ。そのうちに、源氏が、しみじみとした曲などを心を込めて弾くと、ほかの者たちは楽器も歌も止《や》めて、また涙を拭《ぬぐ》いあうのであった。

昔、胡《えびす》の国に遣わされた女、王昭君《おうしょうくん》のことなどを思いやっては、また源氏の心に紫上が思い出される。

〈今は、自分が辺境に来ていて女君は都に残っている。けれどももし、これが反対に、あの王昭君が匈奴《きょうど》の王のもとへ遣わされたように、自分が都にいて、姫君を遠方へ放ちやらなくてはならなかったとしたら、ああ、そんなことが堪《た》えられるだろうか〉と、源氏は、漢帝《かんてい》の気持ちをおしはかってみたりする。すると、そんなことも、万一には出来《しゅったい》しそうな不吉さをおぼえて、源氏は、

胡《こ》角《かく》一声《いっせい》霜《しも》の後《のち》の夢
漢宮《かんきゅう》万里《ばんり》月の前の腸《ものおもひ》

胡《えびす》どもの笛が一声聞こえてくると、霜の降る寒い夜の夢ははたと覚める。

故郷の漢の宮居《みやい》は遥か万里の遠きにあって、夜空の月を眺めては、ああ今ごろはこの月を都でも見ているだろうと、腸《はらわた》を断つ思いに胸が痛む

と朗詠するのであった。

月の光は皓々《こうこう》と射し込み、このかりそめの旅の御座所《おましどころ》は、すみずみまで見え渡ってい

る。「終宵《よもすがら》床《ゆか》の底《もと》に青天《せいでん》を見る（夜通し床に寝ながら屋根の破れ穴から大空が見える）」という古詩さながら、荒れた家は屋根も破れて、床の上からでも夜深い空が見える。おりしも、西に傾いた月の光が、なにやらぞっとした感じに見えると、西国《さいこく》に謫《たく》せられた道真公を思って、

天玄《てんぐゑん》　鑑《かむ》を廻《めぐ》らして雲将《くもまさ》に霽《は》れむとす
ただこれ西《にし》に行《ゆ》く　左遷《させん》ならじ

……月は何の罪もないのに西に向かって流されてゆくが、いやいや、見よ、今こうして天は、神意の鏡を廻らして、天を掩《おお》っていた雲を吹き晴らそうとしている。月はただ西へ行くだけなので、決して左遷で流されてゆくのではない

と源氏は独り言のように低唱してみる。

いづかたの雲路《くもぢ》にわれもまよひなむ
月の見るらむこともはづかし

いったい自分はこれから、どちらの空の雲路に迷っていってしまうのであろう。

そういうふわふわした自分を、かならず西に行くと定まっている月に見られては、なんと思われるか、恥ずかしくてならぬ

いつもながら、輾転《てんてん》して眠りをなさぬ暁の空に、はやくも千鳥《ちどり》が哀しげに鳴き始める。

友千鳥《ともちどり》諸声《もろごゑ》に鳴く暁は
ひとり寝覚《ねざめ》の床《とこ》もたのもし

友呼ぶ千鳥が、声を合わせて鳴き交わす暁は、こうして一人寂しく寝覚める床の上で、その声々が、なんだか心強く思われる

ほかには誰も起きていないので、源氏は、ただひとり、なんどもこの歌を低唱して、また横になった。

夜が更けて、もう明け方近いころに、源氏は手を濯《すす》ぎ、念誦《ねんじゅ》などをする。その様子は、仕えている誰にとっても珍しいことのように思えるし、どこからみてもただただ素晴らしいので、こういう源氏を放り出して、一時的にでも、自分たちの家に帰るということができない。それで皆々一晩中ここに控えているというわけであった。

明石の入道の思い立ち

明石《あかし》の浦は、須磨からは這《は》ってでもいけるほどに近いところゆえ、良清《よしきよ》の朝臣は、あの明石の入道の娘のことを思い出して、文など遣わしたが、娘は返事も書かない。が、父の入道のほうからは手紙が返ってきて、そこに、

「いささかご相談申し上げたきことこれあり。ほんのわずかの時間にてもご面談賜りたく」

などと言ってきた。〈さて、何のことかと思うけれど、これで自分があの娘を貰《もら》い受けたいというようなことを言っても、おそらくあの父親は承諾せぬだろう。そうなれば、会いに行って、なんの良いこともなくすごすごと帰ってくるという後ろ姿もまぬけなものだし……〉と屈託して、出かけていかない。

この明石の入道は、天下無双に気位の高い男で、とかく世の中では国司一族ばかりは崇めているものだが、入道の偏屈なる心からみれば、その国司の息子である良清などは、まるで相手にすまじき者と思い思いして、もう何年も経っているのであった。

しかるに、源氏の君が近隣の須磨に下って来ていると聞くや、その娘の母に語らって、

「桐壺の更衣の御腹《おんはら》に生まれなすった源氏の光君がな、朝廷《おおやけ》のご勘気《かんき》を蒙って須磨の浦においでだと聞く。やれうれしや、娘はよほど良い因縁を持って生まれてきたものじゃろう、こんな思いもかけない幸運が舞い込んだぞ。千載一遇《せんざいいちぐう》の好機、なんとかして娘を、この源氏の君に差し上げたいものだがな」

と言う。母は、

「んまあ、なんてことを。京の人の話では、あの君には、ご身分も高い御妻《おんめ》どもが、たくさんおいでだそうですよ。それだけじゃない。しまいには、なんでもごくこっそりと、帝の御妻にまで、お手をつけられたってじゃありませんか。これほどに世間の女たちが大騒ぎするようなお方が、どうして、わが娘のような山出《やまだ》しに、お心をかけられるもんですか、ばからしい」

と、冷静に答えた。入道は、カッと腹を立てる。

「お前などに何がわかる。わしにはな、格別の考えがある。だからな、ぜったいに娘を差し上げる、そのつもりでおれ。ついては、なんとかして、ここへおいでを願わなくてはならんが」

とすっかりその気になっているのも、まことに頑《かたく》なる心と見える。

が、じっさい、この娘については、身分不相応なほどに、目もまばゆいばかりのしつらいをして、大事に大事に育ててきたのであった。

母君は、いっこうに乗ってこない。

「なにを仰せやら。その君が、どんなに結構至極の殿方か知りませんが、なにも娘の縁付きのはじめに、罪を得て流されているような人を持ってこなくてもよさそうなものじゃありませんか。それでも、その君があの娘《こ》にお心をかけて下さるのなら考えようもありましょうけれど、お戯《たわむ》れにも、さようなことがあるわけはありませんとも」

入道は、まだ諦《あきら》めないで、ぶつぶつと呟《つぶや》いた。

「いや、罪に当たるったって、そう悪いことと決まったものでもないさ。唐土《もろこし》にも我が国にも、人並み外れて優れているために、ふつうの連中とはなにもかも異なるというような、そういう人材には、とかくこうしたことがありがちなもんだ。お前は、源氏の母君の桐壺の御息所という人がどういう御方《おんかた》だか知ってるのか。あの御息所はな、わしの叔父、つまりは父の弟に当たる按察使《あぜち》の大納言の娘御なんだ。しかも、若い頃からたいそうな娘だと評判でな、それで宮仕えに出したところが、帝が大変なお気に入りだ。内裏の数多い后《きさき》がたのなかでも、肩を並べる者とてなかったという話だぞ。いや、だからこそ、いろいろと人の嫉《そね》み恨みを身に受けてな、とうとう病んで亡《う》せなさったという話だ。だけどな、この源氏の君が、こうして世に残っておいでなのは、考えてみれば素晴らしいことじゃないかの。いいか、女というものはな、そういうふうに気位を高く持って育てるべきものじゃや。わしは、こんな田舎者だが、だからといって源氏の君が娘を見捨てなさるということもあるまいさ」

この娘というのは、とくに優れた容貌というのでもなかったが、親しみやすく、気品も具《そな》わっていて、心の嗜《たしな》みのある様子など、たしかに、高貴な生まれの人にもおさおさ劣るまじき人ではあった。

娘自身は、自分の身の上を、取るに足りない田舎者だと自覚していて、〈……だから高貴な家柄の公達《きんだち》は、自分など物の数にも思いはしないだろうし、といって、このあたりのそこそこの男のところへ縁付くなどは、まっぴらごめんだし、もし若死にしないで親よりあとまで生き長らえていたら、尼にでもなろうかしら、それともいっそ身を投げて死んでしまおうかしら〉などと思っていたのであった。

しかしながら父入道は、この娘を鬱陶《うっとう》しいまでに大事に守り育てて、年に二度、住吉《すみよし》の明神《みょうじん》に詣でては、あらたかなるご霊験《れいげん》をと、人知れず祈っていたのである。

須磨の新年

須磨には、新年が来て、はやくも春の日永となり、源氏には所在ない日々が続いている。ここに住むようになってから植えた桜の若木にもちらちらと花が咲き始めて、空の気配もうららかになってくると、源氏には、都の春のさまざまなことが思い出されて、嗚咽《おえつ》を漏らす折も多くある。

二月《きさらぎ》二十日《はつか》過ぎ、去年京を離れた時に、いたわしく思った女君たちのありさまもひどく恋しく思われて、宮中南殿《きゅうちゅうなんでん》の桜は、いまごろさぞ盛りであろうと偲《しの》ばれる。……そういえば、ある年の花の宴に、故院もご臨席であったこと、また、今の帝もたいそう清らかで、飾り気のないお姿で、御《おん》自ら作られた詩句を誦《ずん》じられたことなど、源氏はまた、かれこれ思い出して胸がいっぱいになる。

いつとなく大宮人《おほみやびと》の恋しきに
桜かざしし今日《けふ》も来にけり

いつということもなく、いつだって大宮人の世界は恋しいけれど、
かつて桜を挿頭《かざ》して遊んだ春の今日という日がまた巡って来たことだなあ

宰相の中将の須磨下り

前《さき》の左大臣家の三位《さんみ》の中将は、今は昇格して宰相《さいしょう》、つまり参議《さんぎ》の位に昇っている。この人は、たいそう人柄がよいので、世間の声望はなかなか重いものがあるのだが、このところの源氏の浮沈《ふちん》などを見るにつけて、この世はつくづく面白からぬものだと感じてしまっていた。

折ふし、ごく所在なく退屈な日々が続いていたので、なにかにつけて源氏が恋しく思ったゆえ、このことが弘徽殿がたに漏れ聞こえて罪せられることがあろうとも、構うものかと強いてそう思いなして、突然に須磨へ下っていった。

互いの姿が見えた瞬間、珍しくて嬉しくて、二人は哀しく嬉しい涙をこぼした。

見れば、源氏の仮住まいはたいそう唐風《からふう》である。そもそもがこの里の風景も唐の山水画めいているのに加えて、竹を編んだ垣《かき》を巡らし、石の階段、松の柱、これらは質素なものではあるが珍しげで、これも一興というものであった。源氏の出で立ちを見れば、まるで山賤《やまがつ》めいて、薄紅《うすくれない》の黄色がかった袿《うちき》に、青鈍《あおにび》色の狩衣《かりぎぬ》、そして指貫《さしぬき》にいたるまで、ぐっと窶《やつ》して、ことさら田舎風に装っている、これまた、やはりたいしたもので、見るに従って微笑みが浮かぶほど、こざっぱりとしたなりである。

また日々使っている調度品も、当座の用を足すだけの質素なもので、御座所《おましどころ》もあらわに見えてしまっている。碁《ご》、双六《すごろく》の盤《ばん》ならびにそれに付随の諸道具、碁石弾《はじ》きの道具など、これらもあえて田舎風に拵《こしら》え、そこにまた念誦《ねんじゅ》のための道具が備えてあるのは、勤行《ごんぎょう》に努めているらしく見えた。食事なども、ことさらに須磨の場所柄を考慮しての献立を、風流げに調製してある。

所の海士《あま》どもが漁《すなど》りしてきた貝類を持参したのを、御前《おまえ》に持ってこさせて実見《じっけん》する。その海士に、長年この浦に暮らしてきた日々のありさまなど、家来を介して中将は問うてみた。すると、さまざまに苦労ばかり多い身の上話を物語った。〈この者どもの言葉は、まるで鳥の囀《さえず》るように訛《なま》りがひどくて理解しがたいけれど、人としての思いは同じようだ。辛《つら》いこと苦しいことなど、あれこれの物思いは、自分たちと何も変わりはないのだな〉と、源氏も中将も、感動を以て見たのであった。そして、話を聞き終えると、褒美《ほうび》として御衣《おんぞ》などを取らせる。海士どもは、生きている甲斐があったと喜んでいる。

また料馬《りょうば》を目の前に立てておいて、向かいに見える倉のようなところから、飼葉《かいば》の稲を取り出して飼うところなど、これもまた中将は珍しいと思って見ていたが、ふと思い付いて、

飛鳥井《あすかゐ》に宿《やど》りはすべし　や　おけ
蔭《かげ》もよし　御甕《みもひ》も寒《さむ》し　御秣《みまくさ》もよし
飛鳥井に、宿りなされ、やあ、おけ、
木陰も良いし、水もうまいし、秣《まぐさ》もよいぞ

と、催馬楽《さいばら》をすこし歌って、この珍しい馬飼いのありさまに興がってみせる。そして、一別以来の四方山《よもやま》の物語を、泣いたり笑ったりしながら、語り合った。そのなかにも、若君が世の苦しみなど知らず無邪気に過ごしているのを見ている悲しさを、致仕大臣《ちじのおとど》が明け

暮れ思い嘆いていることを語り出すと、さすがに源氏は、堪え難い思いに胸がつまった。こうしたお喋《しゃべ》りのあれこれは、とてもここに書き尽くすことができぬから、中途半端に書き記すのはやめておくことにしたい。

かくて、夜もすがら、二人は眠ることもせずに、漢詩を作りあいなどしているうちに、夜明けが近づいてくる。

中将の歌った「飛鳥井」には、「宿りはすべし」とあったけれど、これですっかり夜が明けるまでここにいたのでは、人の噂になることが憚られるので、中将は、夜の明けぬうちに、急いで帰ろうとした。なまじっか会ったのは、かえって別れがつらいというものであった。

源氏は中将に一献《いっこん》さし、

……往事《わうじ》渺茫《べうばう》として都《すべ》て夢《ゆめ》に似たり
旧遊《きういう》零落《れいらく》して半泉《なかばせん》に帰《き》す
酔《ゑひ》の悲しび涙《なみだ》を灑《そそ》く春の盃《さかづき》の裏《うち》
吟《ぎん》苦《ねむごろ》にして支頤《つらづゑ》つく暁《あかつき》の燭《ともしび》の前……

過ぎ去った昔の事は遥か遠く、すべては夢のようだ。
古い友たちも落ちぶれて半分はあの世へ行ってしまった。
この酔いの悲しみに、涙を春の杯のうちにそそぎ、
詩を案じては苦吟して暁の灯火の前に頬杖をついている

と、白楽天の詩を、二人声を合わせて朗詠するのであった。これを聞いて、お供の者どもも、みな涙を流している。互いに顔見知り同士も多い二人の供人どもも、それぞれに、たちまち至る別れを惜しんでいるのであるらしい。

しらじら明けの空に、雁《かり》が列をなして渡っていく。

主人の源氏の君が惜別の歌を。

故里《ふるさと》をいづれの春か行きて見む
うらやましきは帰るかりがね

故郷の都を、いったいいつの春に行って見ることができるのだろうか。

ただ羨ましいのは、ああして帰っていく雁たちだね

中将は、どうしても今立ち去って行く気がしない。

あかなくにかりの常世《とこよ》を立ち別れ
花の都に道やまどはむ

まだまだ語り飽いたというわけではないのに、かりそめの仙境《せんきょう》のようなこの場所から、帰る雁（かり）のように立ち別れていけば、いったいどこが花の都やら心惑いして帰れなくなるにちがいないよ

しかるべき都のお土産など、いかにも趣味豊かにこしらえて、中将は持参してきた。かくもありがたい訪問の見送りの餞別《はなむけ》として、源氏は、安穏に帰京できるように祈って、立派な黒駒《くろこま》を贈る。

「勅勘《ちょっかん》の身ゆえ、かかる贈り物を差し出されても、縁起でもないとお思いかもしれないが、ほら、例の『胡馬《こば》北風《ほくふう》に嘶《いば》う（北方の異民族の馬どもは北風が吹くと嘶《いなな》き勇んで故郷を想う）』じゃないけれど、この海風に当たったら、この馬は喜び勇んで嘶くに違いないからね」

そう源氏は言った。見れば、世にも類《たぐ》いのないような太く見事な馬であった。すると、

「これを形見として、私を思い出してくれな」

と言いながら、中将は、銘器として誉《ほま》れ高い笛を源氏に贈る。再会といってもこの程度で、人に咎められるようなことは、互いにいっさいしないのであった。

もう日が高く昇って、中将としては気が急《せ》かれるので、うしろを振り返り振り返りして、立ち出でていく。それを見送っている源氏の様子は、なまじいに会ったために却って別れが辛いのであろうと思われた。

「こんどはいつお目にかかれるだろう。いかになんでも、このままでは……」

中将がそう言葉をかけると、源氏は、

「雲近く飛びかふ鶴《たづ》もそらに見よ
われは春日《はるび》のくもりなき身ぞ

雲近く高く飛び行く鶴《つる》が、空から見通すように、あの遠い都から見ていてくれ。私はこの春の日の晴れた空に一点の雲もないように、何の罪もない青天白日《せいてんはくじつ》の身なのだから

内心では、そう確信しているのだけれど、こんな憂き目にあうと、昔の賢人でさえ、は

かばかしく中央に復帰することは難しかったのだから、どうしてどうして、私はじっさい、都のあたりをまた再び見ようとは思っていないのさ」

などと答える。

中将は、また、

「たつかなき雲居《くもゐ》にひとりねをぞなく
　つばさ並べし友を恋ひつつ

なんの方便（たづか）もない都で、私は一人声をあげて泣いていましょう、
あの鶴（たづ）が雲のあたりで鳴いているように。
翼を並べて宮中にお仕えした友を恋しく思いながらね

思えば、もったいないほど親しくさせていただいて、まったく、あの『思ふとていとしも人にむつれけむしかならひてぞ見ねば恋しき（いかに恋しく思うからとて、なんだってこんなにもかの人に馴れ親しんだのだろう。それが習いとなって、今逢わずにいると恋しくてならぬ）』と古歌にあるとおり、なんだってこんなに親しくしてしまったんだろうと、それが却って悔やまれる時がしょっちゅうあるんだ」

と、語りだしたが、その先をしんみりと語り続けるいとまもなく、帰っていった。その名残惜しさに、源氏は、一日悲しい物思いに耽《ふけ》っていた。

三月上巳の祓えの日、暴風雨至る

三月《やよい》の一日に巳《み》の日の巡ってきた、その日。

「今日は、上巳《じょうし》の祓《はら》えの日だから、なにか心中に悩みごとのある人は、さあさ、禊《みそぎ》をしたらいいぞ」

と、生半可《なまはんか》な知識を振り回す人もあって、源氏はそんな言葉を聞くと、ちょっと海辺へ出てみたくなった。

そうして、浦辺に引き幕を張り回し、たまたま都から下《くだ》ってきていた陰陽師《おんみようじ》を呼んで、祓いをさせた。その時、船に大きな人形《ひとがた》を乗せて海に流すのを見ても、まるで我が身のことのように思われて、

知らざりし大海《おほうみ》の原に流れ来て

ひとかたにやはものは悲しき
ああ、今まで知らなかったこの大海原《おおうなばら》に、あの人形（ひとかた）のように流されてきて、ひとかたならず悲しい思いをすることだなあ

と、こんな歌を呟《つぶや》きながら、海辺に座っている様子は、かかる晴れやかな所だけに、またなんとも言いようなく素敵《すてき》に見える。
海のおもてはうららと凪《な》ぎわたって、どこまで続いているとも見えない。この景色に、源氏は、過去のさまざまな蹉跌《さてつ》や、未来の不安など、はてしない物思いに耽るのであった。

八百《やほ》よろづ神もあはれと思ふらむ
犯《をか》せる罪のそれとなければ
この広い世界を統《す》べておられる八百万の神々も、きっと私に情をかけてくださるだろう。私はこれという罪を犯したということもないのだから

と、こう口に出して歌うと、にわかに風が吹き出して、空も真っ暗にかき暮れてしまっ

た。まだお祓いも途中であったけれど、みなみな大騒ぎになった。古い謡《うた》いものに「肘笠《ひじがさ》雨《あめ》（あまりに急に降り出したので笠が間にあわず肘をかざして笠代わりにするにわか雨のこと）」などと言うような俄雨《にわかあめ》がざっと降り出し、人々は浮き足立ち、一斉に帰ろうとするのだが、なるほど笠を被るいとまもない。ついさっきまで、まったくそんな気配すらなかったというのに、今はあたり一面に吹き散らして、未曾有《みぞう》の嵐となった。波も荒々しく立っては打ち寄せてきて、人々は足が地に着かぬありさまである。海の面《おもて》には、四方八方に稲光《いなびかり》が走り、雷鳴が轟《とどろ》く。

いまにも雷が落ちて来そうな思いのうちに、かろうじて住まいにたどり着いて、

「やれやれ、こんな目を見たことはなかったが……」

「だいたい風の吹くときは、前触れというものがありそうなものだが、いきなり突風が吹いてくるとは、びっくり仰天、まずめずらしいこった」

と、皆口々に叫んでは惑乱《わくらん》状態になっている。雷はなお空いっぱいに鳴り渡って、大粒の雨脚が当たったところには、穴が穿《うが》たれるかと思われるほど、バタバタと音立てて落ちてくる。このまま、こんなふうにして世界は滅《ほろ》びてしまうのかと、人々は心細くなって困惑していると、源氏はひとり落ち着いて、悠々《ゆうゆう》と経など誦《ずん》じている。

すっかり暮れてしまうと、やっと雷もすこし鳴り止んできたが、風はなお夜も吹き続いている。

「これはまず、みんなで立てた願《がん》のおかげかもしれん。もうしばらくこんな具合だったらば、みんな波に飲み込まれちまうところだったぞ」

「高潮とやらいうものがあって、そいつにかかると、あっという間に命がないと聞くが、まず、こんなことは、前代未聞さね」

などと言い合っている。

暁がた。みなやっと寝静まった。

源氏もすこしまどろんだが、何者とも判別しがたい姿の人が夢に立ち現われ、

「どうして、宮よりお召《め》しがあるのに、参上なさらぬか」

といいながら、なにやら手探りで源氏を捜し回ると見て、はっと目が覚めた。

さては、海のなかの竜王《りゅうおう》が、たいそう美しいものを好むとかで、魅入られたのだろうな、と思うと、ひどく薄気味悪くなって、源氏は、この海近い住まいを堪《た》え難く思うようになった。

明石《あかし》

源氏二十七歳の三月から二十八歳の八月まで

なお雨風止まず、辛うじて紫上の使者来たる

依然として雨風は止《や》まず、雷もいっこうに鎮《しず》まらぬまま何日も経《た》った。悲観的になることばかり限りなく続いて、源氏の心は、過去のこと、未来のこと、なにもかも悲しい情調に塗りこめられている。かくては、前向きに心を強く持つこともできなくなって、〈……さあ、どうしよう、こんな目にあったからといって都に帰ろうとしたりすれば、まだ勅勘《ちよつかん》を許された身でもないのだから、ますます世人《よひと》の物笑いになるようなことになる。こんなことなら、いっそ、ここよりもっと深い山のなかに住み処《か》を求めて行方《ゆくえ》知れずになってしまおうか……〉と思ったりもするのだが、〈いかんいかん、もしそんなことをすれば、あれは波風に怖《お》じ気《け》づいて逃げ出したなどと、世間の人は言い伝えるだろうから、臆病者、卑怯者《ひきようもの》の汚名が後世までも残ってしまう……〉と、また思いは千々《ちぢ》に乱れる。

夜ごとの夢にも、いつぞやのあの誰とも知れぬ怪しい影が立ちあらわれて、しつこくつきまとうのであった。

空には一面の黒雲《くろくも》が立ちこめ、晴れ間も見えぬままに明け暮れる日数《ひかず》が重なってくると、都のほうはどうなっているのだろうかと気がかりでもあるし、〈もしや自分は、このままこの片里《かたざと》で身を空《むな》しくするのではなかろうか〉と心細くもなってくる。けれども、ちょっと頭を差し出しただけでもびしょ濡れになってしまうほどの吹き降りでは、見舞いにやってくる人もいない。

ところが、あやしくみすぼらしい身なりをして、濡れ鼠《ねずみ》で現われた者がある。京《きょう》の二条の邸《やしき》から、はるばるとやってきた使いの者であった。これでは、道ですれ違っても、人間だかどうかも判らぬほどの風姿《なり》で、ふつうだったらまずは追い払ってしまうに決まっているような男である。そんな下人《げにん》づれを、なんだか懐《なつ》かしく親しみ深い思いで見ている自分に、源氏は気付いた。そして、〈ああ、我ながらなんというもったいないことだ、こんな下人にまで親しみを感じるほど、私は、心が折れてしまっているのか……〉と思い知った。

紫上の手紙には、こうあった。

「雨は、おどろくほど小止《こや》みなく降り続いております、この空模様に、わたくしの心だけではなくて、空までもすっかり鬱《ふさ》いでしまっている感じがいたします。これでは、物思いの晴らしようもなきことにて……。

浦風《うらかぜ》やいかに吹くらむ思ひやる
袖うち濡らし波間《なみま》なきころ

そちらでは、浦風がどんなに吹くことでしょうか。
君のお身の上を案じて、毎日袖を涙で濡らしておりますと、
こちらでも袖の海の波の立たぬ間もないこのごろでございます」

このほかにも、心を打つ悲しいことをいろいろと書き連ねてあった。源氏は、その文《ふみ》を引き開けてみるなり、かの「君を惜しむ涙落ちそふこの川のみぎはまさりてながるべらなり（君との別れを惜んでの涙が落ち加わってこの川岸の水かさもまさるほど泣かれて泣かれてしまいにこの身もながれていってしまいそうだ）」と詠った古歌のごとくにも、涙で袖の海の水かさもまさろうかと思われ、心は闇《やみ》に閉ざされる思いがした。

「京でも、この風雨は、なにかこう……ただならぬもののお告げだ……というので、宮中では仁王会《にんのうえ》が、あの——……執《と》り行なわれるという噂《うわさ》でございます。なんでも、内裏《だいり》へいら

っしゃいます上達部《かんだちめ》の方々なども、京中の、すべての道路が途絶《とぜつ》しておりますような状態のため、目下政治《まつりごと》も絶えておりますような次第で……」

などと、使いの者は、たどたどしく報告する。その言葉づかいも、いかにも頑愚《がんぐ》な口調ではあったが、京のほうのことと思うと、どうしても知りたくなって、源氏は、この者を直接に引見《いんけん》して尋ねてみたのであった。

「ただ……雨は、まったく小止みなく降り続いたのでございますが、……風のほうは、ええ、ときどき吹いたというほどのことにて……そんな調子で、もう何日もずっとでございます。まず、かようなことは、前代未聞のことなれば、すっかりびっくりしておりますので……。さりながら、こちらに来てみましたら、なんとまあ地面をぶち抜くばかりの氷が天から降るやら、ドンガラドンガラ雷も収まらぬやら、へえ、京のほうでは、こういうひどいことは、ございませせなんだ」

などと、須磨の荒々しい天変に驚き恐れている顔が、つらそうにひきつっている。それを見るだけでも、また源氏の心細さは一入《ひとしお》まさるのであった。こんなことでは、世の終わりが来るかもしれないと思っていると、その翌日の暁《あかつき》から、また一段と強い風が吹き、満々たる高潮の波音も荒く、巌も山も粉砕されてしまいそうな有様であった。雷鳴は轟《とどろ》

き、稲光はひらめくという悪天候が、筆舌に尽くしがたいほどになった。その雷鳴も、ま

さに頭上に落ちてきはしないかと思われるほどで、みな生きた空《そら》もない。

「おうおう、俺にいったいどんな罪があって、こんな悲しい目を見るんだろうか。父母《ちちはは》にも会えず、かわいい妻や子の顔も見られずに死ぬなんて、ああ」

と、供人《ともびと》どもも嘆いている。

源氏は、必死に心を鎮《しず》めて、〈ばかな、なんだって、なんの過《あやま》ちがあって、こんな渚《なぎさ》に命を落とさなくてはならぬのか〉と気を強く持とうとしていたが、周囲の者どもがあまりにも怖《お》じ騒いでいるので、自ら、色とりどりの幣帛《みてぐら》を捧《ささ》げつつ、

「住吉《すみよし》の神よ、この辺りを鎮護し給《たま》う住吉の神よ、もしまことに、天竺《てんじく》の菩薩《ぼさつ》が姿を変えてここに現われ坐《まし》ます神ならば、どうかこの難局を助け給え」

とて、もしこの難を救い給うたならば、あれこれと多くの礼物《れいもつ》を奉納しますということを誓いに立てて、願文《がんもん》を奉《たてまつ》った。

供人たちは、自分たちの命も大事ではあるけれど、もっと大切なのは、この源氏の君のお命、このように優れた君が、またとないような悲運に際会《さいかい》して命を落とされるようなこ

とがあれば、それこそほんとうに悲しいことゆえ、弱る心を奮《ふる》い立たせ、少しでも分別の残っている者どもはこぞって、わが身に代えてもこの君の御身《おんみ》をお助けしたいと、大音《だいおん》声《じょう》に、声を合わせて仏や神に祈願するのであった。

「この君は、帝《みかど》さまの深い宮居《みやい》に養われ給い、今まではいろいろの楽しみをほしいままにしてこられたことながら、その深いお恵みは、大八洲国《おおやしまぐに》に遍《あまね》く及び、沈淪《ちんりん》せる者どもをたくさんお救いくださった。今、何の報《むく》いか、甚《はなは》だしくも邪《よこしま》なる波風に溺《おぼ》れなさろうとする。天地の神よ、よく理非曲直《りひきょくちょく》をただされよ。罪なくして罪せられ、官位をも剝奪され、家を離れ、郷国《きょうこく》を去って、ここに明け暮れ安寧《あんねい》の時とてもなく嘆き給うそのうえに、これほどに悲しい目に遭うて、命まで尽きようとしているのは、前世の悪業《あくごう》の報いなるか、さてまた、現世の罪悪の所為《せい》か、神仏もし明らかにここに照覧あらば、なにとぞこの苦しみを休め給え」

と、お社《やしろ》のほうに向いて、さまざまの願立《がんだ》てをし、また海の中の竜王にも、そのほかの八百万《やおよろず》の神々にも願を立てて祈った。

しかし、嵐は収まるどころか、いよいよ雷は鳴り轟《とどろ》き、源氏の御座所《おましどころ》に続く廊《ろう》のあたりに落雷し、一瞬に炎が上がって廊は焼け落ちた。

これには、みな肝《きも》を潰《つぶ》し、正気を失って周章狼狽《しゅうしょうろうばい》するのであった。

そこで、後方の烹炊所《にたきどころ》とおぼしい建物に君を移し、上の者も下の者もこぞってそこに立てこもる。何の秩序もなく、ただわんわんと泣き叫ぶ声は雷鳴にも劣らず響きわたり、空は墨を磨《す》ったように真っ暗になって、次第に日も暮れていった。

夜分に嵐ようやくおさまる

夜に入ると、ようやく風も収まり、雨脚《あまあし》もしずまって、やがて星の光も見えてくる。そうなると、このような妙なところに源氏の御座所を設けておくのも甚《はなは》だ勿体《もったい》ないことゆえ、もとの寝殿《しんでん》にお戻りいただこうとするけれども、落雷で焼けてわずかに残った廊も、いかにも薄気味悪く、多くの者たちが右往左往してドスンドスンさわがしいうえに、御簾《みす》などもすべて風に吹っ飛んでなくなっている。これではとてもお帰り頂くわけにはいかないというので、せめて夜が明けてからお渡りいただくことにしようと鳩首談合《きゅうしゅだんごう》している。

源氏は、ひとり静かに念誦《ねんじゅ》しながら、あれこれ思い巡らすのだが、どうしても気もそぞろになって落ち着かない。

やがて月がさし昇り、その光にふだんの御座所近くまで高潮が押し寄せてきた跡がはっきり見え、浜に寄せる波は、なお嵐の名残《なごり》を留《とど》めて荒々しいのを、源氏は柴《しば》の戸を押し開《あ》けて眺《なが》めている。

この辺りには、かかる天変地異の意味を読み解き、以《もっ》て過去の因縁《いんねん》、未来の見通しなどを知って、これはかくかく、あれはしかじかと、きちんと悟り教える賢人とてもなく、ただ無知蒙昧《むちもうまい》なる海士《あま》どもが、ここに偉い人がおわすということを知って、むやみと集まり来ては、何を言っているとも判らぬ言葉でさえずりあっているのも、源氏にとってはまことに珍しい景色であったが、供人たちは、それを追い払うこともできぬ。

「この風が、今しばらく止《や》まずにおりましたならば、さらなる高潮が押し寄せて、なにもかも残らず浚《さら》われてしまうところでございました。神のご加護は疎《おろそ》かなものではございませぬなあ」

と供人が言上するのをきけば、源氏の思いは、心細いどころの話ではなかった。

海にます神の助けにかからずは
潮の八百会《やほあひ》にさすらへなまし

海にまします神さまのお助けをいただかなかったら、
今ごろは八重《やえ》の潮路《しおじ》の交わるあたりに、流されさまよっていたことでございましょう

桐壺院、夢枕に立つ

一日中壮絶に荒れ狂った雷の騒ぎには、さすがに、源氏も疲労困憊《こんぱい》し、眠る気もなかったが、ついまどろんでしまった。まことに恐れ多いような仮の御座所《おましどころ》で、しかるべき調度《ちょうど》もないままに、そこらの物に倚《よ》り掛かってうつらうつらしていると、亡き桐壺院《きりつぼいん》が、生前のお姿さながらに、夢枕に立たれた。

「なぜに、こんなみすぼらしいところにいるのか」

そういって、故院は、源氏の手を取って引き立て、

「住吉の神の導き給うのにまかせて急いで船出し、この浦を立ち去るがよいぞ」

と、このように仰《おお》せになった。

ああ嬉《うれ》しい、源氏は夢中で訴える。

「畏《かしこ》きお姿にお別れ申し上げて以来、さまざまに悲しいことばかり多くございました。今

はもう、この渚に朽《く》ち果てようかと……」

するとと、故院は、

「それは、なんとしてもあるまじきことだぞ。この天変地異《てんぺんちい》は、ただほんのわずかなことの報いに過ぎぬ。私は、帝《みかど》の位にあった時、これといって謬《あやま》ったということはなかったのだが、気付かぬうちに犯していた罪があったらしいのだ。されば、死しての後、しばらくはその償《つぐな》いに尽瘁《じんすい》して暇《いとま》がなかったゆえ、この世を省《かえり》みる余裕もなかった。されども、そなたがたいそうな難儀に沈淪《ちんりん》しているのを見るに見かねて、海に入《い》り、渚《なぎさ》にのぼりして、苦心惨憺《くしんさんたん》してここまでやってきたのだよ。このついでに、私は内裏に行って帝に申し上げなくてはいけないことがあるから、これより急いで上京参内《さんだい》するぞ」

と言うが早いか、立ち去っていかれた。

名残は尽きずただ悲しくて、源氏は「お供して京まで参ります」と泣き叫んだが、ふと見上げるともう、そこには誰もいなかった。ただ、月の顔ばかりがきらきらと輝き、まるで夢だったという気もせず、まだそのあたりに父院《ちちいん》の気配が残っている心地がして、空の雲はしみじみとたなびいていた。

この何年もの間、夢のうちにも見ることなく、恋しくて、またどうしておられるのかと気がかりでもあった父院の姿を、夢中ちらりとではあったけれど、しかと拝み見たことだけがありありと源氏の心の中に残っていた。

〈さては、私がこんなに悲しい思いをして、命さえ危うくなっているのを、助けてくださるために天翔《あまかけ》ておいでくださったのだ、ああ、ありがたい〉と思うにつけても、〈よくぞ、こんな天変地異があってくれたものだ〉と、夢の名残に勇気づけられもし、また、嬉しく思うことは限りがなかった。この、父院のありがたいお助けに、源氏は胸がいっぱいになり、同時にまた、なつかしい面影《おもかげ》を見ては悲しみも新たに覚えるなど、かえって物思いの種ともなったが、しかし、目前の悲運のこともすっかり忘れて、たとえ夢にでも、もう少し自分からお答えすることもあったのに……と、そこが残念でならぬ。せめて、もう一度夢に現われては下さらないかと、一心に眠ろうと試みたが、さらさら目も合わず暁がたになってしまった。

明石の入道、舟にて源氏を迎えに来る

その暁。

渚に、小さな舟を漕《こ》ぎ寄せて、二、三人ばかりの人が、この仮の宿りを目指してやって来た。誰であろうかと尋ねてみると、

「明石《あかし》の浦から、前《さき》の播磨《はりま》の守《かみ》、明石の入道《にゅうどう》が、お迎えの舟を仕立てて参上いたしました。ここに源少納言良清《げんしょうなごんよしきよ》殿がお仕《つか》えしておられますならば、対面して、ことの次第を申し上げようと存じます」

と言う。良清は驚いて、

「かの入道は、播磨の国の知り人にて、年来《ねんらい》の付きあいでございますが、私《わたくし》ごとにて、いささか互いに恨みに思うことなどございまして、いまではとくに手紙のやりとりもせずに久しいことになっております。はてさて、この波風に紛れて、いったい、何事でございましょう」

と不審そうに報告する。

が、源氏は、今し方の夢のことなど、思い合わせるところもあって、

「すぐに会ってみるがよい」

と命じた。良清は、ただちに舟へ行って入道に面会する。

〈しかし、あんなに猛烈な風雨のなかを、いったいいつの間に、この入道は船出してきた

のだろうか〉と、良清は心中、不思議でならない。

面会してみると、入道はこう言った。

「さる三月一日《やよいついたち》の夢に、なにやら異形《いぎょう》のものが現われて告げ知らせることがございましてな。さようなことは、もとより信じがたい迷信かとも存じましたが、ただ、その告げに、『十三日にあらたかなる霊験《れいげん》を見せようほどに、あらかじめ舟の用意をしておけ、そしてかならず、雨風が止むゆえ、そうしたらその舟にてこの須磨の浦に漕《こ》ぎ寄せよ』と、ありありと前知らせを垂示《すいじ》することがございましたゆえに、ものは試しと舟の用意をいたしまして、待ち受けておりましたところ、あのひどい雨風や雷でございましたろう。あれで、はたと心付きましてな。唐土《もろこし》の朝廷《みかど》のほうでも、夢を信じて国を助けるというたぐいの故実はたくさんございますので、たとえお取り上げ下さらなくとも、この夢のお告げの日限《にちげん》を過《す》ごすことなく、このことを源氏さまに申し上げるだけでも、と思うて舟を出したことでございました。すると、いかなことでございましょうかな。あの大嵐のさなかに、わが乗る舟のあたりばかりは、すーっと一筋だけ不思議なる順風が吹きましてな、事なくこの浦に着きましたこと、まことに神のお導き違《たが》わずということでございましたろう。こちらでも、もしや、思い合わせるべきことなどございませなんだかと存じましてな。まことに恐れ多きことながら、このことを源氏さまに申し上げてくだされよ」
と言う。良清は、このことを、ごく内々《ないない》に言上する。

源氏、入道の舟にて明石に赴く

これを聞いて、源氏は、とつおいつ思案を巡らしてみた。そうして、あの夢といい、この現実といい、また天変地異といい、かれこれのお告げといい、過去のこと未来のこと、世人《よひと》が後世に聞き伝える悪評などまで、かれこれ考え合わせみる。

〈うーむ、これは、必ずや神のお助けであろう。これを万一にも背《そむ》くものならば、また今の苦難にまさる災厄《さいやく》に遭遇して、世間の笑いものになるような目を見るにちがいない。いや、神の御意《ぎょい》に背くというような大げさなことでなくとも、現実の人の心に背くだけだって、やはり心苦しいものがあろう。我が身の上を考え合わせるに、ここはつまらぬことでもよく慎んで、仮にも自分より年長《とした》け、もしくは位高く、時世《ときよ》の声望がひときわまさっているような人には、まずは従順に従って、その人の心意《しんい》をよくよく考慮してみるべきだろうな。『退きて咎《とが》なし（一歩退いて人に従っておけば天の咎めはない）』と、昔の賢人もいい残しているとだし……。まったく、こんなふうに命も危機に瀕《ひん》し、世上にまたとはあるまじきひどい目にも遭うだけ遭った。……ここで入道の申し出を受けて、後々、あんな者のいいなりになってと物笑いになったとしても、なに、いまさらかまうものか。それに、夢のなかにも父帝《ちちみかど》のお教えがあったことだから、入道の言うことに何を疑う必要があろう〉

と、こう思って、源氏は、すぐに返事をする。

「この見知らぬ土地に来て、世にも希有《けう》なる難儀をし尽くしてまいりましたが、都のほうからは、誰一人として見舞ってくれる人もありません。わたくしはただ、はるか彼方の日月《じつげつ》の光だけを、故郷の友と思って眺めておりましたが、今しも、嬉しいお迎えの釣舟《つりぶね》をいただきました。その明石の浦には、心静かに身を隠すべき物陰などございましょうか」

入道は、限りなく喜び、恐縮してお礼を言上する。

ともあれ、夜のすっかり明け切らぬ前にお舟にお乗りくださいというので、いつもの親しい側近たち四、五人だけをともなって、源氏は入道の舟に乗った。すると、また不思議な風が吹き出して、順風満帆《じゅんぷうまんぱん》、飛ぶように明石に到着したのであった。須磨から明石までは、言《は》ってもすぐに行けるというくらいの近間《ちかま》だとはいうものの、この舟を運んだ風のありさまは、まさに神変《じんぺん》不可思議というべきものであった。

明石の入道の館に入る

上陸してみると、明石の浜のさまは、まことにいつぞや良清が話して聞かせたとおり格別の趣《おもむき》がある。ただ、ずいぶん人がたくさんいるところだけが、源氏の願いと違っていた程度であった。

明石の入道が領有している土地はあちこちにあって、海辺にも山あいにも、心のままに建物を営んでいる。春夏秋冬折々に興趣《きょうしゅ》を催《もよお》すべき渚には風雅な小屋を造り、勤行《ごんぎょう》に後世《ごせ》を祈り心を澄ますべき山河のほとりには、堂々たる仏堂を建立《こんりゅう》して読経三昧《どきょうざんまい》に励《はげ》み、現世の暮らしを支える用意として、秋の田の稲の実りを刈り収め、余生を送るに十分な米を積んだ米蔵をずらりと並べるやら、四季折々の、またご当地ならではの趣向を凝《こ》らして、立派な建物を数多く建てて持っているのである。

高潮《たかしお》を恐れて、最近、娘などは岡辺《おかべ》の邸に移して住まわせているので、源氏は、さしあたり空《あ》いている海辺の館《たち》に気やすく住むことができる。

舟から牛車《ぎっしゃ》に乗り移る時分には、ようやく日が昇ってきて、ちらりと源氏の姿を拝《おが》んだ入道は、たちまち老いを忘れ、齢《よわい》も延びる心地がして、満面の笑みを浮かべ、まずはこうして源氏をお迎えしたことのお礼として、かねて信仰する住吉明神を拝み奉《たてまつ》った。いまや、月と太陽とを二つながら手に入れたというような気がして、入道は、せいぜい心を込めて源氏の世話をするのだったが、それも道理というものである。

もともと明石は風光明媚《ふうこうめいび》の土地柄であったけれど、それだけでなく、入道が趣向を凝らして作らせた邸の美しいことは、その木立《こだち》といい、庭石といい、また植え込みといい、えもいわれぬほど見事に作られた入り江の水といい、これを絵に描くとしたら、修業の生半可な絵師では、とうてい描き尽くせぬという結構さである。

源氏にとってみれば、須磨の仮住まいよりも、ずっと明るくて快い。しかも部屋の調度などは、これまた素晴らしいもので、かれこれ入道の暮らしぶりは、じつにもって、都の高貴な方々の御殿と変わるところがない。いや、その優艶な、輝くほどの結構は、こちらのほうが一段まさるとすら見える。

源氏、紫上への返事を書く

この邸に来て、すこし落ち着いた頃、源氏は、京への手紙をあちこちに書き送った。それについては、あの二条の邸から遣わされてきた使いの者が、
「この度は、まことにひどいお使いに出されて、とんでもない目にあった」
と嘆き悲しみながら、まだ須磨の家に逗留《とうりゅう》していたのを呼んで、身に余るほどの褒美《ほうび》をたくさんに与えて、都への文《ふみ》の使いとして送り返したのである。

かねてかかりつけの祈禱《きとう》僧や、しかるべき陰陽師《おんみょうじ》などの所にあてては、このほどのさまざまな苦難について、詳細を報せ《しら》遣わしたもののようであった。

入道の宮、藤壺《ふじつぼ》のところにだけは、この度の不思議なお告げによって命をとりとめたさまなど、とくに報告する。

二条の邸から、紫上がよこした涙なくしては読めない手紙への返事には、はかばかしくは筆が進まず、休み休み、涙を押し拭《ぬぐ》いながら、一心に書いているそのありさまは、やはり他の女君たちへの手紙とは格段に違ったものがある。

「返す返すも悲惨な思いをし尽くしたその果てに、今はもう俗世を思い離れて仏道に帰依《きえ》したいと思う気持ちのみまさっておりますが、以前お別れした折に『別れても影だにとまるものならば鏡を見てもなぐさめてまし（お別れしても、その面影だけでもここに留まってくださるのなら、わたくしはせめてこの鏡を見て、みずからの心を慰めていましょう。でも……）』と詠われましたね、その折のそなたの面影が、わが心を離れる時とてないのに、再び相逢《あいあ》うことなきままに世を捨ててしまうのかと思うと、その辛《つら》さ悲しさに比べれば、いまこちらで身に受けているさまざまの困難などは何でもないように思え、

遥《はる》かにも思ひやるかな
知らざりし浦よりをちに浦伝ひして

遥か遠くにいるそなたを思いやっているのだよ。見たこともなかった須磨の浦から、もっと遠くの明石まで浦伝いに移り来て

それはもう、夢のなかにいるような心地で、その夢から覚めぬままに筆を執《と》っているような按配《あんばい》ですから、わけのわからぬこともたくさん書いているかもしれませんが……」と、なるほどそう言うとおり、とりとめなく書き乱した感じで、いや、その書きざまな

ればこそ、側《そば》から覗《のぞ》き見て読んでみたいと思わせてくれる味わいがあった。まことに、紫上に対しては、格別なるご寵愛《ちようあい》の深さよな、と供人たちは感心する。

供の者たちも、この機会に、郷里の都にいる家族らに宛てて、心細げな言づての文を頼むようであった。

あんなにも小止みなく降り続いていた空が、今はその名残もなくからりと晴れ渡った。この好天に、「あさりする与謝《よさ》の海士人《あまびと》ほこるらむ浦風ぬるく霞みわたれり（漁りをする与謝の海士人どもはさぞ意気揚々と励んでいることであろう、今や浦風も温かで霞みわたっているほどに……）」と詠《なが》めた名歌さながら海士どももさぞ張り切っていることであろう。須磨は、ひどく心細い僻村《へきそん》で、海士の住む岩陰の小屋すら稀《まれ》であったけれど、ここ明石には海士どももも多く住んでいて、そのうるさい感じはやや疎《うと》ましかったものの、須磨とは風情も格別な佳景《かけい》多く、万事につけて心の慰む思いがする。

明石の入道の願い

主《あるじ》の入道は、日々勤行に励んで、ずいぶんと悟《さと》り澄ましている様子であったが、ただ、この娘一人をどう持て扱ったらよかろうかと思い悩む胸の内を、はた目にも聞き苦しいほど、時々愚痴っては源氏に訴えるのであった。

そのさまは、かつて北山《きたやま》でその噂を聞かされたとき、源氏の心中ひそかに、よほど美しい娘らしいと興味津々で聞き憶《おぼ》えていた人であったから、〈思いがけずこんな明石などというところまで流転《るてん》してきたというのも、この娘と前世からの因縁があったのであろうか〉と思ったりもしつつ、しかし、〈いや、やはりこんなふうに落魄《らくはく》した身の上であるからには、今は勤行のこと以外は考えぬようにしなくては。……紫上だって、こんな流謫《るたく》の身で心配をかけておきながら懸想沙汰《けそうざた》をしたとあっては、ふつうの時よりよほど「言っていることとしていることが違う」と思うことであろうなあ〉と、自らの心に恥《は》ずかしくも思うので、当面は、まったく興味を示さないような風《ふう》を装っている。しかし、なにかにつけて、その娘の気立てのほどや、日々の暮らしぶり、いずれも並外れて立派なものらしいと聞けば、どうしても、もっと具体的に知りたいものだと思わずにはいられない。

この明石の御座所《おましどころ》には、入道も遠慮して自分からはめったと姿を見せず、ずっと離れた下屋敷のほうに控えている。とはいえ、本心は、明け暮れにいつも源氏のお世話に参上したいと願っていて、こう遠慮ばかりしているのは、いかにも物足りぬことに思うゆえ、なんとかして娘を差し上げたいという願いをかなえるべく、仏や神をいよいよ拝みに拝んで暮らしているのである。


入道の年は六十ばかりになっていたが、たいへんにこざっぱりと好ましい感じがして、日々の勤行のせいか痩《や》せさらばえている。その人柄が、貴《あて》やかなせいであろうか、……いや、もともと頑迷《がんめい》で耄碌《もうろく》しているところもないではないが……昔のこともよく見知っているし、生活には汚《きたな》げがなく、風流めいたところもあって、昔話などをさせて聞くと、それなりに退屈紛《まぎ》らしにもなるのであった。

源氏は、もうずっと公私にわたって忙しいばかりで、昔の出来事などはそれほどよくも聞き知らないできた。それをこの入道は、すこしずつ語り聞かせてくれるので、こんな所でこんな人と知りあうことがなかったら、ちょっともの足りぬことであったかもしれない、とまで源氏は思う。そのくらい、入道の話には、興味深いことどもが混じっていた。

入道のほうでは、こうして近々と接するようになってみると、この君は、たいそう気高く、おのれが恥ずかしくなるほどに立派な容姿人柄ゆえ、以前、「娘を、ぜひ源氏の君に差し上げたい」などと揚言《ことあげ》したものの、いささか遠慮めいた気持ちも萌《きざ》してきて、肝心《かんじん》のその宿願については、自分からは思うようにも口にできずにいる。そのことは、やはり気がかりで口惜《くちお》しく、娘の母親と口々に語り合ってはため息を吐《つ》くのであった。

その肝心の娘自身は、ひそかに源氏を垣間見《かいまみ》たことがあるらしい。そして、あたりまえの身分の男でも、まあまあという程度のすら見つけにくいこんなところで、世にはかかる人もあるものかと感動するような源氏を知るにつけて、一介《いっかい》の受領《ずりょう》の娘に過ぎない分際《ぶんざい》を自覚すると、この君などは、遥《はる》かに遠い雲の上の人のような気がする。しかし、親たちはなんとかしたいと、考えあぐねて語り合っている。それを聞くと、自分自身では、〈不似合いなことだわ〉と思うのであったが、そうはいっても、やはり何も知らなかったころに比べると、どこか心に切なく思うところがある。

四月《うづき》の一夜、月下の遊楽

四月《うづき》になった。

更衣《ころもがえ》で夏用の装束《しょうぞく》、あるいは御帳台《みちょうだい》の垂《た》れ絹《ぎぬ》など、入道は趣も豊かに調製して差し出した。入道が、なにかにつけてこのように世話を焼くのを、源氏は、いささか鬱陶《うっとう》しくまた、行き過ぎだとも思うのだが、入道の人柄があくまでも品位を高く持って貴やかなのに免じて、見許《みゆる》している。

京のほうからも、しきりにお見舞いの手紙などが届けられてくる。

のんびりした夕方の月が昇って、海の上が一点の曇りもなく見渡されるのが、どこか住み慣れた故郷、京の二条の邸の池水《いけみず》の景色に似通《にかよ》って感じられる。源氏はまた京の邸が言葉につくせぬほど恋しくなり、今の自分は、行方も知らぬ旅の空にあるような心地がしたが、ふと目前に指呼《しこ》されるのは、淡路島《あわじしま》なのであった。

源氏はつい、

淡路《あはぢ》にてあはと遥かに見し月の
近き今宵《こよひ》は所がらかも

淡路の島で、彼(あ)はと、阿波門（あはと）遥かに見た月だが、
今宵はずいぶん近く見えるのはこの都という所がらからだろうか

と古歌を口ずさみ、それからまた、この古歌に触発されて、一首の歌を詠じた。

あはと見る淡路の島のあはれさへ
残るくまなく澄める夜《よ》の月

彼(あ)は、と見る淡路島（あはぢしま）のしみじみとしたあはれさまでも、
くっきりと照らしだしている今宵の月だなあ

源氏は、こんな歌を詠み出してから、久しく手にも触れずにいた琴《きん》を、袋から取り出して、はらりはらりと爪弾《つまび》き鳴らす、その姿を側に仕えて見ている者たちまでが、ああ悲しいと思い合ってはしんみりとするのであった。

やがて、「広陵《こうりょう》」という秘曲を、あらゆる秘技を尽くして弾き澄ますと、入道の妻子が

住む岡辺の家にもその音《おと》がほのかに届いてくる。しかも、松風の響き、波の音と重なり合って聞こえてくるので、音楽好きの若い女房たちは、それはもう身に沁《し》みて味わっているようであった。そればかりか、聞いても何の曲とも分からないような浜辺の民《たみ》どもも、この秘曲を聞いては、すっかり気もそぞろに浜のあたりをうろつき、寒い風に当たって風邪などひいてしまうのであった。

入道もまた、どうしてもじっとしていられなくなって、折しもとりかかっていた諸仏供養の修法《ずほう》を中止して、押《お》っ取《と》り刀《がたな》でやってきた。

「まことにまことに、ひとたびは捨てた俗世でございますが、この音《ね》を拝聴しましては、もう一度そちらに戻りたくなるような思いに駆《か》られております。死んでの後に往生《おうじょう》したいと願っております、あのお浄土《じょうど》とやらのありさまも思い浮かぶというほどの、今宵の風情でございますなあ」

と、泣きながらその琴の音を賞翫《しょうがん》するのであった。

源氏自身も、心のうちに、宮中で折々に催された管弦の御遊《おおんあそ》びのことを思い出していた。この人には琴《こと》、あの人には笛、などと役割を分けて合奏をしたり、あるいは歌のうまい人の声の朗々としていたことや、そしてなにより、源氏自身が、さまざまの折につけて、世の人々の喝采《かっさい》を浴《あ》びたことや、帝をはじめとして、あちらでもこちらでも大事にして尊崇してくれたことなど、人のこと、自分のこと、みな思い出して、夢を見ているような心地がする。そんな思いのままに琴《きん》を掻き鳴らすと、その音《おと》がぞっくりと胸に響くのであった。

入道の琵琶・琴弾奏と音楽談義

年老いた入道は、涙濟然《なみださんぜん》として留《とど》めることができず、岡辺の家のほうへ琵琶《びわ》と箏《そう》の琴《こと》（十三弦琴）を取りにやると、自分は琵琶法師になって、たいそう趣《おもむき》深く珍しい曲を一つ二つ弾いて聞かせる。そうして、箏の琴のほうは、源氏に勧めて演奏を乞《こ》うので、源氏は少しだけ弾いて聞かせた。琴《きん》ばかりか、箏《そう》のほうも素晴らしい腕前だと皆々感心することばかりであった。

弾き手の腕前がさしたることはなくとも、演奏の時と場所次第では聞こえまさりがするものだが、ここは、見渡す限りに音の滞《とどこお》るようなところもない、はるばると広い海辺であるし、また折しも、青々と若葉が茂っているだけの木陰にはすがすがしい気分が横溢して、なまじっか春の花、秋の紅葉《もみじ》の季節よりはありのままの自然の美しさが感じられる。

そこへ、どこかで水鶏《くいな》がコンコンと叩《たた》くように鳴くのが聞こえた。

〈おお、水鶏が鳴く。あれは『まだ宵《よひ》にうち来てたたく水鶏《くひな》かな誰《た》が門《かど》さして入れぬなるらむ（まだ宵のうちにここへやってきて叩くのは水鶏だね、いったい誰が、家の門を閉ざしてお前を入れてくれないのだい）』の古歌に詠まれた水鶏か〉と、源氏はますます感興《かんきよう》を憶《おぼ》える。

入道の持ち出してきた箏は、音も無双《むそう》によく響く楽器で、それを入道自身、いかにも心惹かれる様子で弾き鳴らしたのに、源氏はまた感心する。

「この箏というものは、しかし、女の手で心に沁みるようにゆるゆると弾くのが、なんといってもよろしいですね」

と、これは一般論として述べたに過ぎないのだが、入道はどうやら娘のことを言われたものと好都合に誤解をしたらしい。嬉しそうに顔をくちゃくちゃにして、得《え》たりや応《おう》と語りだした。

「箏であれ琴であれ、源氏の君のあそばすご演奏より心に沁みるのはまず世界中どこにもございませんでしょうけれど、……じつは、それがしは、延喜《えんぎ》の帝（醍醐天皇）からの伝承を享《う》けて箏を弾き伝えておりますこと、三代目にあいなりますが、こうもふつつかなる出家の身の上にて、もうこの世のことはすっかり捨てて忘れてしまっております。それでも、あまりに胸の塞《ふさ》がる時などは、気を晴らすために、箏を掻き鳴らしなどいたしますのを、門前の小僧でございましょうか、私の家には、いつのまにか真似《まね》て弾く娘がおりましてな、それが自然に、あの今は亡きなにがしの親王《みこ》の御手《おんて》に似通っておるのでございます。いやいや、この賤《いや》しい山伏《やまぶし》のひが耳《みみ》にて、松風の音を箏の音と混同しておるのかもしれません。なにとぞして、しかし、この娘の箏の音をひそかにお耳に入れたいものと存じますのですが……」

こんなことを言上しながらも、入道は、体をうちふるわせて涙を流しているようであった。

源氏は、この入道の言葉を聞いて、おや、と思った。「山伏のひが耳に……松風の音と……混同する」とは、洒落《しやれ》たことを言うと思い当たったからである。なるほど「松風に耳なれにける山伏は琴《こと》を琴《こと》とも思はざりけり(松風ばかりを聞いている山伏の耳には、琴の音も琴だとは思わずにいることよな)」という古歌がある。源氏はすぐに入道の風流心を悟った。されば、

「琴を琴ともお聞きにならぬあたり……さようでしたか、私の弾く拙《つたな》い琴《こと》などは琴のうち

には入らないお家筋のこちらで、とんだ格好悪いことをしました」

とその古歌によそえて応《こた》えると、箏を入道のほうへ押しやり、もう少し語り続ける。

「不思議に、昔から箏というものは、女のほうが上手に弾くものと見えます。嵯峨《さが》の帝からのご直伝《じきでん》にて、女五《おんなご》の宮という方が、その頃世に名高い上手《じょうず》でいらしたそうですが、その御筋《おんすじ》は、今では取り立てて伝承している者もないと思っておりました。すべて、ただいまの世に名の知られた人々とても、まず、うわべだけの独《ひと》りよがりな弾き手ばかりでございますが、なんと、こんなところに、そのように由緒《ゆいしょ》正しい奏法を伝承しておられる方があったとは、まことに興味津々たるものでございます。そういうことでしたら、なんとしても、ぜひ聞かせていただきませんとね」

「それはもう、お聞きくださいますのに、何の憚《はばか》りがございましょうか。すぐに御前《おまえ》にお呼びくださいましてもよろしゅうございます。されば、商人《あきんど》のなかにもかかる古風な音楽を賞翫する人がございましたそうで……」

入道は、白楽天《はくらくてん》の『琵琶行《びわこう》』に伝えている、もと都長安の妓女《ぎじょ》が後に商人の妻となって琵琶を聞かせた、という故事をちらりと仄《ほの》めかす。そしてまた言葉を継《つ》いだ。

「さても、この琵琶というものは、また、ほんとうの音をしっかりと出せる人は、昔からなかなか稀《まれ》だったそうでございますが、娘は、きちんと滞りなく弾きますようでございまして、しんみりとした弾きようはまた格別のように存じます。さて、いったいどうやって見よう見まねに憶《おぼ》えたのでございましょうか。さすがに、かような場所柄でございますゆえ、娘の琵琶の音に荒波の音が混じってしまうのが、私など悲しく存じておりましたが、それでも、心に積もる憂《う》さが、この琵琶の音に癒されるということも折々ございましたでなあ……」

など入道はますます数寄者《すきもの》らしいことを言うので、源氏は面白いと思って、箏を琵琶と取り換えて入道の手許に取らせた。すると、入道は、老練な手さばきで見事に箏を弾きこなして聴かせる。しかも、今の世にはもう絶えてしまったような古式の奏法を自在に操《あやつ》り、その手つきは、たいそう唐風《からふう》で、たとえば左手で弦《げん》をゆする「由《ゆ》」の弾き方など、深々とゆすって清澄《せいちょう》に響かせるのであった。

それならばと、源氏は声の良い供人に命じて、ここは明石の浦で伊勢《いせ》ではないけれど、

「伊勢の海の　清き渚に
しほかひに　なのりそや摘《つ》まむ

貝や拾はむや　玉や拾はむや

伊勢の海の、清い渚に、潮が満ちてくるまでに、ほんだわらを拾おうよ、貝を拾おうよ、そして玉を拾おうよ」

などと、催馬楽《さいばら》『伊勢海《いせのうみ》』を歌わせて、源氏自身も、時々拍子を取っては、声を合わせて歌いなどする。どうやら源氏の心の中に、その入道の掌中の玉の娘を拾いたいという思いが萌《きざ》しているように、聞きなされる。すると、入道は、源氏の歌のところではピタリと箏を弾くのを止めてしまって、源氏の声の素晴らしさを褒め称《たた》える。

こうして、果物や菓子などを、目新しく作りなして供し、供人にまでも酒を無理強いしたりして、この月ごろ日ごろの辛苦もつい忘れてしまいそうな、風流を尽くした夜のさまであった。

入道、娘をめぐる述懐

すっかり夜が更けてくると、浜風が涼しく吹き、月も西に傾いてますます光を増している。その森閑《しんかん》と静まり返った空気のなかで、入道は、なにもかもすっかり問わず語りに物語った。

この浦に住み始めたころの心のありよう、それから後の世のために勤行に努めていること、片端《かたはし》から坦々《たんたん》と話して、この娘のありさままで、残りなく話し尽くした。

源氏は、聞きながら、面白く思うところもあり、またしんみりと聞いたところもある。

「まことに、こういうことは申し上げにくいことながら、源氏の君が、こんな、見も知らぬところへかりそめにでもお移りになっておいでになりましたのは、もしや、長年、この老いぼれ法師が祈り申しておりました神仏《かみほとけ》が不憫《ふびん》と思し召《おぼめ》して、それで、源氏の君にしばらくのあいだのご苦労をおかけしたということではなかろうかと、まあそんなふうに愚考いたしますのでございます。そのわけは、わたくしが住吉の明神《みようじん》に信心をいたしますようになりましてから、はや十八年になりますかな。……あの娘が、まだこんなに幼い童《わらわ》のころより、いささか……その、存ずる旨がございましてな、毎年、春秋の二度ずつ、かならず明神さまのお社《やしろ》に参詣《さんけい》してまいったのでございます。日々六度の勤行にも、もちろん、おのれの極楽往生《ごくらくおうじよう》は願っておりますが、それはまずそれといたしまして、ただ、この娘につき、……高い望みながら……まあ、願うことを叶え給えと、そう念じておるのでございます。わたくし自身は、前世の因縁がよろしくなかったのでございましょうなあ、こんな情ない山家者《やまがもの》に落ちぶれてしまいましたが、親は……じつは大臣の位にあったのでございます。それが、かような田舎者になってしまいまして、このまま代々《だいだい》落ちぶれてまいりますと、子孫はどんなに情ない身の上になるだろうかと、それが悲しく思っておりましたところが、……この娘は、生まれたときから、これはと頼みにすべきところがございましたでなあ。なにとぞして、都の貴きお方に差し上げたいと、そう思う心の深過ぎるあまりに、まあ、こんなところにおりましても、身分相応の方々からいろいろとお申し出はございましたが、……その高望みの故に、みなお断わりしては、恨み嫉《ねた》みを負うて、わたくし自身にも、ずいぶんと痛い目を見ることが折々にいくらもございましたがな、そんなことは、なーに、なんでもございませぬ。ただただ、この娘の行く末をじっと念じつつ、この目の黒いうちは、身にボロは着ていようともせいぜい大事に育ててあげましたものでございます。……それで、もし願い叶わず、わたくしが先立つことがあれば、その時はその時、決していい加減な男のところへ縁付くでない、いっそ波の下にでも沈んでしまえと、そう申し付けておりますのでございます」

などなど、ここに逐一書き尽くすことができぬほどに、なにからなにまで、この入道は、泣きながら語り尽くした。源氏も、いまはさまざまに心の苦しみを味わっている折も折ゆえ、この長物語には同情して涙ぐみながら聞いた。

「覚えもない罪に当たって、こんな思いがけない境涯《きようがい》に漂泊することになったのは、いったい何の罪であろうかと不審に思っておりましたが、なるほど、今宵の御物語《おんものがたり》を伺って思い合わせますと、これはたしかに前世からの浅からぬ因縁があってのことであったと、しみじみ思い当たります。どうして、これほど定かに思い知っておられたことを、今までお話しくださらなかったのですか。思えば、都を離れた時から、世の転変常《てんぺんつね》ならぬことも面白からず、ただ仏道の勤行よりほかにはなすこともなくうかうかと月日を過ごしているうちに、もう心もなにもかも意気地のないことになってしまいました。明石には、こういう人がいるという噂は仄聞《そくぶん》しておりましたが、私ごとき木偶《でく》の坊など、縁起でもないとて歯牙《しが》にもかけてはくださるまいと気を落としていたところでございました。……されば、その姫君のところへ、お連れくださいますか。心細い独り寝のこよなき慰めにも……」

源氏のこの言葉に、入道は限りなく嬉しいと思った。

「ひとり寝は君も知りぬやつれづれと
思ひあかしの浦さびしさを

独り寝の寂しさは君もご存じでございましょうか、
なすこともなく物思いに沈みながら、夜をあかしております明石（あかし）の浦（うら）の、
うら寂しい思いを

まして、何か月どころでなく何年と、そのように思いに思って過ごしてまいりました心の鬱《ふさ》ぎを、どうぞご推量くだされませ」

入道はこう述懐《じゆつかい》して、わなわなと泣き崩れる気配ながら、なお気品を失うことはない。

「それでも、浦の暮らしに馴《な》れておられる人は、旅の身空《みそら》の私とはまた寂しさも違いましようか」

と言って、源氏は歌を返した。

旅衣《たびごろも》うらがなしさにあかしかね
草のまくらは夢もむすばず

旅の衣の裏（うら）……ではありませんがこの明石（あかし）の浦（うら）のうら悲しさに夜をあかしかねて、草枕に夢も見ぬことでございます

そのくつろいだ様子は、とても魅力的で、筆舌には尽くしがたい色香がある。

入道の長物語には、そのほか数知れぬことをなにからなにまで話したのであるが、煩《わずら》わしいので、ここには書かない。ただし、以上の長広舌《ちょうこうぜつ》については、作り物語らしく誇張して書いたので、これにて、たいそう頑愚《がんぐ》な入道の人となりもいくらかは顕《あらわ》れていることであろう。

源氏と入道の娘との文のやりとり

ともあれ、こうして入道は思いの丈《たけ》がなんとかかんとか叶《かな》ったという心地がして、すがすがしい思いでいたところ、翌日の昼頃、源氏から岡辺の邸に文が届けられた。

くだんの娘が、なみなみならぬ嗜《たしな》みのあるらしいことを知るにつけて、……なんと、却《かえ》ってこんな辺鄙《へんぴ》な里に思いのほかに素晴らしい女が隠れているようだ。それこそはあの

……と思い当たると、また例の癖も蠢《うごめ》き出してくる。源氏は、せいぜい心を込めて文を書いた。高麗《こま》渡りの胡桃《くるみ》色の紙に、念の上にも念を入れて、

「をちこちも知らぬ雲居《くもゐ》にながめわび

かすめし宿の梢《こずゑ》をぞとふ

漂《ただよ》う雲のような私は、空の遠近《おちこち》も分からずただ物思いに悲観ばかりしておりますが、入道殿がちらりと仄めかされたお宿の梢あたりを目印にお訪ねすることにいたしましょう

『思ふには』」

とだけ書いてあったのでもあったろうか。「思ふには忍ぶることぞ負けにける色には出《い》でじと思ひしものを（ひたすら思っていると、秘めておくことができなくなります。けっして表には現わすまいと思っておりましたが）」という古歌の心を、この娘ならわかってくれるだろうと源氏は思ったのである。

入道は、内心ひそかに源氏の手紙到来を待ちつけつつ、かの岡辺の家に来ていたところ、まさに期待どおりに手紙が届いた。狂喜乱舞した入道は、その文の使いの者を、あきれるほど盛大にもてなし、酒に酔わせた。

しかし、肝心の娘はなかなか返事を書こうとしない。入道はしびれを切らし、内に入って急がせるけれど、娘はさらに聞き入れない。いや、あまりに風雅すぎる源氏の文のありさまに気圧《けお》されてしまって、筆先のほども自信がないし、はずかしくて気後《きおく》れして、相手はなにしろ天下に名高い貴公子、自分はしがない受領の娘とあっては、身分の違いも著《いちじる》しいことだし、かれこれ考えあぐねているうちに、すっかり気分が悪くなり、つっ伏《ぷ》してしまった。

どうにも説得しかねて、とうとう入道が自分で代筆をするという仕儀となった。

「まことに恐れ多い申し状《じょう》ながら、田舎びた娘の袂《たもと》には、嬉しさを包み切れぬのでございましょうか、さらさら拝見することも出来ぬばかりのもったいなさでございます、とは申しながら、

　ながむらむ同じ雲居をながむるは
　思ひもおなじ思ひなるらむ

君もご覧になっているであろう雲と同じ雲を眺めておりますのは、
その心中の思いも同じ思いなのでございましょう

というように、わたくしには存ぜられます。まことに色がましいことにて恐縮ながら」と書いたのであった。この文は、ぼってりと厚手の陸奥紙《みちのくにがみ》に、ひどく古風ながら、風流らしい筆跡に書きつけてある。

〈なんと、父入道おんみずから代筆とは、まことに色がましいことよな〉と、目を瞠《みは》る思いで源氏は見た。そうしてこの文の使いの者には、なかなか結構な女装束などを褒美に与えた。

翌日源氏からまた書き送った。

「宣旨《せんじ》書きのような代筆の恋文など、見たことがありません」と、こう書いたあとに、

「いぶせくも心にものをなやむかな

やよやいかにと問ふ人もなみ

鬱々《うつうつ》として私の心に思い悩んでおります。

さあさあ、どうしていますかと消息を尋ねてくれる人もないものですから

『言ひがたみ』」

と、文面はそれだけであった。源氏は、「恋《こひ》しともまだ見ぬ人の言ひ難《がた》み心にものの嘆《なげ》

かしきかな（恋しいとも、まだ見たこともない人には言いがたいので、ただただ私の心の中に嘆かわしく思っております）」という古歌の心を以《もつ》て、まだ見ぬ姫に恋しいともいえずにいることが心を悩ましていると、そう仄《ほの》めかしたのである。この度《たび》の文は、入道の代筆文とは正反対に、たいそうなよやかな薄い薄い鳥《とり》の子紙《こがみ》に、麗筆《れいひつ》流るるごとくに書いてある。これでその姫君が、感銘を受けないとしたら、まるで風雅を解しない者というべきであろう。

娘は、決して無感動だったのではない。すばらしいお手紙だと思ったのである。しかし、所詮《しよせん》は身分もなにも大違いで、なにをどう思っても無駄なことだと思うゆえに、なまじっか自分のようなものがいることを源氏に知られてしまったことが、却って悲しくて涙ぐまれるのであった。この思いの故《ゆえ》に、またこの度も娘は、返事の筆を執ろうとしないので、父入道は気が気でない。

しかしながら、あまりに父が無理強いするので、姫はようやく筆を執り、しっかりと香《こう》を焚《た》き染《し》めた紫の紙に、墨色の濃く薄く変化をつけて、

思ふらむ心のほどややよいかに
まだ見ぬ人の聞きかなやまむ

思っていると仰せくださいます、そのお心のほどは、さてさてどのくらいでございましょうか。わたくしのことをまだ見たこともない方が、噂に聞いただけで恋に悩むなんてことが、ほんとにございましょうか

と書いて返した。

源氏の歌を巧みに綾《あや》なして引きつつ、一矢《いっし》報《むく》いるような詠みぶりといい、また筆跡の見事さといい、都の上流の方々にもおさおさ劣るまじき出来栄えで、さながら貴婦人めいた風格を具《そな》えている。

源氏は、この文を見ていると、かつて京で女たちとやりとりした文のことなども思い出されて、俄然《がぜん》興味を抱いた。しかし、そうそう続けざまにしきりと書くというのも人目が憚られるので、二、三日を隔《へだ》てながら、所在ない夕暮れや、あるいはしんみりした暁など、ちょうど相手も同じ心でいてくれるような折々を選んでは、あれこれと人目につかぬように注意して、互いに文を書き交わした。すると、源氏の文通相手として不足なく、ものの情理をよく弁《わきま》えて気品ある人という感じがして、〈これではどうしても逢わずにはすまされぬ〉と、源氏は思う。

とはいえ、〈かつてこの娘には、良清がすでに自分のものであるかのようなことを言っていたこともあったが、あれもなにやら癪《しゃく》に障《さわ》るし、といって、良清とて長いこと懸想《けそう》しつづけているのであろうから、それがとんだ考え違いであったということを目の前で露《あら》わにして見せる、というのも気の毒なことだし〉と、あれこれ考え合わせた結果、〈……もし、かの入道のほうから進んであの姫を差し上げたいということにしてくれるなら、そういう方向でなんとかごまかしてしまえるな……〉とは思うのだが、女は女で、中途半端に身分のある人より却って気位が高くて、そうそう簡単に靡《なび》きもせぬというような態度らしい。いわば、源氏と姫君の意地の張り合いというところで、日が過ぎていった。

さて、京の紫上のことは、こんなふうに須磨の関をも越えて遠く来てしまったので、ますます気がかりに思えてくる。〈さて、どうしたものであろう。もう冗談ではなくて恋しくて恋しくてならぬのだ。やはり秘密裏にここへ迎えとろうか……〉と、心弱くも思う折々もあるのだが、そうはいっても、〈まさかこのまま延々と長い年月をここで重ねるというわけもないし、もう少しの辛抱だろうに、今さら格好悪いことをせずともよかろうか〉とよくよく心を落ち着けて我慢していた。

帝の夢と病、太政大臣の死

その年、朝廷《おおやけ》のほうでは、ただならぬもののお告げがしきりとあって、心騒がしいことが多かった。

三月《やよい》十三日。雷が鳴りひらめき、雨風が荒々しく騒ぐ夜に、帝《みかど》の夢枕に故院が現われ、清涼殿《せいりょうでん》の御前《ごぜん》の階《きざはし》の下にお立ちになり、ご機嫌《きげん》が頗《すこぶ》る悪い様子で帝を睨《にら》みつけるということが起こった。帝は、恐懼《きょうく》して故院の仰せを承《うけたまわ》ったが、あれこれずいぶん多くのことを仰せになった。おそらく源氏のことを話されたのであろう。帝は、たいそう恐ろしく、また困惑されて、弘徽殿大后《こきでんのおおきさき》に打ちあけられたところ、

「雨などが降り、空行きの乱れている夜など、心中に思いがあることは、そのような夢になって見えたりするものです。そう軽々しく心を動かされるものではありませんよ」

とにべもない。

しかるに、夢のうちに、桐壺院がお睨みになったのに目を見合わせたせいでもあろう

か、帝は御目《おんめ》の患《わずら》いにかかって、それが堪《た》え難いほどに苦しまれる。あわてて、眼病平癒《へいゆ》のための物忌《ものい》みなどを、宮中でも、弘徽殿大后の宮殿でも執行《しゅぎょう》されたのだったが、その折も折、大后の父太政大臣《だいじょうだいじん》が急逝するということが出来《しゅったい》した。そういうことがあっても不足のないお年ではあったにしろ、次々にこうした、どことなく不穏なことばかり立ち続くうちに、大后もいつしか体調が悪くなって、時とともに衰弱するようであった。内裏では、かれこれ思い嘆くこと、人それぞれであった。

「やはり、この源氏の君には、ほんとうに罪がないのに、こうして沈淪《ちんりん》しているということならば、必ずその報いがあるであろうと思う。今は、どうか、源氏の君にもとの位を授けることにいたしたいのだが」

と、帝はたびたび仰せ出される。しかし、大后は肯《うけが》わない。

「なりませぬ。さように朝令暮改《ちょうれいぼかい》のような仕置きをなさっては、世間では軽々しいご政道《せいどう》だとやかましく申しましょう。あの罪に怖《お》じ気《け》づいて勝手に都を離れた人を、三年も経《た》たぬうちに許されるということは、世の人がなんといって言い伝えることでございましょうか」

と、固く諫《いさ》めて許さない。かくて大后の意向に遠慮しているうちに次第に月日は経ち、帝も大后も、それぞれの病勢がますます募《つの》っていくのであった。

秋、源氏、明石の君を思う

明石では、毎年のことながら、秋は浜風が殊に身に沁みるので、独り寝をするのはほんとうに心わびしくて、源氏は、娘の話を、入道にも折々相談してみる。

「何かに紛《まぎ》らわして目立たぬように、姫をこちらにおよこしなされませ」

源氏はそう言って、自分からあちらに出向くということはあるまじきことだと思っているのだが、その姫君ご本人とて、自分から言いなりになって源氏のところへ出向こうなどとは思い立つはずがない。

〈なんの取り柄もないような分際の田舎者だったら、かりそめに下ってきた都人の甘い言葉にのせられて、そんなふうに軽々しく契《ちぎ》りを結ぶなんてこともあるかもしれません。でもね、源氏さまともなれば、私なんかはどうせ物の数とも思っては下さらないに決まっている。だから、私が、ただ辛《つら》い思いをするだけ……だいたい、はじめから及ばぬ高望みばかりしている親たちだってどうかしている。私が箱入り娘でいる間は、あてにもならないことを頼みにして、行く末は玉の輿《こし》に、くらいのことを思っているかもしれないけれど、でもそんなこと……、生半可《なまはんか》にその気になったら、却って辛いことばかりだわ〉と思っている。それゆえ、〈源氏さまが、この浦においでになる間、こういうふうにお手紙をやりとりするだけにしておこう、それだって、私にとってはじゅうぶんなお情だと思うもの、……もう長いこと、遠い噂に聞くばかりで、いったいいつになったら、都の素晴らしいお方のお姿を、ちらっとでも拝見できるかしら、と、所詮《しよせん》まったく手の届かないことと思っていたのに、こんなふうに思いがけないお住まいを源氏さまがなさることになって、ほんの垣間見《かいまみ》程度にしろ、ちらっとお姿を拝見したり、世に並び無い名手ともっぱら噂されている琴《きん》の音《ね》まで風の紛れに聞けたり、……明け暮れのご様子もそれなりに見聞きすることもできるし、そのうえに、こんなふうに一人前の女のように思し召してお手紙まで下さるなんて、もう充分すぎるほど充分。こんな海辺の海士《あま》のなかに落ちぶれているこの身には、ほんとにありあまる光栄だもの……〉などと思い思いするにつけて、いよいよ恥ずかしいばかりで、親しい契りを結ぼうなどとは、ゆめゆめ思いも寄らない。

親たちは、〈これで長年の祈りが叶えられるかもしれない〉とは思いながら、しかし、〈不用意に娘を差し出して、万一物の数ならぬ扱いをされたときには、どんな嘆きをすることになるだろう〉と思ってみると、それもまた不安だし、〈今はすばらしい人だと思っていても、いずれは、恨みがましく、ひどい人だと思うようになるかもしれぬ。思えば、目に見えぬ神仏ばかりを頼みにして、肝心の源氏さまのお気持ちや、娘の宿縁がどうであろうかということも知らぬまま、こんなふうに事を運んでもいいのだろうか……〉などと、ああでもない、こうでもないと、ただただ思い乱れるばかりであった。

源氏は、この日ごろ、

「そういえば、このごろのしめやかな波の音に合わせて、あの娘の箏《そう》の音《ね》など聞きたいものだが……。そうでなかったら、今こんなところに居る甲斐《かい》がない」

などと、いつも言っているのであった。

八月十三夜、源氏の訪れ

入道は、日柄の良い日を選んで、母親がなにかと心配するのも聞き入れず、仏道の弟子たちにもいっさい知らせず、ただ自分の一存だけであくせくして、娘の部屋を輝くばかりにしつらえ、折しも十三日の月がはなやかにさし出た時分に、「あたら夜の月と花とを同じくは心知れらむ人にみせばや（もったいないこの夜の月と花との景色を、どうせなら、風雅の心を知る人に見せたいものだ）」という古歌を書き送って源氏を招いた。

源氏は、〈入道は、また例の風雅趣味を出したな〉と思ったけれど、直衣《のうし》を着替え、身なりを調《ととの》えて、敢《あ》えて夜の更けるころに出かけていった。車は入道がたぐいないほど立派に作って用意してくれたが、源氏は、それは大げさ過ぎるといって、馬に乗って出かけていく。お供には、例の惟光《これみつ》など腹心わずかばかり。岡辺の家は、やや遠くの山元に入ったところであった。

浦からその山元まで通う道すがらも、四方《よも》の浦々の景色を見渡して、源氏は、〈ああ、この入り江の月影は、できるなら想いを懸《か》けた人といっしょに見たい〉と、まず恋しい紫上のことを思い出している。いっそこのまま馬を駆って京の邸へ帰ってしまいたいとも思う。

秋の夜のつきげの駒《こま》よわが恋《こ》ふる
雲居を翔《かけ》れ時の間《ま》も見む

秋の夜の月に、なあ月毛《つきげ》の馬よ、月毛と名乗っているのなら、私が恋してやまぬ都の、あの雲のあたりへ月のように翔って行っておくれ。すこしの間でも、あの愛しい人を見たいから

とて、ひとりでに歌が口を衝《つ》いて出て来る。

この岡辺の邸の佇《たたず》まいは、木々は深く茂り、数寄《すき》を凝らしたところも著《しる》く、見どころのある住まいであった。海辺の邸は綺羅《きら》を尽くして風趣満点だが、こちらのほうは、しみじみとした侘《わ》び住まいという風情《ふぜい》である。

〈ははぁ、こんなところに住んでいる女なら、何につけても物思いに耽《ふけ》って、世俗を離れて過ごそうとするであろうな〉と思いやると、源氏の心はにわかに動いた。

近くに三昧堂《さんまいどう》があって、勤行の鐘声《しょうせい》が松風と響きあうのもしんみりと悲しく、岩に生えた松の根の差しようも、みなひとかどの雅致《がち》がある。植え込みには、鳴く虫をさまざま放《はな》って声を聞かせている。

源氏は、この邸のあちこちを見巡った。

娘を住まわせているところは、とりわけ心を尽くして磨き立て、檜《ひのき》の開き戸が、月の光

を誘《いざな》い入れるがごとくに、ほんのわずかばかり開けてあった。

源氏が、その戸口に立って、ためらいながら、ひとことふたこと訪れを告げると、娘のほうは、まさかこんなふうにいきなり源氏と逢うようなことは、女としてあるまじき行ないと深く思い込んでいるので、心中にただ嘆くばかり、けっして打ち解けての返事などは返さない。

〈さてもさても、ひとかどの貴婦人めいたとりなしだな、それほど易々《やすやす》とは落ちないように見える上《うえ》つ方の女だって、ここまで言い寄ったときには、たいていつれなく拒《こば》むことなどなかったものだが……私がこのように落ちぶれているので侮《あなど》られているのかもしれぬ。こしゃくな……〉と、源氏は、あれこれ思い悩んでいる。

〈といって、情《なさけ》も弁《わきま》えぬしかたで、無理にことを運ぶのも、「あたら夜の……」と私を見込んで入道が用意してくれた、このお膳立《ぜんだ》てにはそぐわぬことだが、……ここでこちらが根《こん》負けしてしまったら、格好がつくまいし……〉などなど、思い乱れつつ、それでも一心に恋の恨みごとなどを口説《くど》きわたるそのありさまは、まさに、こんな田舎の無粋者《ぶすいもの》にではなくて、都の恋の情緒《じょうしょ》を知る人たちにこそ見て欲しいようなしこなしであった。

すると、目の前の几帳《きちょう》に懸けてある紐《ひも》に箏の緒《いと》が絡《から》んで思いがけず音が鳴った。なかにいる娘が、突然の源氏の来訪に驚いて、琴を片づけようとしているらしい。さては、今の今まで、気を許して箏を爪弾《つまび》き遊んでいたのか……。その様子が、今ありありと想像される。

「おや、もう箏をお片づけになりますか。このところいつも父上のお話に聞かせていただいておりました箏すらも、お聞かせくださらぬのですか」

などと、なにかにと事寄《ことよ》せては口説き続ける。

むつごとを語りあはせむ人もがな
憂《う》き世の夢もなかば覚《さ》むやと

私は睦言《むつごと》を交わしあう人が居て欲しい、そうしたら、こんなに辛い世も、夢のように半ば醒《さ》めてくれるかと思いますゆえ

源氏はこんな歌を詠みかけたが、すぐに娘から返歌がある。

明けぬ夜にやがてまどへる心には
いづれを夢とわきて語らむ

無明《むみよう》の長夜《ちようや》にそのまま惑《まど》うておりますわたくしの心には、
どこまでが夢、どこからが醒めてのうつつと、案じ分けることもできませぬもの、
夢かうつつかを弁《わきま》えて語りあうことなど、とてもできません

こんな歌を、声もほのかに詠ずる気配《けはい》は、伊勢にいる六条御息所《ろくじようのみやすんどころ》をいかにも彷彿《ほうふつ》とさせる感じがある。

娘は、何心《なにごころ》もなくくつろいでいたところに、こうも突然に源氏がやって来たので、どうしてよいか困《こう》じはて、近くの別室に入って内側から鍵をかけてしまったらしい。どうやってもその戸を開けることができない。

源氏は、強いて押し破っても、というようなことはしない。

しかし、……いつまでそんな駄々《だだ》っ子のようなことばかりしていられるものであろう。……娘は、ついに源氏を迎え入れた。

逢ってみれば、娘の様子は、とても貴《あて》やかで、すらっと背が高く、傍《はた》が恥ずかしくなるような気品を身に帯びている感じである。

都の源氏と明石の入道の娘、もとより「あり得ない」ような縁にちがいない。それが、神変不可思議の出来事に導かれて、こうして契りを結んだということを思ってみれば、源

氏の心には、すでに浅からぬ愛惜《あいせき》が芽生《めば》えている。

こういう人は、逢ってみることによって思いがまさるという按配なのであろう。かかる所在ない住まいの源氏にとって、いつもは厭《いと》わしい秋の夜長なのだが、今宵は、あっという間に明けてしまう感じがして、人に知られぬように暗い内には帰らなくてはならぬと思うと、なんだか気がせいてならぬ。源氏は、またの逢瀬《おうせ》を心細《こころこま》やかに約束し置いて、闇《やみ》の中へ滑《すべ》り出ていった。

後朝《きぬぎぬ》の文が、昨日までのあからさまな通わせようとは違って、今朝は、ごく忍びやかに届けられる。これは、源氏の、紫上に一切を知られまいと思うての、ささやかな良心の呵《か》責《しゃく》のなすところか。

岡辺の家のほうでも、源氏が通《かよ》って来たということを、なんとかして世間に漏《も》れ聞こえぬようにと憚って、その文の使いをあまりおおっぴらにもてなさないでいるのを、すべてお膳立てした入道は、なにやら胸の痛む思いでいる。せっかく新枕《にいまくら》翌朝の文の使いなのに、例に反してきちんともてなさずにいることについて、自分自身残念だし、源氏にも申し訳ないと思うのである。

かく枕を交わして後、源氏は、ひそかに時々通ってくるようになった。しかし、浦の邸と岡辺の家とでは、いくらか距離があるので、その通い路には口さがない海士の子もうろうろしているかもしれない、という理由で、源氏はそう頻々《ひんぴん》とは通って来ないのであった。

明石の君は、〈やっぱり思った通り、一時のお慰《なぐさ》みだったのに違いないもの〉と思い嘆いているのを、入道も〈これはまったく、どうなることであろうなあ〉と、日ごろの勤行の極楽往生の本願《ほんがん》も忘れて、ただただ源氏のお通いだけを待つことにした。ひとたびは仏道に心を潜《ひそ》ませていた入道が、こうして今さらに娘のことで心を乱してしまうのも、まことにお気の毒に見えたことであった。

源氏、紫上への文を書く

二条の邸の女君が、万一にも風の便りにこのことを漏れ聞いたりしたら、それは一大事である。〈かりそめの戯《たわむ》れにもせよ、心に隔《へだ》てを置いて隠し事をしたとて、紫上に疎《うと》まれるというのも、心苦しいし、また恥ずかしいことでもあるし……〉と源氏は思う。まことに、なみなみならぬ愛情の強さである。

〈……思えば、色好み沙汰《ざた》のことは、いままでもいくらもあったが、さすがに紫上が真剣な顔で恨みごとを言ったりする折々は、しまった、なんだってまた、かかるろくでもない戯《たわむ》れごとで、こんな嫌《いや》な思いをさせてしまったんだろう、すまぬ、なんとかこれは無かったことにして時間をもとに戻したいくらいだ、なんて思ったものだったが……〉と、源氏は内心そんなことを思う。

いや、明石の君のことは、決して戯れごとではないし、その容姿にも人柄にも気品にも心は惹《ひ》かれる。しかし、だからといって紫上に対する思慕の念は少しも減ずることがない。明石の君への愛情が深まるほどにまた、紫上への愛情も良心の呵責《かしやく》もいっそう深まるのであった。

源氏は、いつにも増して、心を込め、情《じよう》も細《こま》やかに紫上への長い文を書いた。そうして、その一番おしまいのところに、こう、書きつけた。

「そういえば、以前、別に何ということも思わずにしてしまったつまらぬ浮気沙汰で、そなたに嫌な思いをさせたことを、あれこれと思い出すだけでも、我ながら胸が痛むのですが、また最近、どうもわけのわからないぼんやりとした夢を見たことがあったのです。こう申し上げる問わず語りに免じて、どうかどうか、私の正直で隠し立てのない心のほどを分かってください。『忘れじと誓ひしことをあやまたば三笠《みかさ》の山の神もことわれ（忘れまいと誓ったこと、それをもし破るようなことがあったら、三笠の山の神の御神罰を受けましょうほどに）』という歌の心にて」

などと書いたあとに、

「なにごとにつけても、

　しほしほとまづぞ泣かるるかりそめの
　みるめは海士《あま》のすさびなれども

……しおしおとして、私はそなたのことを思うては、自然と泣けてきてしまうのです。潮（しお）に濡れて海松布（みるめ）刈る海士の娘に相見ることは、ほんの戯れにすぎないのですけれども」

とこう詠みおいてあった。

紫上からの返事には、見たところ何の屈託《くったく》もなさそうなかわいらしい書きぶりで、差《さ》し

障《さわ》りのないことが書いてあったが、その終わりのところに、

「隠さずに打ち明けてくださった御夢語りにつけても、思い当たることがあれこれございますが、

うらなくも思ひけるかな契りしを
松より波は越えじものぞと

私は、疑うことも知らず思い込んでいたものでした……こうして待つあいだに、『末の松山波越さじ』と契ったあなたが、まさか心変わりなさることはあるまいと」

言葉は穏やかであったけれど、その内心の恨みは決して浅からぬ風情にちらりと仄《ほの》めかして書いてあるのが、源氏の心に突き刺さって、手紙を下に置くことができない。そしてこのときの心痛の名残が長く跡《あと》を引いて、源氏は忍び忍びの通いもしなくなってしまった。

明石の君、紫上それぞれの苦悩

明石の君は、はじめから恐れていたことが、かくてはっきりと現実になってしまったので、今や、父の言っていた通りに、ほんとうに身投げでもしたいような心持ちになっている。

〈老い先短い親ばかりを頼りにして、いつの世に人並みの身の上になれるだろう、そうそう期待もしていなかったけれど、思えば今まで、とりとめもなく過ごしてきてしまった年月、何の思い悩むこともない幸福な日々だった……。でも、こうして源氏さまのお情にすがるようになってみれば、もともと悩むことばかり多い関係だったのだわ。それも思っていたよりずっと……〉となにもかも悲しい。悲しいけれど、明石の君は、表面上なんでもないように気丈《きじょう》に振舞って、しっかりとした態度で、あくまでも感じ良く源氏に接するのであった。

源氏は、明石の君を疎《おろそ》かに思うのではない。それどころか、逢瀬が重なって月日が経つにつれて、この君への思いも深まっていく。けれども、都には、紫上という大事な人がいて、こちらも遠く離れた頼りない暮らしを強いられている。紫上はきっと、心穏やかならず源氏のことを思っているであろうと思うと、それにもまた源氏は胸を痛める。

かくて、明石の君への通いも途絶えがちになり、独り寝の夜が多くなっていった。

源氏は、思い付いてたくさんの絵をさまざまに描き集め、それに思うところを書きつけて二条の邸のほうへ送ることにした。これを見た紫上が、余白に返事を書きつけて返すことができるように、という趣向なのであった。それらの絵といい文字といい、見る人の心に沁《し》み入るようなすばらしさであったが、なんとして以心伝心《いしんでんしん》するのであろうか、二条の君も、また心さびしくて慰めようもない折々は、源氏と同じように絵を描き集めては、さながら自分の日常のあれこれを、あたかも絵日記のように書いた。

さてさて、これより先、どのような有様になってゆくのであろうか。

翌年七月二十余日、召還の宣旨下る

また年が改まった。

内裏では帝の眼病への投薬の沙汰などあって、世上《せじょう》あれこれの取り沙汰になっている。今上帝《きんじょうてい》の皇子《みこ》としては、右大臣の娘である承香殿《しょうきょうでん》の女御の腹に男の皇子が生まれている。それが二歳になったところで、まだまだ幼弱《ようじゃく》である。そこで、皇位は現東宮、藤壺腹の皇弟に譲るということになった。

そうなると、朝廷《おおやけ》の後ろ楯《うしだて》となり、来《きた》るべき新帝を助けて政治を執行《しっこう》する人をどうするか。帝が思い巡らすには、この源氏の君を、いまのまま沈淪《ちんりん》させておいては、まことに勿体《もったい》なく、それこそはあるまじきことであるから、ついに、弘徽殿大后の諫《いさ》めに背《そむ》いて、源氏宥恕《ゆうじょ》のことが決定され、その布告が発せられた。

去年から大后も物《もの》の怪《け》の悩ますところとなっていたが、これについても神仏《しんぶつ》のお告げがさまざまあって、世は騒然《そうぜん》としている。いっぽう、重い物忌みなどを執行《しゅぎょう》したおかげであったろうか、次第に快復しつつあった帝の眼病も、このごろ再び悪化してきて、心細く思われた。

そこで、七月二十日《ふみづきはつか》過ぎ、また重ねて源氏の内裏召還の宣旨《せんじ》が下されたのである。

明石の君懐妊

源氏は、いつかはきっとこういうお沙汰があるだろうとは思っていたけれど、世の中は無常のことゆえ、いったい自分はどうなってしまうのだろうかと嘆いていたのが、こうにわかに宥免召還ということになって、嬉《うれ》しいことはたしかに嬉しかったが、また一方では、この明石の浦を、今を最後と思って去っていかなくてはならないということが悲しくて、思い嘆いてもいるのであった。

入道は、それも当然のことだとは思うものの、源氏召還のことをちらっと聞くより、たちまちに胸塞がる思いとなった。しかしその半面、〈いや、源氏さまが思い通りに栄えられればこそ、私の願いも叶うというものだ〉などと、負け惜しみ半分に思い直す。

そのころ源氏は、毎夜のように明石の君のもとへ通ってきて、睦言《むつごと》も絶えなかった。すると、六月《みなづき》のころから、女君の気分が悪いということが出来《しゅったい》して苦しんでいる。別れの間際になってくると恋慕の思いがあいにくと増すのであったろうか、以前よりももっと愛しさが弥増《いやま》しになって、源氏は、自分でも不思議なくらいに恋に懊悩《おうのう》する人生なのかもしれないと思い乱れる。

女は、事新しく言うまでもなく、悲しみに思い沈んでいる。それもまことに道理であった。

かつて源氏は、思いがけず悲しい須磨への旅に出立《しゅったつ》したが、やがては必ずや帰ってくるであろうと、かたがた希望を持って自らを慰めていたものだった。今その帰京が叶って嬉しい旅立ちのはずであったが、こんどはまた、やはりこの明石に再び帰ってくることがあるだろうかと、寂しく思うことになってしまったのは、感無量なものがある。

お供の人々は、それぞれの身分相応に帰京を嬉しく思っている。

京からも、お迎えの人々が下《くだ》ってきて、みな楽しげにしているけれど、主の入道は、涙にくれている。

そして新しい月、八月《はづき》になった。

折から、哀愁に満ちた空のさまに、〈ああ、どうしてなのだろうか。我とわが心から、今も昔もわけもない色好み沙汰に繋《つな》がれて、身を損なうような目に遭うのは……〉と、源

氏はまた懊悩《おうのう》している。こたびの明石の君との事を知っている人々は、

「ああ、困ったものだ。いつものあの悪い御癖《おんくせ》よなあ」

と、ぶつぶつ文句を言っている。

「この何か月かは、人に悟られぬように、稀々《まれまれ》にお忍びでお通いだったのになあ、この頃はまた、あいにくとしきりに通われたりするから……、なまじっかそんなことをすれば、女の嘆きの種ともなろうになあ」

と人々は目引き袖引きするのであった。

これももとはといえば、良清が北山でこの娘のことをうわさ話にお聞かせしたのがことの発端《ほったん》であったということを、皆がささめきあっているのを聞けば、もともとは自分が懸《け》想《そう》していた娘だけに、張本人の良清としては、いかにも面白くない。

源氏、明石の君との別れ

いよいよ明後日が出立という日になって、源氏は、いつもと違って、それほど夜深くならぬうちに、明石の君のところへ通って来た。

日ごろは、それほどはっきりと見たわけでもなかった女君の容貌を見直してみれば、いかにも趣味が良くって気品高く、はっとするような美しさであった。今さらながらに見捨てがたく、別れるのが残念でならない。こうなれば、いずれしかるべき処遇を以て迎えに来ようと源氏は思うようになった。そして、かならずそうするからということを約束し慰める。

男の容貌といいたたずまいといい、これは言うに及ばず素晴らしい美しさである。しかも、この年来の勤行に、ひどく面窶《おもやつ》れしているのが、これまた言いようもなく魅力的で、痛々しげな風情でふと涙ぐみながら、しんみりと未来までと深く契っているところなど、こんなふうにお情を賜《たまわ》っただけでも十分幸福であったと満足できそうなものだが、しかし、源氏のあまりの美しさ素晴らしさに、つたない我が身のほどを思い合わせると、やっぱり女の悲しい思いは尽きない。

波の声も、この秋の風のうちに格別の響きが感じられ、あまつさえ海士の塩焼く煙までかすかにたなびいて、なにもかも悲しみを取り集めたこの浦の景色であった。

このたびは立ち別るとも藻《も》塩《しほ》焼く

煙《けぶり》は同じかたになびかむ

このたびの旅を以て、ひとまず立ち別れるけれど、藻塩を焼いている煙は、同じ方角に靡《なび》くであろう……必ず迎えにくるから待っていておくれ

源氏のこの歌に、明石の君の返し歌。

かきつめて海士のたく藻の思ひにも
今はかひなきうらみだにせじ

かき集めて海士が焼いている藻の火のような、わたくしの胸の思ひという火は、どんなに燃えさかって思っても、いわば貝（かい）のない浦見（うらみ）のようなもの、今は甲斐（かい）のないことでございます。お恨みも申しますまい

身も世もあらぬように泣いて、言葉も少ないけれど、こういう返歌などは、やはりきちんと教養深く応《こた》える。しかし、源氏がいつも聞きたがっている箏《そう》の音などは、ついに聞かせてくれることはなかった。それを源氏はたいそう恨みごとのように言う。

「では、私の形見として思い出してもらえるように、一節《ひとふし》だけでも弾こうか……」

と言って源氏は、京から持参していた琴《きん》を、わざわざ海辺の邸まで取りに行かせて、心に沁みわたるような調《しら》べをほのかに掻き鳴らして聞かせた。その音は、夜深き静寂のなかに澄《す》んで響き、美しいことはなんと喩《たと》えようもない。

入道は、もう堪《こら》えることができなくなり、箏《そう》の琴《こと》を取って、娘のいる御簾《みす》のなかに差し入れた。明石の君は、箏を弾くことを勧められると、涙も同時に催されて、涙も箏も止めることができぬままに、忍びやかな音色で箏を弾いた。その調べは、まことに品格に満ちて貴《あて》やかであった。

ここに思い合わされるのは、入道の宮、藤壺の箏の音であった。宮の音色《ねいろ》は、当今に比肩《ひけん》するもののない味わいであったが、とくに新しい華やかな弾き方には、聞く人が心惹かれて、その音だけからでも弾いている人の美しい容姿まで想像できるような、とでも言おうか、ともかく藤壺の宮の琴の音は、そういう限りなく美しい風情なのであった。

しかしこの明石の君のそれは、飽くまでも清澄《せいちょう》に冴《さ》えわたり、そこに思わず唸《うな》りたくなるような、憎いまでの音の響きが感じられる。

源氏は、この方面には堪能《たんのう》であったが、その源氏の耳にも、こんな楽音《がくおん》はいままで聞いたこともなく、じわりと心に沁みてくるような風情がある。しかも、あまり聞いたこともないような珍しい曲などを、心残りなほどに、少しずつ弾いては弾きさして止《や》めるのであった。源氏は、そのたびに〈ああもっと聴いていたい……〉と思って、〈まったく、この幾月もの間、どうしてこの見事な箏を、無理強いしてでも弾かせて、夜々毎《よよごと》に聴かなかったものであろうか〉と、今さらながらに悔やまれてならないのであった。

こうして、源氏は、思いの限りに行く先の固い約束をして、

「この琴《きん》は、また逢うときに合奏するための、私の形見として置いていこう」

と言う。すると、

なほざりに頼め置くめる一ことを
尽きせぬ音《ね》にやかけてしのばむ

きっとなおざりなお気持ちで、そんな宛《あ》てにしたくなるような一言を添えて一琴を下さるのでしょうね。
私はその一言を、その琴が尽きせぬ音に鳴るように、限りなく音を上げて泣きながら、
あなたを偲《しの》んでおりましょう

女は、こんな歌をふと口ずさんだ。源氏はそれを恨めしく聞いて、すぐに歌を返した。

逢ふまでのかたみに契る中の緒《を》の
調べはことに変わらざらなむ

また逢うまでと、二人で互（かたみ）に約束した仲（なか）ではありませんか。この形見（かたみ）の琴の中（なか）の緒《いと》の調べがいつまでも変わらぬように、二人の仲（なか）もずっと変わらないであってほしいものです

かくして、この琴《こと》の調べが狂わぬうちに必ずまた逢瀬を遂げたいから、そのことは大丈夫、頼りにしてもいいのだよということであったろう。

そうは言っても、女の身として、こうして別れることの割り切れない悲しさに、ただひたすら咽《むせ》び泣くというのも、無理はないのであった。

いよいよ源氏、出立する

出立の暁は、まだ真っ暗なうちに出て、京からのお迎えの人々も騒然としていたため、すっかり上《うわ》の空《そら》になっていたが、人目のなくなった折を見計らって、源氏は別れの歌を贈

った。

うち捨てて立つも悲しき浦波の
なごりいかにと思ひやるかな

そなたをうち捨てて立つけれど、この浦にこうして立つ波も悲しく思えて、立ったあとで、その余波（なごり）のような悲しみの名残（なごり）が、どうであろうかと思いやられることだよ

明石の君の返歌。

年経《としへ》つる苫屋《とまや》も荒《あ》れて憂《う》き波の
帰《かへ》るかたにや身をたぐへまし

もう何年も住み慣れたこの苫屋も、あなたが帰ってしまったあとは荒れてしまって心憂きことでございますが、あなたという浮き波が返っていく沖のほうに、この身を投げてしまいましょうか

この返歌は、まったく明石の君の、身重《みおも》で源氏を送る心のうちをそのまま素直に嘆いた

ものと見えたが、読むほどに、堪《こら》えても堪えても、源氏の目からはほろほろと涙がこぼれた。しかし、明石の君との深い仲らい、また腹に子があることなど、詳しい事情を知らない人たちは、〈まず、こんな田舎の住まいだけれど、何年も住み慣れなすったのに、今はこれまでと別れていくわけだから、やはり悲しくて涙がこぼれるかもしれぬなあ〉と当たり前のことのように思うのであった。

良清などは、この様子を見るにつけても、〈あの様子では、さぞかし疎《おろそ》かならぬご寵愛があってのことであろうなあ〉と、内心に憎たらしく思っている。

帰京は確かに嬉しい。嬉しいけれど、じっさい今日を限りにこの渚ともお別れなのだな……と、万感の思いを胸に、人々は、口々に涙ながら惜別の歌など詠み交わしたようであった。が、それらはまずここに書くほどのものではない。

入道、源氏との惜別

入道は、今日の旅立ちのための支度《したく》を、これまた頗《すこぶ》る立派に調製して用意してあった。源氏はもちろん、お供の家来衆や、下々の者にまで、旅の装束も珍しい品々を調えてある。こんなに立派なものを、いつのまに仕上げてあったのであろうと不思議なくらいであった。

源氏の旅装束は、むろん、ここに言うまでもなく素晴らしいものであった。装束を詰めた御衣櫃《みそびつ》を数多く連ね、都でも立派に通用するような逸品《いっぴん》を土産として持ち帰って、あちこちへの贈り物にできるように、風雅をつくして痒《かゆ》いところに手が届くように用意してある。

その上で、今身に着けて帰るように用意してあった狩装束《かりしょうぞく》に、そっと明石の君の歌が忍ばせてある。

寄る波に立ちかさねたる旅衣《たびごろも》
しほどけしとや人のいとはむ

寄せては返す波の立ち重なるように、幾重《いくえ》にも流す涙のうちに裁ち重ねたこの旅の衣は、涙の潮に濡れているといって、お厭《いと》いになりますか

源氏はこの歌に目を留めると、この慌《あわ》ただしい出立《しゅったつ》の間際ながら、すぐに返歌を詠んだ。

かたみにぞ換《か》ふべかりける逢《あ》ふことの
日《ひ》数《かず》隔てむ中の衣を

互（かたみ）に形見（かたみ）として衣を取り換えることにしよう。これからは次に逢うまでの日数も隔たることだから、この共に着て寝た仲の「中の衣」をね

と、こんな歌を詠み、せっかく心込めて調えてくれたものだからと、着ていた衣を脱いで贈られた狩衣に着替え、その今まで身に付けていたものを明石の君に遣わした。こんなことは、女心には、さらにいっそう源氏を偲《しの》ぶ切ない形見であったろう。得も言われず素晴らしい御《おん》衣《ぞ》に源氏の体のかぐわしい匂《にお》いが移っている、こんな衣とあれば、どうして女の心にしみじみと響かぬことがあろうか。

入道は、

「もはやすっぱりと世を捨てた身の上ではありますが、それでも今日のお送りにお供できませぬことが、くやしくて残念で……」

そう言って、泣きべそのような顔をするのもまことにお気の毒ながら、若い人たちは、これを見ては、苦笑せざるを得ぬことであろう。

「世をうみにここらしほじむ身となりて
なほこの岸をえこそ離れね

世を倦（う）み果てて、この海辺（うみべ）に長年潮じみて暮らす身となっても、
なお現世を厭離《おんり》することが叶いませぬな

『人の親の心は闇《やみ》にあらねども子を思ふ道にまどひぬるかな（人の親の心は別に闇でもないけれど、ただ子を思うときだけは、どんな親も心の闇に惑うことだな）』という古歌さながら、わたくしの心も、娘ゆえにひどく闇に惑うておりますれば、まず国境《くにざかい》までだけでも……」

とこんなことを言い、なおまた、

「まことに好き好きしいことを申し上げるようではございますが、もし万一にもお思い出しくださいます折あらば、どうぞ娘のことを……」

などと源氏の顔色を窺《うかが》うのであった。

源氏は、それももっともな親心だと心に沁みて、涙のためにそちこち赤くなっている目《め》許《もと》など、これまた言いようもない魅力を湛《たた》えている。

「いえ、わたくしとしてあの君を思い捨てることのできがたい事情もあるようですから、

いずれ、遠からぬうちにわたくしのことは見直してくださるときがまいりましょう。それでも、この風流な住み処《か》ばかりは、どうしても見捨て難い思いがいたします。さてさて、どうしたものでしょうか」

と、こんなことを言って、惜別《せきべつ》の歌を詠む。

都出でし春の嘆きに劣らめや
年経《ふ》る浦を別れぬる秋

かって都を出てきた春の嘆きに劣ることであろうか。
いまこうして何年も過ごした浦を出て別れていく秋の嘆きは……

こう歌って、源氏は、涙を押し拭《ぬぐ》うた。入道はもはやあとさきも覚えず、滂沱《ぼうだ》たる涙にくれ、立とうにもよろけてしまうほどのありさまであった。

ましてや、明石の君自身の心持ちは、なんと喩えようもない悲しみで、これほど悲しんでいることを人に悟られまいと必死に堪《こら》えている、……初めからこんな拙《つたな》い生まれの身とあっては、なんとしても仕方ないことではあるが、それでも源氏が自分をうち捨てて立っていくことの恨みは、どこにやり場とてなく、その面影は身に添うて、どうしても忘れることができない。いまこの女君にできる、せいぜいのことといっては、ただ涙に伏し沈むという、そのことばかりであった。

母君も、なんと慰めようもなく、

「いったいどうして、こんなに気の揉まれることを思い付いたものでしょう。なにもかも、この偏屈者の夫の言いなりになった、私の心の不行き届きでした」

と言う。入道は言い返した。

「やかましい。源氏の君のお見捨てになるはずもないナニもあると見えるから、たぶん、それでもゆくゆくのことはお考え下さっているのであろうよ。せいぜい気をゆるやかに持って、まずは薬湯《やくとう》でも持ってまいれ。ええい、不吉なことを」

と、片隅に寄ってそっぽを向いている。

乳母《めのと》や母君などは、入道の偏屈な心をあれこれと言い謗《そし》りあって、

「やれやれ、いつになったら、なんとして願いの通りのお身の上になれるかと、それだけを頼りにして、今やっと思いが叶うかと頼もしく思い申しておりましたに……」

「結婚の初めから、なんとまあかわいそうな目に遭わせることでございますねえ」

とため息ばかり吐《つ》いている。

入道は、そんな様子を見ているのも厭《いと》わしく、果てはひどく頭がぼんやりとしてしまい、昼は日がな一日寝ていて、夜になるとすっくと起き上がっては、数珠《じゅず》が行方知れずになったなどとたわけたことを言いながら、空に向かって手を合わせているというようなていたらくであった。これには、弟子どもにさえバカにされる始末で、かくてはならじと一念発起して月夜に庭に出て歩きながら念仏でもしようかと思ったとたんに、遣水《やりみず》のなかにひっくり返ってしまった。風流な庭石がそこらにあったので、あいにくとその岩角に腰をぶつけて怪我《けが》までしでかす始末、とうとう病み臥《ふ》せってしまったが、こうなってはじめて、痛いやら苦しいやらで、心の悲しみも多少は紛れたという次第であった。

源氏入京す

源氏は、難波《なにわ》の岸辺に到着して、そこでお祓《はら》いを受ける。同時に、住吉大社《すみよしたいしゃ》にも、こうして無事に帰京できることになったからには、予《かね》て願立《がんだ》てをしていた、そのお礼参りと礼《れい》物《もつ》の奉納は、機会を改めて果たしたいという旨を、使いを立てて言上せしめる。ほんとうは自身お礼参りに立ち寄りたいと思ったのだが、こたびはにわかに身辺多端《しんぺんたたん》となり、自分では詣《もう》でることができなくなってしまったので、これはその応急措置なのである。そのほかにはこれという遊覧などもなく、一行は、急いで入京したのであった。

二条の邸に到着すると、留守を守っていた人たちも、お供の人たちも、夢のような心地のうちに顔を合わせ、みなみな嬉し泣きの声を上げ、なにやら不吉な感じがするくらいの大騒ぎであった。

紫上も、一時は、生きていても甲斐がないとまで思い捨てていた命ゆえ、この無事の再会はさぞ嬉しく思ったことであろう。たいそうかわいらしく、しかも大人びて整った容姿、このほどの種々の物思いに、やや多すぎた髪もすこし減って、どれもこれもみな非の打ち所のない美しさとなっている。

〈ああ、これからはこの美しい君を日々に見ながら暮らせるのだ〉と、源氏の心はやっと落ち着く。けれども、そう思うと同時に、あのもっと一緒に居たかったと、心残りのままに別れてきた明石の君の、思い沈んでいたありさまが、心の中に痛々しく思いやられる。結局、源氏の君という人は、いつ、どういう立場になっても、こういうふうに恋に責められて安き心もないという運命であるらしい。

源氏は、紫上に、あの明石の君のことなどをあらあら話して聞かせた。その話している様子を見れば、源氏が明石の君を愛《かな》しく思い出しているらしいことがはっきり見える。紫上は、さすがに平穏な気持ちではいられなかったのであろうか、さりげない表情ではあったが、

「身をば思はず」

と、ひとことだけ口にする。「忘らるる身をば思はず誓ひてし人の命の惜しくもあるかな（あなたに忘れられる自分自身のことなどは、何とも思いません。でも、あなたは神仏《しんぶつ》にかけて変わらぬ契りを約束なさった。それだから、もしや心変わりをして神罰仏罰《しんばつぶつばち》が当たらないかと、あなたの身の上だけが案じられるのですよ）」という古歌の心を以て、あからさまに恨むでもなく、却って男の身を案じてみせることで、ちくりと釘《くぎ》を刺したのである。源氏もこれには「なかなか洒落《しゃれ》たことを……いじらしい人だな」と思う。

こんなふうに逢い語るほどにますます愛《いと》しく感じられるこの女君の様子を見ていると、〈いったいどうやって平気で何年も逢わずにおられたものであろう〉と、我ながら驚くほどであった。そうして、今さらながらに、つくづくあの頃の世の中の仕打ちが恨めしく感

じられた。

かくて源氏は、もともとの参議の右大将という位を改めて、定員外の権大納言《ごんだいなごん》にまで昇進する。これにともなって、源氏に連座してお役御免になっていた人々も、それぞれの位《い》官《かん》を回復し、また出仕《しゅっし》を許されたのは、枯れた木が春に再び芽吹《めぶ》いたような心地がして、たいそうめでたいことであった。

源氏参内す

お召しがあって、源氏は参内《さんだい》する。

帝の御前《ごぜん》に伺候《しこう》するその姿には、ますます風格が具《そな》わり、これほどの方《かた》が、どうしてまたあのような田舎くさい場所に何年と暮らしていたものであろうかとみな仰ぎみたことであった。女房なども、桐壺院のご在位時分からお仕えして、いまではもう老女となっている者たちは、感激するやら悲しいやら、今さらのように泣き騒いで、口々に褒め称《たた》えている。

帝ご自身も、源氏の前ではなにやら気後《きおく》れするほどのまばゆさをおぼえて、常よりも一段と立派な装束に身を固め、念入りに容姿を調えて出御《しゅつぎょ》されたほどであった。

帝は、このところご体調優れず、もうだいぶんの日数になるので、たいそう病み衰えておいでであったが、昨日今日は、すこしお加減《かげん》が良かったのである。

対面すると、二人はしみじみとあれこれの物語を交わして、夜になった。

十五夜の月も美しく空にかかって静かな夜、帝は昔のことを、一つまた一つと思い出されては、そのたびに涙を流される。きっとご病気で気が弱くおなりなのであろう。

帝は、

「長いこと、共に管弦の遊びなどもせず、昔聞いたそなたの楽《がく》の音《ね》なども聞かなくなって、ずいぶん久しいことになるな」

と仰せになると、源氏は、

わたつ海《うみ》にしなえうらぶれ蛭《ひる》の児《こ》の
脚《あし》立《た》たざりし年は経《へ》にけり

海のあたりに、萎《しお》れ落ちぶれて、まるであの神代《かみよ》の蛭子《ひるこ》が三年のあいだ脚が立たなかったように、

わたくしも浦の片里で、脚も立たずに暮らしておりました。それも三年が過ぎました
と帰参《きさん》の思いを歌う。帝は、胸衝《むねつ》かれ、忸怩《じくじ》たる思いで歌を返される。

宮柱《みやばしら》めぐりあひける時しあれば
別れし春のうらみ残すな

あのイザナキイザナミが宮柱を回って巡りあったように、
いまこうして私たちも巡りあったのだから、あの別れた春の恨みはもう忘れておくれ

なんの飾り気もなきに、たいそう美しい帝のお姿であった。

故院追善のために法華《ほっけ》八講《はっこう》を執行《しゅぎょう》すべきことを、まず源氏は急がせた。東宮も今年は十歳になられて、すっかり大人び、源氏との再会を珍しいことと喜んでいるのを、源氏は万感《ばんかん》の思いを以て見ている。東宮の才学も格別に進歩して、これならこの君に天下をお任せしても何らの憚りはあるまいと思われるくらい聡明に見える。

藤壺の宮には、少し心が落ち着いてから対面することにしたのであったが、胸に沁みる

ような話がさまざまにあることであろう。

源氏、女君たちに文通わす

そうそう、そうであった。あの明石の君には、明石から送ってきた供の者どもに持たせて文を遣わした。できるだけ人目につかぬようにこしらえてあったが、文面には気持ちを細やかに書いてあったようである。

「波の寄る、夜々はどのように、

嘆きつつあかしの浦に朝霧《あさぎり》の
立つやと人を思ひやるかな

……嘆きながら夜々《よよ》を明かして、そのため息が、明石の浦に朝霧となって立つだろうかと、そなたを思いやっているよ」

あの大宰《だざい》の大弐《だいに》の娘、五節《ごせち》の君は、はじめから恋する甲斐もないことではあったのだが、人知れぬ恋心も、いまこうして源氏が都に返り咲いて世に時《とき》めくようになってしまっては、もうどうしようもないと思い冷める心地がする。そこで、敢《あ》えて誰からとは名乗らせずに、ただ目配せだけして置いてくるようにと、文の使いに言い含めて、こんな歌を送ってくる。

須磨の浦に心を寄せし舟人の
やがて朽《く》たせる袖を見せばや

須磨の浦で、心を寄せた、あの舟の上の人が、
そのまま涙で濡らしてばかりいたために朽ち果ててしまった袖を見せたいものです

源氏はこれを見て、〈ふむふむ、ずいぶんと筆も上達したようだね〉と、この文が誰のものであるかは、すぐに察して、返事を書き送った。

かへりてはかことやせまし寄せたりし
名残《なごり》に袖の干《ひ》がたかりしを

いやいや、こちらのほうから、託《かこ》ちごとを申し上げたいくらいです。

寄せる波のように、あなたがあの時にお寄せくださったお手紙のその余波《なごり》で、
私は涙に暮れてばかりいたので袖が乾きがたいのでしたから

かつては逢瀬を重ねても飽かぬ魅力のある女と思いをかけていたことの名残もあって、五節の君の文を思いがけず受け取った時は、さすがにいろいろなことを思い出したけれど、それだけのことで、源氏も近ごろは、こうした色好みのふるまいは、ひとえに慎《つつし》んでいるようであった。

あの花散里《はなちるさと》のほうへも、ただ消息を送る程度で、通《かよ》ったりもしないので、あちらでは、その消息ゆえに却って心が動いて恨めしく思っているらしい。

澪標
みおつくし

源氏二十八歳の十月から二十九歳の秋まで

桐壺院追善のため法華八講

いつぞやはっきりと夢に桐壺院《きりつぼいん》がお立ちになってから、源氏の心にはいつも故院のことが去らない。なんとかして、あの夢のなかで、故院がなお苦しんでいると仰《おお》せになった「気付かぬうちに犯していた罪」からお救い申さなくては、とそればかりを心中切《しんちゅうせつ》に願っていたところ、果たして無事帰京できたとあって、何はさておいても、その追善のための準備を急がせたのであった。

まず、神無月《かんなづき》には法華八講《ほっけはっこう》を執《と》り行なった。

世を挙げて人々がこれに推服《すいふく》し奉仕したことは、さながら故院ご在世の昔のようであった。

弘徽殿大后《こきでんのおおきさき》は、病状重く臥《ふ》せっている身となってもなお、憎い源氏を抹殺《まっさつ》してやれなかったことを気に病んでいたが、帝《みかど》は、故院のご遺誡《ゆいかい》をいつも大事に思って過ごしている。一時、源氏を失脚させて謫所《たくしょ》に追いやるなど、そのご遺誡に背《そむ》いたため、たしかにその罰《ばち》が当たったにちがいないと案じておられたところが、このほどすべてご遺誡に沿って立て直したことで、持病も軽快し、ご気分も爽《さわ》やかになったように思われた。時々再発して苦しんでおられた眼病も、今はさっぱりしたけれども、ただ、もともとがご病弱で、さまで命長くはあるまいと、その余命の久しからぬことを、ひたすらに心細く思われるゆえに、始終お召しがあって、源氏は宮中に参上する。

そうして、世の政治向きのことそのほか、何につけても隔心《かくしん》なく意見を交換されなどしているのは、源氏を重んじるようにという故院のご遺誡の通りになったのである。

かくて世間一般、下々《しもじも》のものまでが、訳も解らぬながら、このことを嬉《うれ》しく思って喜んでいるのであった。

朱雀帝、朧月夜の尚侍と語る

帝の退位へのお気持ちが次第に差し迫ってくると、ご寵愛《ちようあい》の朧月夜《おぼろづきよ》の尚侍《ないしのかみ》には、世の中が頼りなく思われて、悲しいため息ばかり吐《つ》いている。その様子を帝は、かわいそうにとご覧になるのであった。

「そなたの父太政大臣も亡くなり、弘徽殿大后もご容態がよろしくないようだね。そのうえ、私までもう余命はそれほど長くないような心地がする……ほんとうにいたわしいことだが、そうなったら、そなたは後《うし》ろ楯《だて》もなく火の消えたような状態で宮中に留まるようなことになるだろう。……思えば、そなたの心の中では、私など、どなたか別の人よりも軽く見ていただろうけれど、私のほうではね、そなたはほんとうに大切な人であったのだよ。だから、今はそなたの行く末だけが、なんとしても身に沁《し》みて案じられるのだ。……いや、あの私以上にそなたが愛していた人と、これから願いどおりに逢瀬《おうせ》を叶《かな》えることがあるかもしれないが、そうなったとしてもね、真実心底《しんじつしんそこ》からの愛情ということでいえば、どうしても私のようにはまいるまい。そう思うと、そなたがかわいそうで、たまらないのだ」

　帝はこう言って声を上げて泣かれる。

　これには女君も、ぽっと頬《ほお》を紅潮させて、こぼれるばかりの愛らしさに、涙もはらはらとこぼれる。この様子に、なにもかも罪を忘れ、ともかく心深くしみじみとかわいい人だと、帝はご覧になる。

「どうして、私の皇子《みこ》だけでも、お産みにならなかったのか……、ああ、それはほんとうに残念でならぬ。やがてあの前世からの契り深い人のためには、きっと子をお産みになるだろう……それを思うだけでも、私はくやしい。ただ、もし私の皇子だったら、やがては東宮《とうぐう》にもなろうけれど、あの人の子となれば、しょせんは臣下《しんか》の分際ゆえ、ただの人として育てるということになるのであろうな」

と、そのまだ生まれてもいない子の行く末のことまで仰《おお》せになるので、朧月夜は恥ずかしくもあり、悲しくも思う。

帝は、そのお容貌《かたち》などもすがすがしく汚れない美しさで、その上、朧月夜に対してはどこまでも深いご寵愛《ちようあい》ぶりが年月と共に加わって、大事に大事にしてくださる。いっぽうの源氏は、たしかに素晴らしい人ではあるけれど、それほど真面目に愛してくれているわけではなかった様子や心がけなど、昔はよくも分からなかったけれど、今となってはそれがよく分かる。〈若気の至りでもあろうか、どうしてまた、あんな騒ぎまで引き起こして、自分の名誉を傷つけたばかりか、源氏自身のためにもひどいことをしてしまったのだろうか〉と思い出すにつけても、なんと罪深い我が身なのだろうと辛《つら》くもなる朧月夜であった。

翌春、東宮元服、そして即位

明くる年の二月《きさらぎ》に、東宮御元服《ごげんぷく》の儀があった。

東宮は十一歳になったが、年相応よりも大きく、また大人びて美しく、それはもう「あの源氏の大納言のお顔をもう一つ移し替えた」というように見えた。光源氏といい、東宮殿下といい、輝くばかりに美しい君が、たがいに光りあっているのを、世人《よひと》は素晴らしいことと単純に喜んでいるが、母藤壺《ふじつぼ》の宮《みや》にとっては、それはそれは、いたたまれぬ思いで、ただむしょうに胸を痛めている。

帝も、東宮をもう十分に立派になったとご覧になって、これならば、世の中の政《まつりごと》をこの君に譲ってもよいということなどを、優しい口調で話しかけられるのだった。

同じ二月の二十日過ぎ。いよいよご譲位《じょうい》となった。

あまりに急なことで、弘徽殿大后は驚き慌《あわ》てたが、帝は、母大后をせいぜいお慰《なぐさ》めなさる。

「もう位を退いては、私も何の取り柄もない人間にすぎません。でも、そうなれば、これからはのんびりとした気持ちでお目にかからせていただけますよ」

新しい東宮には、承香殿《しょうきょうでん》の女御の産んだ皇子が選ばれる。

天下を管掌《かんしょう》する人々もみな交替して、陰湿な空気が瀰漫《びまん》していた前代とは事変わり、新時代らしい華やかなことが多くなった。

源氏の大納言《だいなごん》は内大臣《ないだいじん》になった。左右大臣《さゆうだいじん》各一人の定員には空きが無かったので、定員外の官として臨時に内大臣という職に任命されたのであった。

そこで、ただちに天下の政治を源氏が掌握すべきところであったが、

「そのように複雑繁多《はんた》な職には未だ能力不足でございますから」

と申し立てると、致仕大臣《ちじのおとど》に出馬を乞《こ》うて摂政《せっしょう》に任じ、政治の実権はひとまずそちらに譲ったのである。

「病気により、左大臣の位を返上致しましたに、いまはいよいよ老いぼれておりますから、ろくな政治《まつりごと》もできますまいが……」

致仕大臣は、そういって、これをまずは引き受けない。

しかし、異国にも、国乱れ定まらぬ世情を厭《いと》うて深い山に隠遁《いんとん》した人が、ひとたび太平《たいへい》

の世となれば、白髪《しろかみ》も恥《は》じずに出て来て仕《つか》えたと……そういう人を指して本当の聖賢《せいけん》とした例《ためし》もある。たしかに病のために一旦は返上した官職ではあるが、こう世の中のご政道が一変したからには、改めて再出仕するのに少しも差し支えはあるまいと、廟議《びょうぎ》も輿論《よろん》も定まった。異国ばかりか、本朝にも同じような前例はあるので、致仕大臣は、ついに辞退しきれずに太政大臣《だいじょうだいじん》となった。年《とし》は六十三歳になっていた。

右大臣や弘徽殿大后が壟断《ろうだん》する世の中にすっかり嫌気《いやけ》がさして左大臣は退隠していたのであったが、また返り咲いて栄華《えいが》を手にし、太政大臣の子供たちも、一旦は不遇を託《かこ》っていたのがみな再び政治の表舞台に浮上してきた。

とりわけ、宰相《さいしょう》の中将《ちゅうじょう》（もとの頭中将《とうのちゅうじょう》）は、権中納言《ごんちゅうなごん》に昇格する。そしてその正室、右大臣の四《し》の君の腹に生まれた姫君が、折しも十二歳になっていたのを、入内《じゅだい》させるべく大事に育てている。

また、いつぞやの夏の宴に、催馬楽《さいばら》の『高砂《たかさご》』を歌った次郎《じろう》の君も、いまは元服《げんぷく》をさせて、世を思いのままにしている。さらに、幾人もの夫人がたの腹々にたくさんの子供たちを次々に儲《もう》けて、賑《にぎ》やかに栄えているのを見れば、子供にあまり恵まれない源氏は羨《うらや》ましく思う。

さて、葵上《あおいのうえ》の産んだ若君は、世にぬきんでたかわいらしさで、宮中ならびに東宮御所《とうぐうごしょ》への殿上《てんじょう》を許された。こんなところを見るにつけても、母葵上がはやく亡くなってしまったのは残念だった、この殿上する息子の晴れ姿を葵上に見せてやりたかったと言って、大宮も太政大臣も、今さらながらに嘆きを重ねるのであった。

しかし、葵上が亡くなったとはいえ、その名残《なごり》は失《う》せず、今はただ、源氏のご威光のお蔭で太政大臣に返り咲くなど万事に手厚いもてなしを受けて、ここ数年来落魄《らくはく》を嘆いていたことなど跡形もないほど栄えている。

源氏の思いやりは今も変わることなく、折々に太政大臣邸にやってきては、若君の乳母《めのと》たちや、そのほかの女房たちも、須磨明石《すまあかし》退居《たいきょ》中も変わらずに仕えていてくれた者どもには、みなしかるべき事ごとに、縁組みや就職などの世話をしてやったので、豊かな暮らしが立つようになった人が多いようである。

二条の邸《やしき》でも、同じように変わらず仕えて待っていてくれた女房たちを、感心な心がけの者たちだと思って、ここ数年の屈託がすっきりと晴れるように源氏は計《はか》らう。すなわち、中将とか中務《なかづかさ》とかいうような女房たちには、それぞれの身の程相応に情をかけてやるので、さすがの源氏もそれ以上の暇《いとま》もなくて、ほかの女たちのところへ通っていくことはできなくなった。

また、二条の邸の東にある宮殿は、故院の遺産として頂戴《ちようだい》したものであったが、これを、またとなく立派に改築させることにした。ここには花散里《はなちるさと》のようなままならぬ境遇を託《かこ》っている女君たちを住まわせようというつもりで、その用途に相応《ふさわ》しいように手入れをさせるのであった。

明石の姫君誕生

そういえば……、あの明石で苦しそうにしていた君はどうなっただろうかと、そのことを源氏は片時《かたとき》も忘れることはなかった。とはいえ、公私ともに多忙を極める折柄《おりから》、そう頻々《ひんぴん》と思いのままに消息を尋ねてやることもできなかったので、三月《やよい》初めのころに、そろそろ出産の頃合《ころあ》いではなかろうかと思うにつけて、源氏はひそかに気にかけつつ、やっと明石へ使いを立てた。

使いはすぐに戻ってきた。

「十六日に、姫君ご誕生、ご平産《へいざん》のよしでございます」

との報告である。

平産であるばかりか、めずらしくも女の子だという。源氏には初めての娘であった。娘とあれば、入内《じゅだい》させるなり、しかるべき人に縁付けるなりして、いかようにも栄華《えいが》のよすがとなる。

源氏は、ひとかたならず喜んだ。と同時に、〈あんな田舎でのお産はまことに気の毒なことをした。どうせなら、都へ迎え取ってこちらで立派にお産をさせてやるのだった〉と、今さらながら残念にも思う。

かつて星占い師が、「御子《みこ》は三人、そのお一人は帝に、また姫君は后《きさき》になられますお方がお生まれになりましょう。そのなかにももっとも劣るお一人は、それでも太政大臣になられて位人臣《くらいじんしん》を極《きわ》められましょう」と、源氏の子孫を占ったことがあったが、なるほど、その通りになっていくように見えた。

そもそも、源氏自身がこの上なき位に昇って天下を統治することになるであろうということは、かつてあれほど優秀な人相見が何人も予言したことであったに、ここ数年は世の情勢は不本意なことばかり、なにもかも諦《あきら》めて過ごしていたのだったが、今、帝もこうしてつがなく世を継《つ》がれてみると、〈結局すべては思いの通りになったな……〉と、源氏は嬉しく思った。

いかに「この上なき位に」と予言されたとはいえ、皇位に即《つ》くなどということは、自分とは関わりのないことと源氏は思っているから、もとより問題にもならぬ。たしかに、源氏は、故院が、多くの皇子たちのなかでは、とりわけてかわいがられたことは事実ながら、あえて親王とせずに臣籍に降下せしめられたという事実を思うにつけて、〈所詮《しよせん》自分は皇位とは遠い存在だ、藤壺の宮のお産みになった東宮が、今、帝になられたのだから、その真相はむろんあからさまに人の知ることではないけれど、事実上、人相見の占ったとおりになったじゃないか……〉と、心のうちで密《ひそ》かに思うのであった。

今、源氏は、これから先どうなっていくのであろうかということを思っている。

〈……なにもかも住吉明神《すみよしみようじん》のお導きというものだ……じっさいあの明石の君も、こういうふうに姫君を産んだということは、すなわち予言に違《たが》わぬというわけだから、これが前世からの宿縁であったことが分かる。さればこそ、あの偏屈者の入道《にゆうどう》が、娘を、よりにもよって私に縁付けようなどという、ふつうだったら及びもつかないような大望《たいもう》を抱いたのであろう。そういうわけならば、将来は恐れ多くも后の位につくほどの姫が、あんな訳の分からない鄙辺《ひなべ》に生まれたのも、まことにもっともなこと、また姫にとってはいささか気の毒な生まれつきながら、勿体《もったい》ないほどの因縁《いんねん》であったな。……かくなるうえは、もう少ししたら都へ迎えとることにしよう〉と、このように思って、源氏は東の院の改築工事着工を急がせたのであった。

源氏、明石に乳母を遣わす

いかになんでも明石などという田舎では、乳母《めのと》を求めるにも、はかばかしい人材などは得られまいと思って、源氏はしかるべき人を探させてみた。

すぐに耳寄りな情報が齎《もたら》される。

故院にお仕えしていた女房で宣旨《せんじ》という者があった。この女房は、宮内卿《くないきょう》で参議であった男と結婚して娘を一人儲《もう》けたという。しかし、宮内卿も在職中に死に、母の宣旨も近年亡くなって、残された娘は、いま逼塞《ひっそく》した暮らしをしているのだが、その娘がどうやら頼りない暮らしのなかで子供を産んだという話を聞き込んできた女房がある。源氏は、さっそくこの娘に、明石の姫君の乳母になってもらうよう、その女房を通じて打診したのであった。

娘はまだ年も若く世間知らずな人で、ひっそりとしたあばら家に物思いがちな心細い暮らしをしていたところだったから、特に深く考えることもなく、なにしろあの源氏さまの縁につながるお話とあれば、なにがなんでも喜ばしいことに思って、二つ返事で引き受けた。

〈産後の身ではるばると明石くんだりまで行ってもらうのは、まことに不憫《ふびん》なことだが〉

と、一方で源氏は思いながら、その女を急ぎ明石へ下向《げこう》させることになった。

その出立《しゅったつ》の日、源氏は、外出のついでに、くだんの乳母の家へ、ごくお忍びで訪ねて行ってみた。

乳母は、一旦《いったん》はこの話を承諾すると返事をしたものの、はたしてほんとうに明石へ行くべきかどうか、なお思い悩んでいた。しかし、わざわざ源氏の君ほどの方が親しくお訪ね下さったことのもったいなさに、あれこれと迷っていた胸の内も慰められて、

「ただただ、おっしゃってくださいました通りにさせていただきます」

と答えた。

しかるに、その日はちょうど旅立ちには吉日の運気であったので、源氏は出立を急がせる。

「明石へ下《くだ》れなどとは、にわかに納得できぬかもしれぬ。また思いやりのない仕方と思うかもしれぬ。しかし、私には私の特別な考えがあるのだ。いや、私自身も明石あたりで思いもかけぬ侘《わ》び住まいを余儀なくされて、鬱々《うつうつ》と暮らした覚えがある。決して見知らぬところへやろうというのではない。だから、そういう私に倣《なら》って行くのだと思って、しばらくのあいだ辛抱《しんぼう》してくれぬか」

などと、源氏は、前後のいきさつ、ところのありさまなどを詳しく語り聞かせる。

この娘は、源氏にとっては見知らぬ人ではなかった。かつて故院ご在世のころに、母宣旨に従って折々内裏仕《だいりづか》えをしていたことがあるので、その顔は見知っていたのである。しかし、その頃に比べると、生活苦のためかずいぶん面窶《おもやつ》れして見えた。

この家の様相もひどく荒涼として、さすがに大きな邸《やしき》ではあったが、手入れもせぬ木立は鬱蒼《うつそう》と茂りあって薄気味悪い。こんな寂しい邸で、どうやって暮らしてきたのだろうと、源氏は憐憫《あわれみ》を覚えた。

窶れているとはいえ、この乳母はもともと若々しく美しい人であった。しかもこんな荒れ邸に、思いがけず、かくも魅力的な女が隠れていた……例の心の癖が蠢《うごめ》きだし、源氏は、そのまま見過ごすことができなくなった。

なにかと色めいた戯《たわむ》れごとなどを仕掛けて、

「明石などにやってしまわずに、こちらに取り返したくなった……そんな思いがする……、どうかな」

などということを、源氏は口にする。

〈ほんとうに……、同じお仕えするなら、明石の君なんかじゃなくて、源氏の君のお側《そば》近くにお仕えして、ずっとそのままかわいがっていただけるなら、辛《つら》い身の上も慰められるのにな〉と、乳母は思うのであった。

「かねてより隔《へだ》てぬ仲とならはねど
　別れは惜《を》しきものにぞありける
　かねてからずっとわりない仲であったわけではないけれど、
　それでも別れは名残惜しいものであったたね
追いかけて私も明石に行こうかな」

と、こんなことを言いかけると、乳母もさるもの、にっこりと微笑《ほほえ》んで、

うちつけの別れを惜しむかことにて

思はむかたにしたひやはせぬ

だしぬけに、そんな別れを惜しむようなことをおっしゃいますが、名残惜しいからわたくしを追いかけていこうかなんてことにかこつけて、じつは、明石のほうで思いを懸《か》けておられる方を慕《した》っていらっしゃりたいということではありませんか

ずいぶんと手馴《てな》れた返答のしようで、これには源氏も〈おっと、ずいぶんと気の利《き》いたことを言う〉と感心してしまった。

京の町中は、源氏が用意した牛車《ぎっしゃ》に乗って行った。その車には、ごく信頼できる腹心の者を付添いとして同行させたが、「このことはゆめゆめ人に洩《も》らすでないぞ」と口固めをして遣《つか》わしたのである。

明石の姫君のためには、お守りの刀や、そのほか種々の品々を取りそろえて、それはもう痒《かゆ》い所に手の届くような配慮をする。むろん、乳母にも、めったとないほど深く行き届

いた心付けの品を遣わす。

明石の里では、いまごろはさぞあの入道が姫君をかわいがって、宝物のように大事に大事に傅《かしず》いているだろうと思うと、ついつい源氏の口元も綻《ほころ》ぶのであった。しかしまた、その一方でこの姫君があのような田舎住まいを余儀なくされているのは、しみじみといたわしく心にかかる、それはおそらく前世からの深い因縁に結ばれているからであるにちがいない。

そこで、明石の君への文《ふみ》にも、姫をあだや疎《おろそ》かに扱ってはならぬと、返す返すも戒《いまし》めておいた。

いつしかも袖うちかけむをとめ子《こ》が
世を経て撫《な》づる岩《いは》のおひさき

いつになったらこの袖をかけて抱いてやることができようか、あの乙女子を……

天女《てんにょ》が三歳《みとせ》に一度天降って四十里四方の岩をその袖で撫でて、やがてその岩がすり減ってなくなってしまうまで、乙女子よ、その生い先の長くあれ

源氏はこんな歌を詠んで、姫の行く末を言祝《ことほ》いでやった。

摂津の国までは舟で、それから先は馬に乗って、乳母一行は急いで明石へ到着した。

明石の人々の喜びともてなし

明石では、入道が待ち受けていて、ここまで痒い所に手の届いた源氏の手配を、かつは喜び、かつは恐縮することが限りなかった。それゆえ、遥《はる》か京の方角に向かって手を合わせるやら、大変な大騒ぎ。この希有《けう》なる源氏の配慮のほどを思うにつけても、〈……これは並大抵のことではない、生まれた姫はそんじょそこらの赤子《あかご》とは訳が違う、大事に大事にお育てせねばならぬぞ……〉と、恐ろしいほどの行く末までも想像して、ありがたがった。

それにしても、美しい赤子で、こんなに美しくては、なにか悪鬼《あっき》外道《げどう》などに魅入《みい》られはすまいかと心配になるくらいの、たぐいなき美貌の子であった。これを見ては、乳母も〈なるほど、この姫の美しさといい、明石の入道ののぼせあがりかたといい、恐れ多くも源氏の君のお心を推量《おしはか》り申すに、この姫君をなんとしても大切にお育てになろうとお考えになったというのも、まことにむべなるかな……〉と思う。そこで、それほど重大な任務を与えられたのだと気付いた乳母は、こんな見も知らぬ片里《かたざと》への道へ出で立ったときの、なにか夢のように頼りなく感じられた気持ちもすっかり醒《さ》めて、急にしゃんとしてしまった。そうなると、もうひたすらかわいくて、いじらしくて、姫君の傅育《ふいく》に全力を尽くす乳母なのであった。

その母君も、源氏との一別以来は、何か月もただただ物思いに沈むばかりで、しかも産前産後の苦しみに身も心も弱る心地がし、生きようという気力も萎《な》えてしまっていたのだが、源氏のこれほどまでの配慮に接すると、憂鬱に沈み切った心も慰められ、枕から頭を上げて、乳母に随行してきた御使いの者にも、饗応《もてなし》を尽くすやら礼物《れいもつ》を贈るやら、心を尽くして褒美《ほうび》を与える。

明石の君は、この饗応の間に、源氏へのお礼など、心を込めて文など書きたいと思ったが、くだんのお使いの者は、ひたすら、

「急ぎ帰参いたしとうございます」

といって急《せ》かせるので、しかたない、ともかく何の曲《きょく》もなく思った通り打ち付けにさらさらと書いたあとに、

ひとりして撫《な》づるは袖のほどなきに
覆《おほ》ふばかりの蔭《かげ》をしぞ待つ

わたくし一人で撫育《ぶいく》するには、天女ならぬ身、あまりに粗末な狭い袖しか持ち合わせておりませぬゆえ、どうか、わたくしども親子を大きく覆って守ってくださる蔭……あなた様の御蔭を心待ちにいたしております

という歌を贈った。

源氏は、どういうものか、自分でも納得ができぬほどに、ただただこの姫君のことが心にかかって、なにはさておいても早く我が目で見てみたいと思った。

明石の姫君のことを打ち明けられた紫上の思い

さて、紫上に対しては、この明石の君のことは、そうしばしば言葉に出して話すことはなかった。が、万一、自分がなにも話さぬうちに、他から耳に入ることがあってはことがこじれると思って、

「あ、そういえば……、とかく物事は、どうもわけのわからぬ、ひねくれたところがあるものだな。こうあってほしいと思うところには、なかなかその気配《けはい》もなく、思ってもみなかったところに、子が授《さず》かるという……まったく意外というか、残念というか。……ともあれ、その子というのは女の子だったのだから、どうもつまらないな。わざわざどうこうしてやるにも及ばないのだけれど、そうは言っても、まったく放置しておくわけにもいくまいしなあ。まずともかくは、その子をこちらに呼んで、そなたにも見てもらうことにしよう。いいね、憎んだりなさらぬようにね」

源氏は、こんなことをくどくどと言い聞かせた。

紫上の顔がたちまち紅潮してくる。

「どうして、そんなことをおっしゃるのですか。いつもいつも、そんなことをご注意なさるのは、よほどわたくしが至《いた》らぬ女だとお思いなのでしょうか。そんなふうに思われているわたくしの心が、我ながら嫌《いや》になります。でも、もしやきもちを焼いたとしたって、それはいったい、いつどなたがそうさせたのでしょうか」

紫上は恨《うら》み言《ごと》を言う。源氏は、破顔一笑《はがんいっしょう》して、

「ほらほら、また恨み言を。そんな恨み言こそ、いったい誰が教えたことやら。私として

は、心外千万《しんがいせんばん》な態度に思えますよ。そもそもが、私の思ってもいないことを、あれこれと邪推して、とかくやきもちを焼いたりなさるのは、まあ、思えば悲しいな」

と、ついには涙ぐみさえする。そうして、ここ何年か、明石と京に離れて、いつもいつも恋しいと思い続けていたお互いの心の内、あるいは折々に交わしあった文のことなどがしみじみと浮かんできて、源氏の心中には、〈やはり、明石の君のことも、その他の女とのことも、みな所詮は気慰《きなぐさ》みに過ぎなかった……この紫上だけが真に心を通わす人であったものな〉と、そのように思い做《な》される。

「この明石の君に、ここまで心を配って見舞いなど送ったについては、じつは私として思うところがあるからなのだよ。……しかし、そのことを今すぐにお話しすると、またなにかと要らぬ誤解を招くおそれもあるから……」

と源氏は口を濁《にご》した。

「人柄は、とてもすぐれているのだよ、あの人は。それも、あんな片里には珍しいことと思ってね」

こんなことを言いながら、また源氏は、かのしみじみとたなびいていた海士《あま》の塩焼く煙のことやら、明石を発つ前に女君と詠み交わした歌ども……「このたびは立ち別るとも藻《も》塩《しほ》焼く煙は同じかたになびかむ（このたびの旅を以て、ひとまず立ち別れるけれど、藻塩を焼いている煙は、同じ方角に靡《なび》くであろう……必ず迎えにくるから待っていておくれ）」と詠んで送ったこと、それから、明石の君が「かきつめて海士のたく藻の思ひにも今はかひなきうらみだにせじ（かき集めて海士が焼いている藻の火のような、わたくしの胸の思ひという火は、どんなに燃えさかって思っても、いわば貝（かい）のない浦見（うらみ）のようなもの、今は甲斐（かい）のないことでございます。お恨みも申しますまい）」と歌を返したことなど、つぎつぎに語り続ける。そうして、はっきりとでもないけれど、その別れの夜に見た明石の君の容貌のことや、弾く琴《こと》の音《ね》がすばらしい響きであったことや、あれこれとこの君に心惹《こころひ》かれた所以《ゆえん》を語り聞かせた。その述懐《じゅつかい》を聞きながら、紫上は、〈ああ、私はその間じゅう、ずっと都で悲しみに打ちひしがれて嘆いてばかりいたというのに……いくら気慰みだったとかいっても、やっぱり他の女に愛情を分けておいでだったということだもの〉と、恨めしい気持ちは強くなる一方であった。

「私は私……」

紫上は、ただそれだけをぽつりと洩《も》らすと、源氏に背を向けてぼんやりとしている。そして、

「……昔は、ほんとうに心が通いあっていたのに」
と、独り言のように言いながら、大きなため息をついた。

思ふどちなびくかたにはあらずとも
われぞ煙《けぶり》にさきだちなまし

あなたは思いあう者どうし同じかたに煙となってたなびくとかおっしゃいましたが、そんなふうに、同じほうにたなびくことはできなくても、私は私、あなたより先に儚《はかな》い煙となってしまいたいくらい

「何を言うやら。縁起でもないことを、

誰により世をうみやまに行きめぐり
絶《た》えぬ涙に浮き沈む身ぞ

いったい誰のために、世を憂（う）みはてて、遠く海山（うみやま）にさすらい行き、ひっきりなしに流れる涙に浮いたり沈んだりする我が身なのであろうかな

やれやれ、どうしたら私のほんとうの真心を分かっていただけるだろうか。いや、いず

れは分かっていただけるかもしれないけれど、これから先の命ばかりは、自分の思う通りにはならないからね。私が、ああして須磨明石にさすらって苦労したというのも、些細《ささい》なことで人の恨みを買わずにおこうとした、その一心だったのだよ。それもこれも、ただそなたのことを思えばこそ、それ一つゆえの苦心だったのだが……」

そんなふうに一生懸命に慰めながら、源氏は、箏《そう》を引き寄せ、小手《こて》調《しら》べを軽くつま弾《び》いて、紫上にも、一緒にどうかと勧めてみる。しかし、その明石の君とやらが箏の名手であったなどと、源氏がありがたそうに語ったことが悔しいからか、紫上は手も触れようとしない。

もともとこの君は、おっとりとしてかわいらしい人で、まことに素直な性格であったけれど、こういう事態になってみれば、やはり執念深いところもちらりと現われてきて、嫉《しっ》妬《と》心など見せるようになってくる。それがまたかわいいところで、〈はは、愛らしい様子でぷんぷん怒っているところなど、いっそ女としての魅力が出てきたな〉と源氏は思ったりもするのであった。

明石の姫君、五十日《いか》の祝い

五月《さつき》五日、ちょうど五十日《いか》の祝いが今日であろうかと、源氏は密かに日数を数えて、明石に思いを馳《は》せる。〈姫を見てみたいものだが。さぞかわいいことであろうな〉と、源氏は遠く思いやった。

〈それにしても……もし姫が都で生まれたのだったら、もっとなんでも心ゆくまで世話をしてやれるのだが、そしたらどんなに嬉しいことだろうか。しかし、明石では、残念なことよな……。それにしても、あの姫は、よりにもよってあんな片里で、気の毒な境涯《きょうがい》に生まれついたものだ……〉と源氏は思う。もしこれが姫君でなくて男君であったら、こんなに濃《こま》やかに心をかけることもしなかったに違いないのだが、これが女の子ゆえ、占いによれば将来は后にも立つということだから、まことにもったいない、また愛《いと》おしいと一入《ひとしお》の思い入れがある。〈私があのような片里にさすらって種々《しゅじゅ》の苦悩を味わったことも、思えば、ただこの姫君を儲《もう》けるという運命のしからしむるところであったよな〉と、源氏は自ら納得するところもある。

いそぎ、五十日の祝いの使者を遣わすことになった。

「よいか、必ず五十日のその日に間違いなく到着するのだぞ」

と念を押して使者を送りだしたことゆえ、無事五月五日には明石に到着した。お使者が持参した源氏心尽くしの品々も、まずふつうにはあり得ないほど立派に調《ととの》えてあって、祝儀の品ばかりか、日々の暮らし向きの物もあれこれと添えてあった。

「海《うみ》松《まつ》や時《とき》ぞともなき蔭にゐて
何のあやめもいかにわくらむ

明石の海に生える海松《みる》ではないが、一年中色のかわらぬ松の蔭にいると、五月五日のあやめの節句《せつく》だとて、なにの文目（あやめ）も分からずに過ごしていることでしょうか

私は、なにやら魂が明石のほうへあこがれて飛んでいってしまいそうな思いをしています。どうしてもこのままでは済まされますまいから、思い切って上京を決心されますように。どうあっても、私がなんとでもして、そなたが気がかりに思うようなことは決して決してさせはいたしますまいから」

源氏は、このように書いて送った。

入道は、このお使いに接しても、またいつもながら、喜び泣きをしている。こんな折には、生きている甲斐があったというので、口を貝のようにひんまげて泣きべそをかいても、それはもっともなことと見えた。

じつは入道のところでも、むろん五十日の祝いの品はうるさいほどに用意はしてあったのだが、この源氏のお使いが齎《もたら》したものがなかったなら、まるで闇夜に錦を着るような淋しいことになったであろう。

乳母《めのと》も、この明石の君が、しっとりとして円満なお人柄なのを、こよなき話し相手として、せめてこの退屈な田舎住まいの慰めとしていた。もっとも、明石の邸には、乳母におさおさ劣らぬような女房たちも仕えていたのではあったが、それはいずれも親類縁者の伝手《つて》を辿《たど》って迎え入れた人々であった。実際には、すっかり落魄《らくはく》した宮廷の女房上がりというような身の上で、いっそ山中の巌洞《いわあな》にでも隠遁《いんとん》したいくらいに思っていたのが、巡り合わせでここに拾われているというような古女房たちであったので、それに比べると、この乳母は、擦《す》れたところが少しもなく、おっとりと気品がある。

明石の君と乳母の間の話題は、都の貴公子がたのうわさ話とか、ほかならぬ源氏の君のありさま、とりわけ、どれほど源氏が世の声望たかく誰からも尊敬されているかとか、それからそれへ興味津々のことどもで持ち切って、女心の赴《おもむ》くまま、限りなく語り続けるのであった。

憧れに満ちた乳母の物語を聞いていると、それほど素晴らしい源氏の君が、この自分のことをいつも思い出してはお心に掛けてくださっているということが嬉しくて、明石の君は、〈自分だってこれでなかなかのものだ〉と思うようになっていった。

やがて源氏から文が届くと、女君は、乳母と共にこれを見る。

乳母は思った。〈ああ、こんなにも想像を絶した幸せな宿縁というものがあるものなのね……でも、そうなると、私なんかはほんとに嫌になってしまうような身の上だったなぁ〉と、思い続ける。そのうちに、文のなかに、「乳母はどうしていますか」というような文言が出て来るに及んで、乳母は、こんなふうに自分のことまでも心細《こま》やかに気にかけてくれる源氏の心のほどのもったいなさ嬉しさに、田舎暮らしの退屈も、自分の不運な人生も、なにもかも慰められてしまうのであった。

明石の君の返事には、

「数ならぬみ島がくれに鳴く鶴《たづ》を

けふもいかにととふ人ぞなき

名も無きみ島の蔭に鳴く鶴のように、物の数でもない我が身の蔭に泣いている子を、この五十日（いか）の祝いの日に『如何（いか）に過ごしているか』と尋ねてくれる人とてもありません

なにごとにつけてもただ物思いに塞《ふさ》ぎ込んでいるわたくしのありさまながら、こうしてたまさかにもお慰めくださる、ひたすらそのことに支えられておりますわたくしの命も、これでは行く先がおぼつかぬことでございます。ほんとうに、姫君の生い先が後ろ楯《うしろだて》も頼もしくあってほしいと思い思いいたしておりますので、なにとぞお力を賜《たまわ》りたく」

と、真実の思いを込めて綴《つづ》ってあった。

源氏は、この返事を繰り返し繰り返し見ては、

「ああ」

と、長大息《ちようたいそく》する。

その姿を、紫上は横目にちらりと見やると、

「浦よりをちに漕《こ》ぐ舟の……」

と、そっと独り言に呟《つぶや》きながら、憂鬱そうに考え込んだ。「み熊野《くまの》の浦よりをちに漕ぐ舟の我をばよそに隔てつるかな（あのみ熊野の浦から遠く沖のほうへ漕いでいく舟、その舟のように私をはるかかなたに隔て置きなさるのですね、あなたは……）」、源氏の胸裏《きょうり》には、ただちにこの歌が浮かんで、〈ああ、また例のやきもちだ……自分が放っておかれると思っているのか、やれやれ〉という思いが去来する。

「まことに……そこまで気を回すとは、さてさて……。それは邪推というもの、これはね、ただちょっと思い出しただけだよ、……あの明石の景色だとか、何年かを過ごした時分の思いとか、そんなことをふと思い浮かべてため息をついた程度のことなのに、よくもまあ、そういうふうに耳聡《みみざと》く聞き咎《とが》めるものだな」

源氏は、恨み言《ごと》のように言い返しながら、その文の上包《うわづつみ》だけを紫上に見せる。すると、その筆跡などもたいそう風格豊かで、これではどんなに高貴な身分の人でも引け目を感じそうなほどの手であった。〈なるほどね。これほどの方だから、君がお心を移されるのかしら……〉と紫上は思う。

源氏、五月雨の頃花散里を訪ねる

こうして源氏が紫上のご機嫌取りに腐心《ふしん》している間、花散里とはすっかり離れてしまっているのは、まことにかわいそうなことであった。

その立場上、朝廷《おおやけ》の政務も繁多で、なにかと不自由な身の上であったこともあって、源氏としては、世間の目も憚《はばか》られるし、また、花散里のほうからも、とくに目を瞠《みは》るほどのことも知らせてこないしで、万事慎重に行動しているというところでもあったろう。

五月雨《さみだれ》の季節で、当分所在ない日々が続く頃のこと、公務私用ともに閑散としていたので、源氏は急に思い立って花散里のもとへ訪ねていった。

このあたりには、じっさいに通《かよ》ってこそ行かなかったけれど、明け暮れにつけて、源氏はなにやかやと気を遣っては消息など通わしていたので、花散里かたでは、それだけを頼みにして日々を送っていた。花散里はまことに穏やかな人柄で、色めかしく思わせぶりに拗《す》ねたり恨んだりするようなことはなく、源氏としては、いかにも心安らかに逢《あ》うことができるのであった。

行ってみると、何年かのご無沙汰の間に、邸はいよいよ荒れ果てて、ぞっとするような風情《ふぜい》となっている。姉君の麗景殿《れいけいでん》の女御に、まずは四方山《よもやま》の物語をして、そのあとで、西側の開き戸のある角部屋のあたり、花散里のところへ、すっかり夜が更けてから立ち寄った。

月がおぼろに射し入って、源氏のどこまでも艶然《えんぜん》たる立ち居振舞いが、その月光のうちに、限りなく美しく浮かび上がる。花散里は、なんだかとても気が臆《おく》するのではあったが、このお月夜に、端近《はしぢか》のところにいて、ぼんやり外を眺めながら思いを巡らしていた、そのままの姿で、のどかに源氏を迎え入れる。その物腰は、いかにも見ていて感じが良い。

水鶏《くいな》が、すぐそこで、コンコンと戸を叩《たた》くような声で鳴いている。

水鶏だにおどろかさずはいかにして
荒れたる宿に月を入れまし

もし、この水鶏が、コンコンと鳴いて私を起こしてくれなかったら、この夜更け、こんな荒れ果てた宿に、どうして月の光を……その光のような君を、

お入れすることができましたでしょうか

こう歌う花散里の声調《せいちょう》には、いかにも心の寄り添っていくような優しさがあって、永《なが》の無沙汰を咎めるような角々《かどかど》しさはどこにも顕《あら》わさない。

〈どの人も、とりどりに捨て難い味を持っている、それが男女の仲というものかな。……なまじっかこういうことがあるから、この身にもなにかと苦労の絶えぬことになるのだが……〉と、源氏は思った。

「おしなべてたたく水鶏におどろかば
うはの空なる月もこそ入《い》れ

そこらじゅうの家々の戸口でおしなべて鳴いている水鶏にいちいち目を覚ましていたら、そのうちには空の上の、うわのそら（いいかげん）な月の光でも入ってくるかもしれませんよ

なにやら心もとないことですね」

と、こんなお戯《たわむ》れを源氏は返した。言葉の上ではそんなことを言うけれど、花散里という人はごく真面目な人柄で、あちこちに心を移すような疑わしいところはさらさらないの

であった。この人が、もう何年も他の男に身を任せたりせず、ひたすらに源氏を待って空《くう》閨《けい》を守っていたこと、それを源氏は決して疎かには思わない。

しみじみと語り合ううちに、かつて須磨への退隠に際して、源氏が「ゆきめぐりつひにすむべき月かげのしばし曇《くも》らむ空《そら》なながめそ（この大空を行き巡っては、やがて澄むだろう月の光だ。私も遠く行きめぐっては、やがてここに住むことになろうから、今こんなに曇っているからといって、空を眺《なが》めて物を思うのではないよ）」という歌を詠んで将来を約束し、別れの辛さを慰めてくれたことなども、花散里は話題に上《のぼ》せる。そうして、

「……どうしてあの時は、お別れする悲しさがたぐいないほどだ、などと思って鬱々としていたのでしょうか。考えてみれば、君が須磨に去られようと、都においでであろうと、どっちにしてもわたくしのところへはお出《い》で下さらない……嘆きたい思いは同じことですものね」

と、こんなことを恨み言らしく口には言うけれど、そのじつ、表情はおっとりとして、いかにもけなげな感じなのであった。

源氏は、またいつものごとく、いったいどこから湧《わ》いてくるのであろうかと思われるような、甘いささやきを、それからそれへと、尽きることなく語らって花散里を慰める。

五節の君のこと、朧月夜の尚侍のことなど

こんなことがあるたびにまた、源氏は、あの五節《ごせち》の君のことを忘れずに思い出す。もう一度逢いたい、と心には掛けているけれど、実際にはこう歴々《れきれき》の身分になってしまうと、そうそう忍び逢うというわけにもいかなくなっている。

五節の君のほうでは、その後もずっと源氏のことを思い続けている。親はどこか良いところへ縁付けたいというので、あれこれと話を持ちかけてみるのだが、なにしろ源氏への思い断ち難い姫君としては、もうこんなことでは、人並みの夫婦生活などはできぬものと思い切っているのであった。

そこで源氏は、肩肘《かたひじ》張らずに過ごせるような邸を造って、そこに、こういう女たちを集《つど》えておきたい、……もししかるべき女に子供でも生まれたならば、この邸で誰に遠慮することもなく愛育したい、これらの女たちはその子供の養育に当たる女房として役立てようと、そんなふうに源氏は思っているのである。

あの二条の東院《とういん》の結構《けっこう》というものは、私的別邸ゆえ却《かえ》って自由に意匠《いしょう》を尽くして、今風

領《りょう》の華やかなしつらえに意《い》を用いている。じっさいの工事に当たっては、家来筋にあたる受《ず》領のなかで風流っ気のある者を選んでは、邸のあちこちを分担造営すべく急がせる。

あの朧月夜の尚侍のことも、源氏はまだすっかり思い冷《さ》めたわけではなかった。もしこういう君に新築の二条の東院に入ってもらえたら、と思う。そこで、性懲《しょうこ》りもなく昔の気持ちを蒸し返して、しかじかの恋心など伝えてみたりするのだが、女のほうではもう散々《さんざん》な目にあって懲《こ》りているので、昔のように心を込めた返事などもよこさない。

源氏は、〈やれやれ、こんなふうになまじ顕官《けんかん》に昇ったりすると、世間が狭くなってつまらぬことだな〉と、なにやら物足りない思いでいる。

御代替りに伴っての世の移りゆき

朱雀院《すざくいん》は位を降りてからはすっかりのんびりとした気分になられて、四季折々につけて、いかにも情趣満点な管弦の御遊《おおんあそ》びなどをしつつ、心ゆくままの生活を送っておられる。お側に仕える女御《にょうご》・更衣《こうい》などの人々は、すべて以前と変わりなく、院の御所のほうに移って仕えているが、ただ東宮の母、承香殿《しょうきょうでん》の女御ばかりは、この度の東宮即位にともなって、院の御所には侍《はべ》らず、引き続き内裏の東宮御所のほうに留まることになった。もともと、この女御は、あまり際立った朱雀帝のご寵愛もなく、朧月夜の尚侍への御おぼえのめでたさに比べていかにも顔色《がんしょく》なきありさまであったのだが、思いがけず東宮の母となって大きな幸いを得たのである。

源氏の宿直所《とのいどころ》は昔と変わりなく淑景舎《しげいさ》の桐壺《きりつぼ》で、新東宮の御座所《おましどころ》は昭陽舎《しょうようしゃ》の梨壺《なしつぼ》と、隣どうしの近々《ちかぢか》としたところに置かれていたので、源氏は近隣の心安さで、何ごとも話し相手となり、また東宮の後ろ楯として、十分のお世話もするということになった。

入道后《きさい》の宮、藤壺は、すでに出家の身ゆえ、いまさらに俗世に還《かえ》って皇太后《こうたいごう》の身分に返り咲くというわけにもいかない。そこで、天皇が退位入道して太上天皇《だいじょうてんのう》となるのに準《なぞら》えて、准太上天皇《じゅんだいじょうてんのう》という形となり、その前例に任せての封戸《ほうこ》を支給されるということになった。それに応じて、女院の事務万端を管掌する専属の役人もそれぞれに定められる。まことにその威儀《いぎ》儼乎《げんこ》としてあたりを払うばかりであった。かくして、藤壺は、皇太后弘徽《こうたいごうこきで》殿大后《んのおおきさき》の地位を越えて、その上に置かれることになったのである。

かくて、藤壺は日々勤行《ごんぎょう》につとめ、また故人のため来世のための善根《ぜんごん》を積むということを専《もっぱ》らとして過ごしている。ここ数年は、弘徽殿かたの天下だったから、なにかと憚りがあって宮中に出入りすることも難しく、わが子の東宮にあうこともできぬことを気鬱《きふさ》ぎに思っていたが、いまは天下晴れて宮中に出入りすることができるようになったのは、ほんとうになにによりのこと、一方の弘徽殿大后は、〈ああ、辛いものはこの世の現実《うつつ》だこと〉とひたすら思い嘆いている。

ところが源氏は、この大后に対して、なにかにつけて、ともかく大后が恥ずかしくなるほどに慇懃至極《いんぎんしごく》に仕えて見せるのであった。その心遣いは一点非の打ち所のない行き届き方で、源氏を目の敵《かたき》にしてさんざんな仕打ちをしてきた大后としては、この源氏の奉仕ぶりに、かえって針のむしろの思いを味わっている。これには、世間の人々も、いくらなんでもやり過ぎではあるまいかと噂《うわさ》することであった。

紫上の父宮、兵部卿《ひょうぶきょう》の宮は、去る須磨退去の折に、右大臣かたの追及を恐れて、源氏には挨拶《あいさつ》一つしないばかりか、娘の紫上の身を思いやることさえしなかった冷淡さであったが、その恨みを源氏は決して忘れない。それがために宮に対しては、昔のように親昵《しんじつ》の情を示すことがない。

源氏という人は、普通の人に対しては概して優しい態度で接する人であったけれど、ただ、この兵部卿の宮のあたりばかりは、なまじっか紫上の父親にあたるだけに、かえって無情なあしらいをするところも散見されるのである。藤壺は、自分にとっては兄にあたる兵部卿の宮のことゆえ、〈困ったこと……ほんとに不本意な……〉と思っている。

かくて今では、おしなべて、太政大臣と源氏の二人が天下を二分して掌握している、というう形勢となった。

権中納言（もとの頭中将）の娘は、その年の八月《はづき》に冷泉帝《れいぜいてい》の後宮に差し出されたのだったが、その折には、祖父太政大臣が自ら指揮して、入内の儀礼など、まことにかくありたいものだというくらい、なにもかも立派に挙行される。

ところが、兵部卿の宮の二番目の姫君、すなわち紫上の異腹《ことはら》の姉妹に当たる君も、これと同じように入内させようという心積もりで、宮は大事に育てているという噂であったにもかかわらず、源氏は、敢《あ》えて権中納言の娘より立派になるよう特段に骨を折ろうという考えもないのであった。さてさて、源氏は、この姫をどうしようというつもりなのであろうか……。

秋、源氏の住吉詣を明石の君一行遠望す

その秋、源氏は、かねて祈誓《きせい》をかけていた住吉の明神へ礼《れい》参りに行った。その節に願《がん》をかけたことがみな叶《かな》ったので、礼物《れいもつ》を奉《たてまつ》らなくてはならぬ。源氏は、荘厳《そうごん》なまでに立派な行列をととのえて出かけ、世の中の人士《じんし》は、時流に後《おく》れてはならじと、上達部《かんだちめ》、殿上人《てんじょうびと》、われもわれもとお供をするという大騒ぎとなった。

その折しも、あの明石の君も、住吉詣《もう》でを思い立った。こちらは、毎年の恒例として参拝していたのだが、ただ去年と今年ばかりは、妊娠やら出産やら、神参りには障《さわ》りとなるようなことがあったので、参詣《さんけい》をせずにいたのであった。こたびは、その怠りのおわびを申し上げるという意味も重ねての参詣であった。

明石の一行は、船で詣《もう》でた。その船が住吉の岸に漕ぎ寄せようとして、見れば、なにやら大勢の人立ちで騒然としている。渚《なぎさ》という渚にはぎっしりと人が詰めかけて、それぞれが手に手に神に奉る宝物《ほうもつ》を持って並んでいるのであった。十列もの楽人《がくにん》どもを盛大に揃《そろ》えて、みな装束《しょうぞく》も綺羅《きら》綺羅しく、その風貌も美しい人ばかり選んであるらしい。

「あれは、どなたのお参りですか」

と誰かが問うたようだった。

「源氏の内大臣さまが、願を掛けられたことのお礼参りに詣でなされたのですがな。だれかて知っておりましょうに、はは、世の中にはこんなことも知らん人がおりますのかいなあ」

と、まるでつまらぬ下衆《げす》までが、面白そうに哄笑《こうしょう》するのであった。

〈まあ、ほんとに呆れてしまう……、この月のこの日なんて、ほかにいくらも日数があるでしょうに、よりによってこんな日に来合わせてしまって、なまじっかに、源氏さまの盛んなご様子を、遥か遠くから見ているだけというのも、なんて情ない私の身の上でしょう……くやしい〉と明石の君は思う。

そうはいっても、源氏とこの君の間がらは、切っても切れない前世からの因縁もあるのに、このような下衆の者までが、あっけらかんと源氏の側に出て一世一代の晴れの場と思っているのであってみれば、明石の君の思いはまことに安からぬ。

〈ああ、いったい私には前世にどんな罪があったのでしょう……。こんなに片時も忘れることなく源氏さまのお身の上をお案じ申しているのに、それなのに、これほど評判の響き渡っているご参詣のことを、知ることもできぬままに、こうやって鉢合《はちあ》わせすることになってしまったなんて……〉などと、思い続けると、ただもう悲しくて、ひそかに涙にくれている。

船から見渡すと、住吉の松原は深緑《ふかみどり》に連《つら》なり、その樹間にまるで花や紅葉《もみじ》を散らしたように見えるのは、源氏の供人たちの袍《うえのきぬ》の色濃いのや淡いのやが、数知らず立ち並んでいるのであった。

六位《ろくい》の蔵人《くろうど》の者たちのなかにも、筆頭の身分の者だけが帝より拝領できる青い袍《ほう》の色がはっきりと目立って見える者がある。あれは、源氏が須磨退去の折しも、賀茂《かも》の社のところで馬の口を取って「ひき連れて葵《あふひ》かざししそのかみを思へばつらし賀茂のみづがき（君と相共に葵を頭に挿《さ》してお参りをした昔（そのかみ）のことを思い出しますが、思えばその神も、ずいぶんと冷淡なことでございますなあ、賀茂の神垣のなかにおいでの神よ）」と詠んだ、あの右近《うこん》の将監《ぞう》であった。一時は源氏に連座して官を免《めん》ぜられるなどの憂き目にあっていたのだが、今では靫負《ゆげい》の尉に復して、いかめしく御随身《みずいじん》などを引き連れた蔵人になっている。明石へ随従した良清《よしきよ》も今は昇進して衛門府《えもんふ》の佐《すけ》になっている。他の者に比べて、これといって悩みらしいこともないようで、目も綾《あや》な赤い袍を身に纏《まと》い、なにやらさっぱりした様子だ。明石で見かけた人々が、みなあの頃とは打って変わって華やかに装い、何の不安もなさそうな風情でそちこちに散らばっているなかに、若々しい上達部や殿上人たちが、我も我もという意気込みで、馬や鞍《くら》にも美々《びび》しい飾りを施《ほどこ》してピカピカに磨き立てているのは、まったく素晴らしい見物《みもの》だと、明石から来た田舎人《いなかびと》たちも思っている。

そこからまた、明石の君は、源氏の乗った車を遠くに望んだ。あれがそうだ、と見えているのに、肝心の恋しい源氏の姿は見えはしない。なまじ車ばかり見えたのは、明石の君にとっては却って肝《きも》を煎《い》られるようなもどかしさであった。

あの河原《かわら》の左大臣《さだいじん》、源融《みなもとのとおる》公が勅命によって賜ったという童《わらわ》の随身を真似て、源氏も童随身《わらわずいじん》を召し連れているが、その少年たちの出で立ちも大層立派で、髪をみづらに結って、紫が裾《すそ》に向かって色濃くなってゆくぼかしに染めた元結《もとゆい》で優美に縛ってある。背丈も揃い、姿もみな美しく、それでもまだあどけない風情で十人も付き従っているのは、風変わりで華やかな佇《たたず》まいに見える。

また、葵上の産んだ若君は、この上なく手厚く、お付きの者たちに傅《かしず》かれ、君の乗った馬に付き添っている童たちのありさまも、みな揃いの装束で飾り立てて、そこだけは他の人たちとまったく違った風情であった。

明石の君は、海を隔てて、まるで雲居《くもい》の彼方にでもいるように見える源氏一行を目睹《もくと》するにつけても、同じ源氏の子供であるのに、あの若君と自分の産んだ姫君とが、まるで身分違いなありさまで育っていることを、なんとしても辛く思う。かくては、どうでもこの姫のためにと思って、明石の君は住吉の社を、せめては遠くから伏《ふ》し拝むのであった。

この分では、きっと摂津《せっつ》の国の国司が源氏のもとに伺候《しこう》して、そこらの大臣の参詣などとは比べ物にならないくらい盛大に饗応《もてなし》を尽くしたであろうと思うと、〈……もうあんなところに、自分などがのこのこと出ていって、いずれ物の数でもないような奉納や神事などをしてみたとて、神様だってきっとご受納《じゅのう》遊ばされないに違いないもの……といって、このまま帰るわけにもいかないし……いっそ今日は難波《なにわ》の浦に船を泊めて、せめてお祓《はら》えだけでもすることにしましょう〉と思って、難波の浦へと漕ぎ渡って行った。

まさかすぐそこに明石の君が来ているなどとはつゆ知らず、源氏はその夜一晩、さまざまの神事や饗宴などを催して過ごした。まことに神も嘉納《かのう》なさるべきことを、考えられる限り挙行して、須磨明石退隠中の願立てに約束した礼物ばかりか、さらにあれこれと素晴らしい物を奉納して、この世ならぬ賑々《にぎにぎ》しさで管弦の遊びを催しつつ、一夜を明かしたのである。

惟光《これみつ》のような腹心の家来たちは、みな心のうちにこの住吉の神の恩徳《おんとく》を思い、ああ、ありがたい、かたじけないと思う。そこで惟光は、源氏がちらりと車外へ出た折を捉《とら》えて、つっと君側《くんそく》に寄り、心のほどを歌ってお耳に入れる。

住吉の松こそものは悲しけれ
神代《かみよ》のことをかけて思へば

ああ、住吉の神様、この松（まつ）こそまづは感無量に眺められます。
明神さまの影向《ようごう》なされた神代の昔を思いながら、
かの須磨明石に逼塞《ひっそく》しておりました昔をかけて思いますになあ

源氏は、この歌を聞いて、なるほどその通りだと思い、

「あらかりし波のまよひに住吉の
神をばかけて忘れやはする

あの荒々しかった嵐の波に心惑いしていたときに、この住吉の神を念じて、
お助けいただいたことは、これから先いつまでも忘れることなどできようか
神の霊験《れいげん》があったな」
と、こんなふうに歌を返したのも、まことに素晴らしいやりとりであった。

源氏、明石の君と消息を交わす

やがて惟光は、かの明石の君の船が、この騒ぎに圧倒されて、参詣することもできず通過していったことを源氏に報告する。源氏は、〈なんと、全く知らなかった……それはかわいそうなことをしたな〉と思う。

〈あの明石の姫君とのことは、ほかならぬこの住吉の明神のお引き合わせであったに……。こう疎略《そりやく》なとりなしのままにしておくこともできぬから、ひとつ手紙でも書いて、あの君の心を慰めてやらなくてはなるまいな。……そんなことがあったのなら、いっそ住吉になど参るのではなかったと、却って辛い思いをしているであろう。かわいそうに〉と

源氏は思いやる。

それから、源氏は住吉の社を発って、あちらこちらと海辺を逍遥《しょうよう》して風光を楽しみつつ帰る。

さるなかにも、難波《なにわ》の辺りでは祓《はら》えの儀礼を荘厳《そうごん》に執行《しっこう》し、また、難波の堀江のあたりを見ては、ふと「今はた同じ難波なる……」と、思わず歌を口ずさむ源氏であった。「わびぬれば今はた同じ難波なるみをつくしても逢はむとぞ思ふ（叶わぬ恋に悲観しているのだから、今はもうどうなっても同じこと、かくなる上はこの難波のみをつくしではないけれど、身を尽くし、命を賭けてもあなたに逢いに行こうと思うのだ）」、源氏の口に上《のぼ》ったこの歌を、車のすぐ側に供奉《ぐぶ》している惟光は漏れ聞いたのであろうか、たぶんそういうご用に立つこともあろうかと、いつものごとく気が利《き》いて、懐《ふところ》に忍ばせておいた柄《え》の短い筆などの携帯用筆記用具を、源氏が車を停めたところで差しあげた。

〈お、いつもながら、気の利くことだ〉と源氏は思って、さっそく畳紙《たとうがみ》に、書きつけた。

みをつくし恋ふるしるしにここまでも
めぐり逢ひけるえには深しな

この難波のみをつくしではないけれど、私が身を尽くし、命を賭けても逢いたいと
恋しがっているその証拠に、このような難波の江で再会できようとは、
私たちのえにしは、やはり深いものがあったのだね

こんな風に書いて、源氏は惟光に託すと、惟光はまたすぐに、明石の一行の内情をよく心得ている召使いにこれを持って行かせた。

受け取った明石の君は、源氏が堂々と駒《こま》を並べて目前を通過していくだけでも心が揺れに揺れるくらいだから、こうして、ほんのお印ばかりの歌を書いてくれたことも、それはそれは、じーんと心に沁みて、ありがたくてありがたくて、思わず声を上げて泣いた。

数ならでなにはのこともかひなきに
などみをつくし思ひそめけむ

わたくしのような物の数でもない身の上の者は、なににつけても甲斐のない人生ながら、
この難波(なにわ)の浦のみをつくしではないけれど、どうしてまた、こんなにも身を尽くし、
命をかけてまで君を思い初《そ》めたのでございましょう

どうやら、文の使いの者から、源氏は今夕田蓑《こんせきたみの》の島で祓えの儀礼を挙行するらしいと聞

いた明石の君は、さてこその祓えに用いる白木綿《しらゆう》を調《ととの》えて差し上げるのは妻の役目と心得て、俄《にわか》に白木綿を用意し、それに付けて、この歌を返したのであった。

日暮れ方になっていく。難波の浦には夕潮が満ちてきて、入り江に下り立つ鶴《たず》も声を惜しまず鳴いているのを聞けば、その妻呼ぶ鶴の声がしみじみと聞かれるからであろうか、源氏は、もう人に見られてもいいから、あの君に逢いに行きたいとまで思うのであった。

露《つゆ》けさの昔に似たる旅衣《たびごろも》
田蓑の島の名には隠れず

雨と涙に濡れることは、あの明石の昔によく似ております、その涙に濡れた旅衣……
難波（なには）の田蓑の島と申しますが、名には蓑とあるのに、すこしも涙の雨から私を守ってはくれませんね

源氏は、「雨により田蓑の島を今日《けふ》ゆけど名には隠れぬものにぞありける（雨が降っているので田蓑の島をこうして今日行くけれど、いかに蓑と名乗っている島でもその名のお蔭で雨から身を隠してくれるというわけにはいきませんでしたな）」という古歌を引いて、こんなふうに書き

送った。

こうして源氏は、明石の君の一行と遭遇しながら、逢う事もできず、そのまま帰途について、帰る道すがらの、見る甲斐のある名勝そちこちでにぎやかに遊楽しつつ、逍遥《しょうよう》していったのだが、その心の中には、ずっとこの明石の君のことが引っかかっていた。

淀川《よどがわ》の河口の辺りでは、舟君《ふなぎみ》とて、舟に乗った遊女《あそびめ》どもが集《あつま》ってくる。源氏一行のなかの上達部《かんだちめ》というような身分の人のなかでも、まだ若くて色好みの人々は、皆この舟君どもに目を留めたように見えた。

〈やれやれ、あのような者どもに、思いをかけるとはいかがなものであろう。管弦の遊びや歌の贈答や、面白いことこともあわれ深いことも、誰が相手でも面白いというものでもあるまいし……相手の女の人柄こそが肝心なのではなかろうかな。そこそこの恋愛沙汰にしたところで、相手の女がちょっとでも多情な者だったら、そんな者に情をかけてもしかたあるまいが〉と、源氏は苦々《にがにが》しくそのありさまを見ている。しかし、遊女どもは、若い公達《きんだち》を相手にして、すっかりその気になり、いっぱしのつもりで戯《たわむ》れかかっている。源氏はその様子をよそながら見て、いかにも疎《うと》ましいことに思うのであった。

明石の君に上京を促す

明石の君は、源氏一行の参詣がすべて終わって、その翌日は日柄も宜《よろ》しかったことゆえ、住吉の明神に参って御幣《ごへい》を奉《たてまつ》った。そうして、願《がん》の叶ったお礼の品々を、源氏には及びもないけれど、身分相応に奉納して礼参りを果たしたのであった。けれども源氏との遭遇以来、なまじっかに歌のやりとりなどしたことも物思いの種となって、明け暮れに自分の拙《つたな》い身の上を思い嘆いている。

そろそろ源氏の一行が京に到着するかという日数も経《た》ぬうちに、さっそく源氏からまた文《ふみ》の使いがあった。その使いの齎《もたら》した文には、母娘《おやこ》ともに近く京の邸へ迎えたいということが告げてあった。しかも、たいそう頼りがいのありそうなことが書いてあって、自分なども然《しか》るべき人数のうちに入れてくれそうな感じではあったが、〈でもね、あの「ほのぼのと明石の浦の朝霧に島隠れゆく舟をしぞ思ふ（ほのぼのと明けてきた明石の浦に朝霧が立っている。その朝霧のなかを、だんだんと遠ざかって島陰に隠れてゆく舟、その舟を、しみじみと思い遣《や》っているのだ）」という古歌のように、明石の里から、船路遥かに京になど上ったら、親元を離れてどっちつかずの心細い思いをするのではないかしら……〉と明石の君は思い煩《わずら》う。父入道としても、そんなふうに源氏の誘いに任せて大事な娘や孫を手許《てもと》から放ちやるのは、なんとしても心配でしかたない。さりとて、このままではせっかく源氏にご縁を頂いた娘や孫が、その甲斐もなく片田舎に埋《うず》もれてしまうだろうしと、とつおいつ考え込んでいて、いっそ源氏の出現以前に、何の当てもなく、娘を都の偉い人に縁付けて、などと空想していた時分より、却って胸が痛むのであった。

そんなわけで、上京のことは、あれこれ気がかりなことばかり多くて、なかなか思い切り難いということを、明石の君は、返事に認《したた》めた。

六条御息所の病と出家

そうそう、そうであった。帝の交替により、伊勢《いせ》の斎宮《さいぐう》も、後任のものと代わって、母御息所《みやすんどころ》ともども都に帰ってきていた。その後、また源氏は、以前と変わらず六条の邸に何やかやと見舞いの文などを送って、それはもう世にたぐいないほどに情宜《おもいやり》を尽くしているのであったが、しかし、御息所のほうでは、〈あの頃だって、あんなに冷淡なお心だったものを、これでまた、なまじっかお目にかかりなどすれば、あの頃の苦しみを繰り返すだけだから〉と、すっかり思い切っているので、実際に源氏が六条へ通って来るようなことは絶えて無かった。いや、源氏とて、これで強いて御息所の心を動かすようなことをしても、これから先、自分の思いがどう変化するかも測り難いこともあり、またあちこちとかかずらっている通い路《かよじ》なども、いま内大臣という身分になってみれば、そうそう自由にもいたしがたい。だから、強いて熱心にかきくどこうとも思わないのであった。ただ、娘の斎宮については、〈子供のころでもあんなにかわいらしかったのだから、いまはどんなに美しく成長したことであろうか……ぜひ一度見てみたいものだ〉と思いなどするのである。

帰京後、御息所は、あの六条の旧居《きゅうきょ》をたいそう念入りに修繕整備させて、みやびやかな佇まいで住みなしている。もとより、風雅の道に深く心を用いて暮らしていることは昔と少しも変わらないし、仕えている者も心得あるものが多いので、結果的に、その邸は世の数寄者《すきもの》貴公子たちの集《つど》い所となっている。今では、政治向きのことからは一切離れて物寂しいような感じはするのだが、しかし、心ゆくまでみやびた暮らしぶりでゆったりと過ごしていた。

……が、御息所は俄《にわか》に重い病を発して、心中いかにも心細い思いに駆《か》られるようになった。そうして、伊勢の斎宮のような、仏道から最も遠いところに何年も過ごし、その間後《ご》世《せ》を願うお勤めも怠っていたことを思うと、死しての後《のち》も恐ろしく、とうとう出家して尼になってしまった。

源氏は御息所出家のことを聞いて、ちかごろはもう色めいた駆け引きの相手というのではなかったが、それでも、風雅を窮《きわ》めたお人柄ゆえ、なにかの折につけての相談相手として思っていたのに、こんなふうに尼になってしまったと聞いてはなにやら残念な気がして、驚きながら六条へ訪ねていった。

そうして、いつまでもいつまでも、しみじみと心を込めてのお見舞いごとを言い続ける。御息所は、病の床《とこ》の枕近く、御簾《みす》を隔てたところに御座所《おましどころ》をしつらえて源氏を迎え、自分はやっと脇息《きょうそく》に倚《よ》り掛かってかつがつ返事などするのであったが、もうひどく衰弱している様子であった。

〈……この分では、もし万一のことがあったら、とうとう私の絶えることのない好意善意を、ついに分かって頂けぬままになってしまうのではなかろうか……〉と、それが口惜《くちお》しくて、源氏はさめざめと泣いた。

御息所の遺言

源氏がこんなにまで心にかけてくれていたこと、女としても嬉し悲しく、あれもこれもよろず思い出される。御息所は、せめて娘斎宮のことを、今はくれぐれも頼みおくのであった。

「あの子も、このままでは……ほんとうに心細く、たった一人、後に残ってしまいます。どうか、……あの子のことを、今後は、なにかにつけて人数《ひとかず》にかぞえて……お取りなしくださいませ。また……あの子の後ろ楯としてお頼みするような方もございません……そうなれば、ほんとうにかわいそうで……。わたくしなどは、もとより頼りにもならない身の上でございますけれど……でも、まさかこんなに急なことになろうとは……思ってもみませんでしたもの。もう少し、ゆっくりと時間をかけて、あの子が……どうにかこうにか……一人前になるまでは、わたくしが面倒を見よう……そう思っておりましたのに」

そう、息も絶え絶えに言いながら、御息所は泣くのであった。

「そんなことを仰せ置き下さらなくても、わたくしは決して決して、姫君のことを見放《みはな》し申し上げるつもりもございませぬものを、まして、こうして御意《ぎょい》を承《うけたまわ》った上は、わたくしの思いの及ぶかぎり、何ごとも後ろ楯となってお世話しようと思います。どうか、もう無用のご心配はなされますな」

など力づける。

「そうおっしゃって頂くのは、ありがたいことでございますけれど、……でも実際は、難しいことで……これが本来頼りにするべき実の父親にお願いするのでも、女親に……先立たれた子は、それはもう、かわいそうなことでございますものね。……まして、あなたは、きっとあの子を、女として寵愛でもしているような……お扱いをなされますでしょう。そうなったら、ご正室の方やらなにやら、無用の軋轢《あつれき》も……出来《しゅったい》いたしましょうし、他の方にも、なにかと……冷たくされたりするかもしれません。こんなことを申し上げるのは、親としてほんとうに……嫌らしい気の回しようかもしれませんけれど、どうか決して、あの子のことを、そのような色好みめいた筋に……お思いくださいますな、ね。わたくし自身の、憂きことばかりの日々を思い出してみましても、……女というものは、どんなに自分が平静でいようと思い、誰の恨みも受けまいと思ってみても、男のかた次第で、結局辛い思いをしなくてはならなくなるものでございます。……なんとかして、あの子だけは、そういう憂き目を見ることがないように……と、そればかりを……念じております」

源氏はこれを聞いて、ずいぶんとまた不本意なことをずけずけと言うものだな、と思ったけれど、穏やかに言い返した。

「わたくしも、このごろは、いろいろと苦労も致しましたし、身の上にも変化がございましたから、何ごとにつけても分別ということをするようになりました。それなのに、まるであの若い時分の好き心がまだ残っているかのように仰せになられる。それは、わたくしとして、ほんとうに不本意と申すものでございます。ええ、よろしゅうございます、そのうちいずれおわかりいただけましょう……」

外はもうすっかり暗くなっている。御簾《みす》を隔てた内部には、もう油火《あぶらび》が灯《とも》されてほんのりと明るんでいる。これならば、もしや中が見えるかもしれないと、源氏は、そっと几帳《きちょう》の垂《た》れ絹《ぎぬ》の合わせ目から覗《のぞ》き込んだ。ほんとうに頼りなくほの暗い光のなかに、御息所の姿が見えた。その美しい髪は、尼削《あまそ》ぎにして、さらりと肩のあたりにかかり、脇息にやっと倚り掛かっている。それはまるで絵に描いたような美しさで、源氏は、〈ああ、すばらしい〉と思う。

その御息所の床《とこ》の東側に添《そ》い臥《ぶ》ししているのが、あの斎宮であろう。そのあたりの几帳が、すこし乱雑に引きのけられている隙間から中が見えるのを、源氏は、じっと注視して見通している。すると、頰杖《ほおづえ》をついて、心中になんともいえず悲しく思っているような表情をしている。そうはっきりとも見えないのだが、どうやら、ずいぶんかわいらしい容姿のように見えた。その黒髪が肩から背中にかけてはらりとかかり、頭の感じから、ぜんたいの雰囲気から、貴《あて》やかで気高《けだか》い様子ながら、小柄で愛敬《あいきょう》もあるらしい気配がはっきりと見える。源氏は、やはり気にかかって、もっと近くに寄って見たいと思うけれど、〈母御息所が、あれほどまでに言うものを、まさかなあ〉と思い直すのであった。

「ああ、苦しくて……どんどん苦しくなります。こんなところにおいでいただいては、もったいのうございますほどに、どうぞ……もうどうぞ、お帰りくださいませ、ね」

これだけ言うと、御息所は近侍《きんじ》の女房に介添《かいぞ》えされて、やっと横になった。

「こうして近くお見舞いに伺いました甲斐があって、少しでもご気分が良くなられたら嬉しかったのですが、……ああ、これではほんとうに困りました。さ、お具合は、いかがでございましょうか」

こんなことを言いながら、源氏は、身を乗り出して几帳のなかを覗こうとした。

「あっ、これはもう、どうぞお許しを……とてもとてもひどい姿でおりますのに。こうも……病重く、気分も悪くて……もう、これが限りかと思っております折も折に、……こうして、おいでくださいましたのは、……ほんとうに前世からの因縁が……浅くないということでございましょう。……今はもう、思っておりますことを、……すこしでも申し上げましたから、……きっと良いようにしてくださる……と、頼もしく思っております」

御息所は息も絶え絶えにそう言う。

「こんなふうに、ご遺言をお聞かせくださる人数のうちにお考えくださるというのも、しみじみと心に響くことでございます。思えば、故桐壺院さまの御子《みこ》たちはたくさんおいでですのに、誰もわたくしを親しく睦《むつ》まじく扱ってはくださいませんでした。でも、お上《かみ》は、その実の御子たちと同じように斎宮を思うことにしようという仰せでしたから、わたくしも、そういうつもりで、姫君のことは、妹として頼みにするというような気持ちでいることにいたしましょう。……わたくしも、もう一人前の大人になろうかという年でございますけれど、いまだお世話をする姫なども持っておりませんので、いささか寂しい思いがしておりました……」

など懇《ねんご》ろに言い置いて、源氏は帰っていった。それからは、今までよりもやや懇篤《こんとく》に、またしばしばお見舞いに訪れた。

御息所死す

その七、八日後、御息所はついに亡くなった。

源氏は、もうすっかり気が抜けてしまって、世の中の儚《はかな》さも痛感され、なにもかも心細く感じられて、内裏へもしばらく参上せず、まずは、御息所の葬儀などあれこれ差配させる。御息所の周囲には、源氏のほかには、これといって頼れる親類などもない。ただ、以前斎宮寮《さいぐうりょう》の係官だった人などで、ずっとお仕えし馴れている者が、辛《かろ》うじて用向きを取り仕切る。

源氏自身も、御息所の邸にやってきて、斎宮に悔《く》やみ言など伝えさせると、斎宮のかたからは、

「まだ、混乱しておりまして、何も手に付きません」

と、かつて斎宮での側近であった女別当《にょべとう》を介して返事があった。

「母君さまご生前に、わたくしから申し上げておいたこともあり、また母君さまからご遺言いただいたこともございますゆえ、今はわたくしを実の親とでもお思いくださって、心の隔てなくお考えくだされば、うれしいことと……」

源氏はまた、こう申し入れて、女房たちを呼びだし、しかるべき用をあれこれと言いつける。その毅然《きぜん》とした態度はまことに頼もしげで、この数年来の冷たい仕打ちも、いますっかり取り返したように見える。

御息所の葬儀は、大層荘厳《そうごん》に挙行された。源氏の邸からは、大勢の家来たちが派遣されて奉仕する。源氏の胸中には交々《こもごも》の思いが去来し、精進潔斎《しょうじんけっさい》の上、御簾をぴったりと下ろしてひたすら勤行に過ごしている、それでも、斎宮のところへは、絶えず見舞いの便りをしている。

斎宮もようように心が落ち着いてきたので、源氏の見舞い状に自ら筆を執《と》って返事を認《したた》める。源氏ほどの方に、自筆の文《ふみ》を返すなどいささか憚りあることのように思いもするけれど、乳母《めのと》などが、「お返事もなさらないのは、恐れ多いことでございますよ」と唆《そそのか》すので、やっと書いたようなわけであった。

雪や霙《みぞれ》が荒々しく降る日に、斎宮はどんなに寂しく火の消えたようなありさまで物思いに沈んでいることだろうかと、源氏は思いやって、使いの者を差し向けた。

「ただ今のこの空模様を、どんなふうにご覧になっておられましょうか。

降り乱れひまなき空に亡き人の
天翔《あまかけ》るらむ宿ぞかなしき

この雪や霙の降り乱れて止む時もない空に、今は亡き人の魂が、離れもやらず天翔けて彷徨《さまよ》っているだろう、その家が、ああ悲しい」

こんなことを、淡い縹色の紙で、この暗い雪空を思わせるような、いくらか灰色かかったようなのに書いて送った。若い斎宮の目にもとまるようにと念じて、それでなくとも達筆の源氏が、心して筆の運びも麗《うるわ》しく書いたのだから、それはもう見るに眩《まぶ》しいほどの文であった。

受け取った斎宮は、さてこまった。こんなに素晴らしい文に返すとなったら、生半可《なまはんか》ではすまされまい。そう思ってなかなか返事も書き煩《わずら》っている様子であったが、お付きの女房たちが、

「これほどの御文《おんふみ》にお返しするのですから、まさか代筆というわけにはまいりませぬ」

そう責め立てる。しかたなく、斎宮は、喪中らしく鈍色《にびいろ》の紙の、とびきり香《こう》ばしく薫りを付けたのに、青薄墨でうっすらと書いたので、字はほんのりとしか見えない。

消えがてにふるぞ悲しきかきくらし

わが身それとも思ほえぬ世に

この雪の降る日に、わが身だけは霙のように消え果てもせずに、ただ世に古るばかりなのが悲しくて、涙にかき暮れて過ごしておりますと、もうわたくしの身ながらわが身とも思えぬほど、辛《つら》い世の中でございます

こんな歌を、おずおずと書いたらしい筆跡は、それでもたいそう鷹揚《おうよう》な風情で、筆遣いはとくに優れているというのでもないが、かわいらしく気品ある手筋と見える。

斎宮入内《じゅだい》の志

この姫が、伊勢に下っていったころから、源氏は、このまま見過ごしにはできぬぞと思

っていたのだが、今は、心のうちに思うまま、どうにでも言い寄ることができるようになったのだと思う。そう思いながら、しかしまた、反対に、そんなことをしてはかわいそうだという自制の念も働く。

〈あの故御息所が、亡くなる前にあんなに心配して気にかけておられたが……、それも道理には違いないけれど、……いやいや、世間の人々もきっと御息所の思っていたような気の回しかたをするに違いないことだから、それなら、いっそ大方の予想を裏切って、どこまでも清らかな心でお世話することにしよう。……それで、帝がもうすこし物の道理がお分かりになる年頃になられたら、この姫を入内《じゅだい》させて……おお、そうそう、自分にはこんなふうに後ろ楯になって世話するちょうどいい年頃の娘もいないことだから、この姫をその世話焼きの相手としてあつかうことにしようか〉と、考えるようになった。

かくして源氏は、真面目に心を込めて消息を通わせ、またしかるべきついでのある折々には、自ら六条まで出向いてもいった。

「まことに恐縮ながら、わたくしを亡き母君さまのお身代わりとでもお考えいただいて、あまり他人行儀でなく思ってくださったら本懐《ほんかい》でございます」

などと源氏は言う。しかし、斎宮は、むやみと恥《は》じらうばかりの内気な性格なので、万

――これで、源氏に声をちらりとでもお聞かせしたりするのは、それこそとんでもないことだと思い込んでいるので、女房たちもどう取り次いだものか思いあぐねて、ともかくこの内気な姫君の性格を、みなみな困ったことだなあと思っているのであった。

〈あの女別当《にょべとう》や、内侍《ないし》などという者どもは斎宮寮の女官《にょかん》勤めをしていたのだし、……それ以外にも、姫君と同じ血筋の皇統《こうとう》に連なる人々もいるわけだから、この邸には、十分に心得のある女房たちも多いはずだ……さては、私がひそかに思っているような……宮中の后がたに交じって仕えていただくのに、ほかの姫君たちにもおさおさ劣るまじき姫のように見える。……それにしても、なんとかして、はっきりとこの目で、その顔形など見てみたいものだがな〉と源氏は思う。そんなことを思っているくらいだから、口に言うこととは裏腹に、気を許していていいような純粋の親心ではなかったのであろう。

源氏は、心の中で、半分は入内させて帝の后にと思うのだが、もう半分は、女として逢ってみたいという気持ちも捨て切れない。自分自身、ほんとうに父親のような平穏な気持ちで過ごせるという自信もないので、この入内のことは誰にも打ち明けることをしなかった。

そんな状態で、源氏は、ただ七日ごとの法要ばかりはとりわけ手厚く執行《しゅぎょう》させるので、そのありがたい心がけをこの宮の人々もただ喜びあっていた。

日一日と過ぎていく月日とともに、六条の邸は、寂しくなる一方で、ただ心細いことばかりがまさっていった。お仕えしていた家来たちも、一人また一人と、暇《いとま》を取って散り散りになっていく。もともとこの邸は下京六条《しもぎょうろくじょう》の京極《きょうごく》あたりで、人気《ひとけ》も少なく、山寺の入相《いりあい》の鐘《かね》が殷々《いんいん》と聞こえてくるのにつけても、前斎宮は、ただ悲しくて寂しくて声を上げて泣く日ばかり多く過ぎていった。

同じ親子の仲とは言いながら、この御息所と前斎宮の母娘二人は特別で、生まれてよりこのかた片時も離れることなく暮らし馴れて、斎宮下向《げこう》の折にさえ、前例を破ってでも親が付き添って伊勢まで下っていったほどであった。この伊勢への同道《どうどう》も、姫君のほうから強いて母君を誘ってのことであったと、そんな心がけであったが、限りある命の果ての死《し》出《で》の旅路《たびじ》ばかりは、どうしたってお供することなどできはしなかった。そのことを、前斎宮は、ただ涙また涙で、袖の乾《かわ》く間もなく思い嘆《なげ》いてばかりいる。

朱雀院のお召し

六条の邸には、身分の高きもの卑《いや》しきもの、多くの女房たちが仕えている。えてして、こういう女房たちが男を手引きして姫に逢わせなどしがちなことが、源氏には気にかかる。それゆえ、

「よいか、たとえ乳母《めのと》であっても、自分勝手に男の取り次ぎなど致すことはまかりならぬぞ」

と、まるで父親のように厳しく申し渡した。その気圧《けお》されるほど立派な源氏の様子に、みな恐れ入って、万一にもお叱《しか》りを頂戴《ちようだい》するようなことがお耳に入っては一大事と、特に色恋がかったことでなくても、ともかく誤解を受けるような文などは一切取り次ごうとはしないのであった。

朱雀院も、かつて斎宮が伊勢に下るお別れの挨拶に上《あが》った際、大極殿《だいこくでん》で催された厳《いか》めしい儀式の折に見たその容貌《すがたかたち》が、悪霊にでも魅入られはすまいかと不吉に思えるほどに美しかったのを、その後も忘れ難く覚えておいでであった。それゆえ、御息所の生前に、

「上皇御所のほうへ参ってはどうか。こちらには、賀茂の斎院など、私の姉妹の皇女たちも何人かいることだし、それと同列にという故桐壺院のご遺言《ゆいごん》もある。だから、すぐにこちらへ来て私のそばで暮らしたらいい」

とまでお申し入れがあったのだ。

しかし、御息所は、〈そうは仰せだけれど、院には高貴なご身分の后《きさき》がたも既においでのことだし……斎宮の後ろ楯としては自分以外には、歴々の方々が何人もいるというわけでもないのだから……〉と、まずそこが案じられる。もっと心配なのは〈朱雀院さまは、ひどくご病弱でいらっしゃる。それも恐い……、万一にも先立たれるようなことがあったら、また悲しい思いをしなくてはならないし……〉と、御息所のほうから、ただ遠慮して過ごしていたのだが、今は、ましてその唯一の後ろ楯だった御息所も亡くなってしまっては、誰がいったい、この姫君の入内《じゅだい》のお世話をできるものであろうと女房たちは思っていたところ、朱雀院から、再び、自分に仕えてはどうかとの懇《ねんご》ろなお勧めがあった。

源氏、この件につき藤壺に相談

源氏はこれを伝え聞いて愕然《がくぜん》とした。

〈朱雀院から、斎宮の姫君をご所望のご意向が示されたというのに、まさか、無理やりに横取りして冷泉帝《れいぜいてい》に入内させたりしては、あまりにも恐れ多い〉と源氏は頭を抱えた。それでも、院の御意《ぎょい》のままに上皇御所へ差し上げるとなると……斎宮の様子がいかにもかわいらしくて、手許から放ちやるのはなんとしても残念に思う。思い余って源氏は、藤壺に相談したのであった。

「しかじかのことを、このところ思い煩っております。その斎宮の母御息所という方は、元来が浮ついたところのない思慮深いご性格でいらっしゃいましたが、わたくしのけしからぬ好き心のために、あってはならないような浮名をさえ流してしまいました。それ以来、わたくしのことを、不実で冷淡な男だとお思いのまま、亡くなってしまいまして、……それはもう、ほんとうにお気の毒なことをしたと思っております。生前は結局その恨みのお気持ちが解けることはありませんでしたが、今はの際《きわ》になって、斎宮の行く末について言い残されたことがありますので、……つまるところ、わたくしのことを後ろ楯として頼りになる者だと、どこかでお聞きになったのでしょう、それで、なんとかして心残りのないようにとお話しになられた……、で、語るに足る人間だと見込んでくださったのでもございましょうか……、そんなことを思いますにつけても、なんだか堪《たま》らないような思いがいたします。わたくしは、大したことでなくとも、いたわしいことを見聞《けんぶん》いたしますと、どうしてもそのままには捨ておけない性分でございます。ですから、この姫君の行く末については、なんとかして、御息所が草葉の蔭にても、あの生前の恨みを忘れてくださるように、力を尽くしたいと思っております。思いますに、帝も、もうずいぶんご成長遊ばされましたが、それでもまだ稚《いとけな》いご年齢でいらっしゃいますから、少しは分別の付いた人がお側にお仕えするのも良いのではないかと存じます。されば、斎宮は、ぜひ帝のお妃にと思いますが、お考えをお聞かせ頂けましたら、万事はそれに従いたいと存じますので……」

藤壺は答える。

「よくぞそこまでお考えくださいましたね。朱雀院さまの思し召《おぼめ》しは、ほんとうに恐れ多く勿体《もったい》ないことで、お断わりしてはさぞがっかりされることと思いますが、……そうですねぇ……それでは、その母御息所のご遺言がそうであったということを口実にして、知らん顔で帝に差し上げなさいませ。朱雀院さまも、今はもう、そちらのほうのことはあまりご熱心でもなく、むしろ仏道の勤行ばかりにお過ごしですから、今申すように、母御息所のご遺言だと、あなたから申し上げておけば、それほど深くお咎《とが》めになるとも思えませんよ」

「それでは、母宮さまにも、斎宮入内のご内意がおありだということで、お妃の一人としてお数え置きくださるならば、それで、すべてはうまくはこびましょうから……、わたくしのほうは、ただきっかけ作りの添え言をするという程度にいたしておきましょう。院のことも斎宮のことも、また帝のことも、万事遺漏《いろう》無く考えまして……、わたくしといたしましては、ここまでなにもかもありていに心のほどをお打ち明け申しました。それでも、口さがない世間の人々は、いったいなんと申すことでございましょうか。それだけが気がかりでございますが……」

と、このように藤壺の宮にはよく話をしておいて、〈いずれ、後《のち》には、知らん顔で、養女分として二条の邸に連れてきてしまおう〉と、源氏は思っている。

さらに、紫上に対しても、

「こういうわけなのだよ。どうだろうか、そなたの話し相手としていっしょに過ごすには、ちょうどいい年格好であろうしね」

と話しておく。これを聞いて紫上は、良い話し相手ができることを嬉しく思って、斎宮が引き移ってくるための準備を急がせる。

入道の宮、藤壺は、兄の兵部卿の宮が、その二番目の姫、中《なか》の君《きみ》を一日も早く入内させようと大わらわで準備に明け暮れているのを知っている。しかも、源氏と兄宮の仲には面白からぬ感情の縺《もつ》れがあることゆえ、この入内争いがどういうふうに展開して、源氏がどう出るか、じつはひそかに心を痛めていた。

また権中納言の娘は、今では弘徽殿の女御となっている。この弘徽殿という最上級の殿《でん》舎《しゃ》を賜《たまわ》る后としては、権中納言の娘ではいかにも釣り合いが悪いゆえ、入内に際しては、祖父太政大臣の養女という格式にして、たいそう綺羅《きら》をつくしてお世話をしたのであった。しかし、時に冷泉帝十一歳、弘徽殿の女御十二歳とあっては、よい遊び相手というくらいに、お互いに思っておいでなのであった。

「兵部卿の宮の中の君も、たしか同じくらいのご年齢でいらっしゃいますから、入内なさったとしてもますます以《もっ》てお雛《ひな》さまの遊びのような感じも致しましょうけれど、そこに斎宮さまが入内されれば、ぐっと大人らしい後見役ができますから、ずいぶん嬉しく思うべきことでございますね」

藤壺はこんな胸の内を明かしては、そういう意向を帝にもお話しする。いっぽう源氏は、こういうことには万事ぬかりもなく、公《おおやけ》のご政務の後見役としての輔佐《ほさ》は言うにおよばず、日常の明け暮れにつけて、なにからなにまで細やかな心遣いを見せているのは、まことにしみじみと情深く見える。藤壺は、この様子をいかにも頼もしく思っていたが、自身はひどく病弱であったので、内裏に参る折があっても、かつは病の汚《けが》れを忌《い》む宮中へも遠慮があるし、かつはまた体力の限りもあって、そうそうゆっくりと帝のお世話をするわけにもいかない。

それゆえ、すこし年長の者が帝のお側近くにお仕えすること、すなわち斎宮のような、後見役に当たる人がどうしても必要なのであった。

蓬生
（よもぎう）

源氏二十八歳の秋から二十九歳の四月まで

源氏退隠の間、女たちの嘆き

わくらばに問ふ人あらば須磨《すま》の浦に藻塩《もしほ》たれつつ侘《わ》ぶと答へよ……もしたまさかに、私の安否を尋ねてくれる人があったなら、あれは須磨の浦で、潮に濡れ、涙を垂らしながら世の中を悲観して暮らしていると答えておくれ、と詠み置いた在原行平《ありわらのゆきひら》の歌さながらに、源氏が須磨明石のあたりで、藻塩《もしお》の垂《た》れるように涙を流して悲観していたころ、都にも、さまざまに思い嘆いている女たちがたくさんいたのだが、それでも、自分の生活の拠《よ》り所がある人は、逢《あ》えぬ思いだけは苦しかったかもしれないが、まだまだ良かった。

あの二条の邸《やしき》の紫上《むらさきのうえ》など、暮らし向きはのんびりとしたもので、遠い田舎の住み処《か》のことも、しきりとやりとりする消息を通じて、さほど不安もないように知らせあっていた。そして官位を剝奪《はくだつ》されて、それまでとは装束《しょうぞく》も一変した源氏のために、あれこれと新調しては妻として支えることに心を砕《くだ》くやら、あるいは、「今さらになに生《お》ひいづらむ竹の子の憂《う》き節《ふし》しげき世とは知らずや（この竹の子のやつは、いったい何を思って、今さら生まれ出てきたのであろう。この竹の子の節（よ）の多いように、辛《つら》い折節（おりふし）ばかり多い世

（よ）に、それを知らずに生まれてきたのか）」という古歌ではないけれど、辛い思いの節々《ふしぶし》に、なにくれとなく励《はげ》ましたり慰《なぐさ》めたりして、源氏の世話を焼くやら、かれこれ気の紛《まぎ》れることもあったかもしれぬ。

けれども、そうはいかない女たちも多かった。なかには、中途半端に源氏が情《なさけ》をかけたまま、その後はそんな人がいることすら誰にも知られず、須磨退隠で源氏が都を離れたというあたりの一部始終も、ただ噂《うわさ》に聞くばかりで無縁に過ごしつつ、じっと表には顕《あら》わさずに心を砕いて源氏を思い続けている、というたぐいの女もたくさんいたのである。

末摘花のその後

あの常陸宮《ひたちのみや》の女君、末摘花《すえつむはな》は、父宮の亡くなったあとも、なお宮家としての名残《なごり》を留《とど》めつつ、といって実際には父宮の代わりに後ろ楯《うしろだて》となって世話をしようという人もない身の上となり、その暮らしぶりはひどく心細いものであった。ところへ、ひょんなことから源氏との縁が繋《つな》がって、源氏としてはとりわけて何の恋心もありはしなかったけれど、それでも逢うた女君への思いやりとして常に様子を見舞い、なにくれとなく世話をすることは絶《た》えずあった。

その後《のち》、源氏は並びない権勢を手にして、末摘花ひとり世話するくらいは取るにも足らぬこととて、まずちょっとした思いやりばかりに援助しておこうかという程度のことに過ぎなかったのだが、いかさまにも、貧しい暮らしぶりゆえ、そのちょっとした援助が、末摘花にとっては、あたかも大空の星の光を、手にした盥《たらい》の水に映したごとき……とてつもない援助を手にしたような思いで過ごしていたのである。

そこへ、あの源氏失脚と須磨退隠という一大事が出来《しゅったい》したのだった。

さて、そうなると源氏もおちおちとしてもいられず、世の中の何もかもが憂《うれ》いの種となって、ひたすら心を惑《まど》わしているうちに、末摘花のように、取り立てて深い仲でもなかった女たちへのお情は、すっかり忘れてしまったような具合となり、結局、須磨へ退いて後は、この君のところへなどは、これといって特段の見舞いや世話をするということもなくなっていた。

ただ当座のところは、源氏の世話になっていた何年かの名残で、泣く泣くながら、なんとかかんとか暮らしが立たぬでもなかったのだが、年月が経《た》つうち、次第に貧しさも募《つの》り、まことにお気の毒なる、また寂《さび》しい限りのありさまとなってしまっていた。

この邸に古くから仕《つか》えている女房などは、

「さてもさても、ご無念な……前《さき》の世からのご因縁でございますこと。考えてみましたら、まるで思いがけなく神か仏がこのお邸に出現したような源氏さまとのご縁にて、そのかたじけないご配慮には、なんとこんな素晴らしいご縁にも姫君さまはお出会いあそばしますこと、まことに希有《けう》な幸いよと拝見いたしておりましたが、ああ、それなのに、いかに姫君さまとは関係のない世のしがらみゆえとは申せ、源氏さまは、遠いところへ行ってしまわれましたからねえ、……ほかにお力になって頂く方もないこの御《おん》ありさまは、悲しゅうございますね」

と、ぶつぶつ言ってはため息を吐《つ》いている。

源氏に巡り合う以前は、年来そういう貧寒《ひんかん》な暮らしにも慣れっこになっていて、嘆いても仕方のない寂しさにも、まあそんなものかと思って過ごしていたのだったが、なまじっかに、すこしばかり世間並みの晴れがましさを味わってしまった何年かを経験してみると、女房たちも、却《かえ》って堪《た》え難い思いがして嘆くのであったろう。

そういう女房たちのなかにも、なにかの役に立ちそうな者たちは、源氏の通い所とあっては自然と集まって来もしたが、源氏の来なくなった今は、それも、みな次々に、一人また一人と暇《いとま》を取って居なくなってしまった。また老齢の古女房のなかには、命尽きてしまうものもあったりなどして、月日の経つに従って、身分の上下にかかわらず、次第に人数が少なくなってゆく。

もともと荒れ果てていた邸《やしき》のうちは、白楽天《はくらくてん》の詩句「梟《ふくろふ》は松桂《しょうけい》の枝に鳴き、狐《きつね》は蘭菊《らんぎく》の叢《くさむら》に蔵《かく》る（フクロウは松や桂《かつら》の枝に鳴き、狐は蘭や菊の草むらに隠れている）」というのさながらに、庭は狐の住み処《か》となり、また茂りに茂って薄気味悪く人気《ひとけ》もない木立《こだち》の枝には、怪しげにフクロウが鳴いているのを、朝夕に聞きなれてしまっている。思えば、人の気配があればこそ、妖怪変化《ようかいへんげ》のたぐいは姿を隠しているものだろうけれど、いまはおあつらえに人気《ひとけ》も無くなってしまったゆえに、茂り合った古木に巣喰う木霊《こだま》などという奇怪な精霊《せいれい》までもが、得《え》たり応《おう》と、次第次第に姿を現わしたりなどもして、どうにも悲観すべきことばかり数知れず増えていく。されば、わずかに残った女房どもも、

「なんともかんとも、もうどうにもなりませぬ。いつぞやもお話し致しました、受領《ずりよう》のなにがしなどの者たちでございますが、あの者たちは、とかくに風流めかした家造《やづく》りを好むようでございます。それゆえ、このお邸の鬱蒼《うっそう》たる木立に目をつけて、買い取りたがって

おりまして、お売りくださいませんかと、さる伝手《つて》を辿《たど》って申し入れてまいっておりますやに……」

「されば、いっそお手放しになって、こんな気味の悪いところでないお邸に引き移られる、ということもお考えくださいませんか。わたくしども、このお邸に留《とど》まってお仕えしております者どもも、もうこれ以上はとても我慢がなりがたいのでございます」

などと勧めるのだが、姫は一向に肯《がえ》んじない。

「ああ、なんてことを……。そんなことを人が聞いたらどう思いますか。わたくしが生きている間に、そのように父宮の名残《なごり》もなくしてしまうなどということ、どうしてできましょうか。それは、この邸は、もうこんなに恐ろしげに荒れ果ててしまいましたが、それでもわたくしにとっては、亡き親たちの面影《おもかげ》が留まっているような気がします……そういう古い住み処《か》だと思うと、それだけで、こよなき心の慰めですもの」

そう言って、末摘花は、嗚咽《おえつ》を洩《も》らし、邸を手放すことなど思いもかけない。

この邸の調度《ちょうど》なども、たいそう古風で長らく使い込んであって、いかにも昔風で立派なものばかりである。世の中には、きのうきょう骨董《こっとう》道楽を始めたような人が、そういう昔風の道具を欲しがって、父宮が、特にこの人あの人と指名して作らせた工匠《たくみ》たちの一品ものなどを、これまたどこかで聞き込んでは、譲ってもらえまいかと尋ねてくる。こういうことがあるのも、つまりはこういうふうに貧乏しているだろうと侮《あなど》って足下《あしもと》を見て言ってくるのであろう。それを、その女房どもは、

「もうどうにもこうにもなりませぬ。こんなことは、世の常のことでございますし……」

などと言い言い、適当にごまかしながら、ともかく目前に迫っている今日明日の不如意《ふにょい》をなんとかしなくては、と道具を売り払おうとする時もあるのだが、末摘花は許さない。きつく叱《しか》りつけ、

「よいか、父宮は、わたくしどもに、これを日々に使わせようとお思いになって、こんなふうに作り置かせなさったのであろう。それを、どうしてそのようにわけもない軽輩《けいはい》の家の飾りとすることができましょうか。亡き父のご本意に背《そむ》くことなんて、わたくしにはとてもとても……」

と言っては、一つだって売る事を許さない。

些細《ささい》な用件ですら、ここを訪ねてくる人などは一向にない、そういう末摘花の身の上であった。

ただ、姫にとって兄君にあたる禅師《ぜんじ》の君ばかりは、稀《まれ》に山科《やましな》の醍醐寺《だいごじ》から上京してくる

ついでに、ちょっとこの邸を覗《のぞ》いていくということはあったが、この君もまた、世間にたぐいのないほど、昔かたぎの人で、同じ法師たちのなかでも、処世の術などなにも知らず、世間離れのした聖人君子風ゆえ、これほど茂りあってしまっている雑草や蓬《よもぎ》すら、掻《か》き払おうと思いつきもしない、そんな調子なのであった。

こんな具合だから、茅萱《ちがや》はみっしりと蔓延《はびこ》って庭の地面も見えなくなっているし、蓬などの草々は背高く生《お》い上《のぼ》って、軒端《のきば》に触《さわ》るかと思われる。また八重葎《やえむぐら》の草の蔓《つる》が、西も東も門扉《もんぴ》に絡《から》まりついて、すっかり開《ひら》かぬようにしてしまっているのは、いっそ用心が良くてよいけれど、その門に続く築地塀《ついじべい》は、雨風に崩れやすく、その崩れたところから、馬や牛などが、入り込んで来ては獣道《けものみち》をなしている。春夏にもなれば、その道を辿《たど》って馬牛を放し飼いにしにやってくる牧童《ぼくどう》まである始末、まことにそういう者の心ざまなど、呆《あき》れ返ったことである。

八月《はづき》の頃には、台風の嵐が荒々しく吹いて、渡殿《わたどの》もすっかり倒れてしまい、下々《しもじも》の召使いどもの住まいにいたっては、そのいい加減な板葺《いたぶ》き屋根など吹っ飛んでしまって、今や骨組みだけになっている。こうなってはもはや、この邸に留まる下衆《げす》どもすら、一人もいなくなってしまった。

さては、朝夕に立てる厨《くりや》の煙も絶えて、つくづくと悲しいことばかりが多くあった。盗人《ぬすびと》などという悪辣《あくらつ》な連中すら、この邸をちらっと見て想像を巡らすだに、いかにも貧しげなので、とうてい盗むものもないと思って、素通りしていくというありさまであった。

このため、かかる手ひどい荒れ野の藪《やぶ》みたような邸ながら、それでも寝殿《しんでん》のうちにだけは、昔の栄華さながらのしつらいがそのまま残っている。とはいえ、人手がないゆえ、掃いたり拭《ぬぐ》ったりすることもできず、さすがに塵埃《じんあい》は堆《うずたか》く積もっている。そういう邸のなかで、末摘花は、あれこれ雑用に追われることもなく、端然《たんぜん》とした生活ぶりで、日々を送っているのであった。

されば、ちょっとした古歌とか、物語などのような慰みごとを玩《もてあそ》んで暮らすなどというのが、かつがつに無聊《ぶりよう》を紛らし、こんな住まいでもなんとかかんとか過ごしていられようかというところなのだが、この末摘花に限っては、そうした方面のことにも、まるで暗くて無関心であった。

とりたててそういうことを好むというほどでなくとも、まず自然のこととして、別段忙しくない折々には、心を同じくする友達と文《ふみ》をやりとりするなどということは、良い気晴らしになる。とくに若い娘たちだったら、木が生えた、草が萌《も》えた、などというたわいないことを言い合うだけでも、楽しかろう。

けれども末摘花ともなると、物堅い父宮が、大事な大事な箱入り娘として育てたので、その庭の訓《おし》えを忠実に守って、世の中というものはともかく慎み深くすべきものだと思い込んでいる。そのために、本当だったら特に風流めかしたものでなくとも、たまには挨拶《あいさつ》状の一つも通わせるべき知友親類などにさえ、心の隔《へだ》てを置いてさっぱり親しもうとはしなかった。

そうして、もう古ぼけてしまった厨子《ずし》を開けては、中にしまっておいた『唐守《からもり》』『藐姑射《はこや》の刀自《とじ》』『かくや姫《びめ》』などという古物語の絵巻を引っ張り出してきて、時々いじっては楽しんでいるという按配《あんばい》なのであった。

古歌を玩ぶのも面白くはあるのだが、ただ、それは風情《ふぜい》も見事に歌を選び出してあって、歌の題や作者も明記してあって、意味もよく分かるように選んであるならの話で、この邸にある歌集ときたら、妙に格式ばった紙屋紙《かむやがみ》だとか陸奥紙《みちのくにがみ》などの、しかも、けば立ったような紙に、古歌といっても誰でも知っているようなありふれた歌ばかり書いてある、こういうのはまことにがっかりするような代物《しろもの》だけれど、末摘花は、しいて物思いに耽《ふけ》る折々に、そういうがっかりするような歌巻《うたまき》を引き広げて見ていることもある。

また今どきの人はよくするらしい読経《どきよう》とか、勤行《ごんぎよう》とかいうようなことは、四角い漢字ばかり並んでいるゆえ、女がするものではないと昔風に教えられてきたから、むしろ恥ずかしいことと考えて、数珠《じゆず》すら持ってこさせようとはしない。どうせ誰も見てはいないのだから、恥ずかしいもないものなのだが……。

とまあ、末摘花という人は、かようにとりつく島もないように物堅い人柄なのではあった。

末摘花の叔母の親切ごかし

侍従《じじゆう》とやらいう名の乳母子《めのとご》だけは、もうここ何年というもの、末摘花を見捨てようともせずに、ずっと仕えてきたのであったが、同時に通いで仕えていた賀茂《かも》の斎院《さいいん》が亡くなってしまったというようなことがあって、いよいよ以《もつ》て暮らしぶりは逼迫《ひつぱく》し心細い日々となった。

この末摘花の母君北《きた》の方《かた》の妹君で、今は落ちぶれて受領《ずりよう》の妻になっている人があった。この末摘花にとっては叔母《おば》君に当たる人には、何人か娘があって、それを大事に扶育《ふいく》している。

末摘花に仕えている気の利《き》いた若い女房たちは、どこか他の出仕先を求めるについて、この叔母君のところへ行き通うようになっている。なにぶん、まるっきり知らぬ所へ行くよりも、あの叔母君のところだったら、かつて親たちも折々通っていたこともあることだし、何人も娘がいて人手は要ることだし……というわけなのであった。

くだんの侍従もまた、ご多分にもれず、この叔母君の邸に時々行き通っている。しかし、肝心の姫君末摘花は、この通りの人見知りな性格ゆえ、叔母君のところへはそうそう親しくお付き合いをするということもなかった。

叔母君は、侍従に言い聞かせた。

「あの姉という人は、受領の妻なんぞに成り下がったといって、私をいつも見下しておいでてね、まるでお家《いえ》の恥とでも思っておられたんでしょう。だから、今あんなに姫君が逼迫したお暮らしぶりなのを見ていると、私としては、それは、お気の毒にとは思うのですけれどね、でも、こんな落ちぶれ者からなど、とてもとても、お見舞いも申し上げ兼《か》ねるというものですからね」

まことに憎々しげに、こんなことを侍従に言い聞かせながら、しかし、じつは時々末摘花へも消息を通わせていた。

もともとが中流の受領というような家に生まれついた人は、却《かえ》って上流の人の真似をして気位高く暮らしているなどということも多いのだが、この叔母君という人は、もともとが高貴の家に生まれついたという割には、まずこういうしがない身分に落ちぶれるという前世からの因縁でもあったのだろうか、どこか卑《いや》しい心を持った人柄なのであった。

そこで、自分がこんな受領の妻などという一段も二段も低い身のありさまで、姉に侮られていたことを僻《ひが》んで、なんとかして、あの常陸宮《ひたちのみや》家の零落《れいらく》した世の末に、一人残った姫君を、自分の娘どもの召使いにでもしてこき使ってやりたいものだと思っている。

〈あの姫君は、心の持ちようはいかにも古ぼけたところがあるけれど、宮家の血筋といい、育ちといい、娘たちの後ろ楯としてはうってつけというもの……〉と思っては、

「時々は、わたくしどもの邸にもお渡りをいただきたく存じます。お琴の音《ね》など、拝聴させていただきたがっておりますゆえ」

などと言い送りもする。侍従も、この富裕な受領の家に姫君を招《まね》くことができれば少しでも良い思いをさせてあげられる、そういう忠義の気持ちからであろうか、しきりに末摘花に勧めるのだが、いかに勧められても、末摘花はいっこうに諾《うべな》わない。もともとが人と競争しようなどという気持ちもなく、ただただ甚《はなは》だしく引っ込み思案な性格ゆえ、なかなか叔母君の計略どおりにはならないのだった。

かくて姫君がいっこうに親しくしようとしないのを、叔母のほうでは、やっぱりばかにしていると思って、憎らしくてならぬ。

叔母君、末摘花を大宰府に同行させようと誘う

そうこうしているうちに、叔母君の夫は大宰《だざい》の大弐《だいに》（大宰府《だざいふ》の次官）に任ぜられた。今は、娘どもをしかるべきところへ縁付けてから、任地に下っていこうということになった。それについても、この末摘花を連れて行こうという思いがなお深く、さも良さそうなことを言って誘ってみる。

「わたくしどもも、遥《はる》か遠いところへ下向《げこう》することになりまして、それにつけましても、

姫さまのお心細いご様子を、日ごろからお見舞い申し上げておりましたわけでもございませぬが、いずれお近くにおります間は、なにかあればお力にもなれようかと思っておりました。けれども、これより大宰府まで下ってまいりますと、あまりに遠方にて、お世話を申し上げるすべとてなく、たいそう気掛かりで心が痛みます」

こんな巧言《こうげん》を弄《ろう》してみても、末摘花は、いっこうに承引《しょういん》する様子もない。

「んまあ、なんて憎たらしい。いったい何様《なにさま》だと思っているのやら、偉そうに。自分一人はうぬぼれ上《のぼ》せていたって、あんなひどい草茫々《ぼうぼう》の野《の》っ原《ぱら》のようなところに長らく住んでいらっしゃる方を、源氏の大将殿とて、ちゃんとした姫さまとは、とうていおもてなしなさるまいに」

などなど、怨《うら》んだり呪《のろ》ったりするのであった。

叔母君の勧誘いよいよ急に

こんなことがあったころ、果たせるかな、源氏は世間に晴れて許され、都にお帰りになったということが聞こえて、天下の人々挙《こぞ》って喜び騒いだ。

さあそうなれば、現金なもので、自分がいかに源氏に深く心を寄せていたかということを、なんとして人より先に知ってもらおうかと、掌《てのひら》を返したように、そんなことを競いあうような者ばかりが増えた。男でも女でも、また身分の高き卑しきいずれも、こういう浅ましい心がけを見るにつけ、源氏は、〈ああ所詮はこんなことなんだな……〉と思い知ることがさまざまにあった。

まずこんなふうに、慌《あわ》ただしく忙しい日々を過ごしているうちに、末摘花のことまでは、まるで思い出す様子もなく、また何か月も過ぎてしまった。

〈もうほんとうに、なにもかもおしまい……。この何年か、あの須磨《すま》のようなところで、とんでもないお暮らしぶりであったのを、なんて悲しいひどいことだろうと思っていた……でも、いにしえの歌に『岩走《いはばし》る垂水《たるみ》の上の早蕨《さわらび》の萌え出づる春になりにけるかも（岩の上を走る滝水のほとりにも早蕨が萌え出でる、ああそういう春になったのだなあ）』ともあるから、源氏さまのお身の上にも、その早蕨さながら、萌え出でる春が来てくれたらいいなあと、わたくしはひたすらお祈りしていたのに……ああやって、世上《せじよう》では、瓦礫《がれき》同様の下人《げにん》どもまでが喜ばしく思っているらしい君のご復位なども、私はただよそ事として聞かなくてはならないとは……。ああ、あの須磨でのお暮らしの悲しかった折の憂《う》さ辛《つら》さは、思えば、『世の中は昔よりやは憂かりけむわが身一つのためになれるか（世の中というものは、昔からこんなふうに辛いものだったのだろうか。それとも、わが身一つのためばかりにこんなに辛いものになったのだろうか）』という古歌さながら、わたくしの身一つにばかり募る悲しさ辛さだとばかり思っていたのに、そんなこと、所詮なんの甲斐《かい》もなかった……源氏さまとのことは……〉と、心は千々《ちぢ》に乱れて、辛く悲しいばかり、末摘花は、かくて人知れず、おいおいと声を上げて泣いた。

こんな様子を見て、叔母君はほくそ笑んだ。

〈それそれ、見たことか。なんと言ったって、こんな、暮らしも立たぬようなありさまで、みっともないことになっている女を、人なみなみの姫の一人に数えてくれる人などあるもんですか。仏さまだって、どんなに偉いお坊さまだって、前世から積もり積もった罪や悪業の軽い人ほどよくお救いくださるとやら、ところが、あの姫は眉目《みめ》の悪さといい、身過ぎの貧しさといい、よほど前世に悪業を積んだに違いないんだから……、あそこまでひどいありさまのくせに、まだ居丈高《いたけだか》に世の中を見下《みくだ》している。なにしろ、父宮や、母北の方がご在世の時分となにもかも同じだと思っている、あの傲慢《ごうまん》さ、ああ、いやだいやだ〉とて、末摘花を、ますます愚《おろ》か者だと思い侮る。そうして、また、

「どうですか、やはりお心をお決めなさいませ。いにしえの歌にも、『み吉野《よしの》の山のあなたに宿もがな世の憂きときの隠れ家にせむ（あの吉野山のかなたに、住み処《か》を得たいもの、俗世で辛い思いをしているときの、その俗塵《ぞくじん》から逃れる隠れ家にしたいから）』などと申しますように、京でのお暮らしが辛いときは、山路《やまじ》に分け入ると申してございましょう。姫君は、田舎などは風情もなにもないところとお思いかもしれませんけれど、なに、大宰府のほうへお出で下さいましたら、そうそうみっともないようなことにはならぬように致しましょうほどに」

と、こんな口巧みなことを言い募る。

これを聞いて、末摘花の女房たちのなかには、もうすっかりうんざりしている者もあって、そういう者はまた、

「あの方の仰《おつしや》るとおりになさったらよさそうなものなのにねえ。どうせこんな取り柄《え》もないようなお身の上なんだし、いったいなにをどうお思いになって、こうまで強情《ごうじょう》を張るのでしょうかねえ、あの姫君は」

などと、ぶつぶつ咎《とが》めだてるのであった。

しまいには、あの侍従も、大宰の大弐の甥《おい》とやらいう男が懇《ねんご》ろになって、そうなれば京に侍従一人残していくわけもなく、後ろ髪を引かれる思いではあったけれど、九州に向けて旅立っていくことになった。

「姫さま、わたくしは、姫さまお独りをここに残してまいりますのは、なんとしても心苦しゅうございますので……」

侍従は、そう言ってまた九州への下向を勧めるのであったが、それでも末摘花は、もう久しく通っても来ぬままの源氏ひとすじに頼みをかけている。

〈いまはこんなふうだけれど、これから先また時が経《た》てば、思い出して下さる機会だって、もしかしたらあるかもしれない……あんなにしみじみと心深く、行く末を約束して下さったのだもの、源氏さまはちっとも悪くない、ただ、わが身の運の拙《つたな》さゆえに、こんなふうに忘れられたようになっているだけだから、いずれ風の便りにでも、わたくしがこんなにみじめな暮らしをしているとお聞きになったら、かならずかならず思い出してお訪ねくださるはず……〉

末摘花は心中こんなことを思っている。

いや、そんなふうに思い思いして何年も経ってしまったので、この邸もそこかしこ、以前よりますますひどいことになってしまっているけれど、それでも、自分の心一つに、もう役に立たなくなったような道具類なども、一つとして捨てたりなくしたりせず、ただ強情なまでに我慢を重ねて、この荒れ邸で過ごしているのであった。

そうして、声を上げて泣くことばかり多い日々、末摘花は怏々《おうおう》と思い沈んでいる。その様子は、まるで山の樵《きこり》が鼻先に赤い実をぶら下げてでもいるようで、その顔立ちをすぐ側《そば》で見たなら、当たり前の男には、とうてい堪忍《かんにん》のならない醜《みにく》さであった。

いやいや、これ以上はもう詳しく書かぬことにしよう。あまりにもお気の毒で、かつはまた口さがない書きぶりだという感じがするから……。

冬、末摘花の兄の禅師の君来訪

しだいに冬になっていくにつれて、末摘花の貧寒さはますます募《つの》り、どこにもすがるべき当てもないままに、ただ悲嘆と懊悩《おうのう》のうちに過ごしている。

その頃、源氏は、故桐壺院《きりつぼいん》の追善《ついぜん》のため、法華《ほつけ》八講《はつこう》を催《もよお》すというわけで、世を挙げての大騒ぎになっていた。ついては、僧侶《そうりよ》なども、ふつうの人ではなくて、ことに学才に秀《ひい》で、修行が身に添うた高僧ばかりを選んで執行《しゅぎょう》することになった。そこで、この末摘花の兄上に当たる禅師《ぜんじ》の君もこの仏事に召《め》されてやって来ていたのであった。

その仏事の帰りに、禅師の君は常陸宮の邸に立ち寄った。

「……というわけで、権大納言《ごんだいなごん》の源氏殿の御八講《みはこう》に参列しておったのだよ。それはもう、たいそう尊いありさまでな、まるで現実《うつつ》の浄土とでもいうほどの荘厳《しょうごん》であった。なんとしてもおごそかで趣《おもむき》深いことの限りを尽くしておられた。まず、あの源氏という方は、仏《ぶっ》菩薩《ぼさつ》などの生まれ変わりとしてこの世に現われたという方であろうぞ。この、さまざまの汚《けが》れや罪に充ち満ちた濁悪《じょくあく》の世に、なんとしてまた、あのような方がお生まれになったものであろう」

禅師の君は、そんなことを言うと、それなり、すぐに帰ってしまった。

兄も妹も、口数少なく、世間の兄弟というものとは格別の仲らいで、生きていても甲斐のないような身の上の物語などすら、いっこうに語り合わせることがなかった。

〈でも、こんなにも運に見放されたわたくしの身のありさまを、救ってもくださらないで、ああ、知らん顔して放っておかれるなんて、兄君は源氏さまを仏菩薩の化身《けしん》だなんておっしゃるけれど、なんて無情な仏菩薩さまなのでしょう〉と、辛いばかりに思っていると、さてはほんとうにもう源氏との仲はこれ限りなのかと、ようやっと覚悟が定まってきた……ところへ、大弐の北の方、あの叔母君が、突然に訪ねてきた。

叔母君の最後通告

いつもであれば、この叔母君という人はそれほど親しみを見せることはないのだが、このたびはなんとしても自分たちと一緒に九州へ連れて行こうという下心から、末摘花の着るべき装束などを立派に調製し、素晴らしい車に乗って、面持《おもも》ちも様子も得意満面、どこにも苦悩などないような顔で、なんの前触れもなく突然にやってきて、門を開けさせた。

すると、その荒涼たる景色は、みっともなく寂しいこと限りがない。左右の門扉《もんぴ》も、みな壊れ傾いて倒れてしまっているから、開けようとしても開くものではない。門番の者が開け煩《わずら》っているので、叔母君の車に随従《ずいじゅう》してきた男どもが手伝って、無理やりにこじ開けるという騒ぎである。

「三径荒《さんけいあれ》に就《つ》いて、松菊猶存《しょうきくなほうせず》（君子の友と往来するための三つの道がもう荒れてしまったとしても、松や菊は、なお失せることがない）」と唐土《もろこし》の文《ふみ》にあるけれど、どんな荒れた邸にも、踏み分けた三つの径《こみち》はあるものだと聞く。さてさてその径はどこにあるのだろうと、草茫々のなかを分け求めて行くと、やっとのことで、ただ一か所南面《なんめん》した部屋の格子《こうし》が上げてあるところを探し得て、そこに車を寄せた。

こんな荒れ邸に、これ見よがしのきらびやかな車に乗って、しかも車寄せでなくて南の正面に車を寄せるなど、〈なんとまあ、無礼な〉と末摘花は思った。

すぐに、おそろしく煤《すす》けたような几帳《きちょう》を持ちだしてきて、客人対面のしつらいを設けると、その陰から侍従が応対に出て来た。侍従の面《おも》ざしは、ずいぶんと窶《やつ》れてしまっていた。なにぶんにも、この年来の貧窮生活のなかで、窶れ衰えたとはいうものの、それでも、どこかさっぱりとして気の利いた風情があって、まことに恐れ多い申しようながら、主《あるじ》の末摘花と主従取り換えたほうがいいようにさえ見えるのであった。

叔母君は言い募る。

「いよいよ九州のほうへ出立《しゅったつ》いたそうと思いますが、姫君には、かように見るもお気の毒なるありさまで、それはもうお見捨て申し兼ねるのでございますけれどね、どうでもおいでくださらないとのことですから、きょうは侍従だけをお迎えにまいりました。なにぶん、姫には、わたくしどもに心の隔てを置かれて、いささかなりともおいでくださらないということですものね。せめて、この侍従にお暇《いとま》を頂戴することをお許しいただきたいと存じましてね。おやおや、なんだってまた、こんなに情ないありさまなのでしょうかしら」

こんなことをしゃあしゃあと言ってのけ、普通の人だったら同情して泣くほどのところを、泣くどころか、これからはるばると栄転していく自分たちの行く末を思うては、いかにも得意満面という面持ちである。

「故常陸宮さまのご在世のころは、あの亡き姉上が、わたくしのことを家の恥さらしだなどと爪弾《つまはじ》きされましたからね、それからは、だんだんと疎《うと》い仲になり初《そ》め、さんざんな仕打ちでございましたけれど、わたくしのほうは、どうしてどうして、疎略《そりゃく》にお思い申したことがございましょうか。それなのに、そちらは、ずいぶんと高貴なご身分らしく思い上がって、あの源氏の大将殿がお通いだとやら、そういうことでしたら、それはもう前世からのかたじけないご縁でございましょうから、そう拝見いたしますについて、とてもとても、わたくしごとき卑しい受領づれがお親しくさせて頂くのも憚《はばか》り多いことと、まあご遠慮申しましてね。でもね、ほほほ、男女の仲は定めなきものと見えますわね、源氏殿との仲ももう絶えたとやら。それに比べては、わたくしどものように物の数でもないような身分のものは、いっそ世渡りが気楽でございますことね。まるで雲の上のお方のように拝見しておりました姫君のお身の上が、こんなにも悲しくお労《いたわ》しいのに、なにぶん、こうして同じ都のなかに居《お》ります限りは、ご無沙汰《ぶさた》ながら、いずれそのうちと気楽に心丈夫に構えておりましたが、さてさて、この度《たび》は九州の遥《はる》か遠くへ下向いたしますので、わたくしどもとしても、姫君のお身の上が案じられ、お気の毒なことと存じておりますのよ」

叔母君は、それからそれへと、しゃべり続けるが、末摘花はもとより気を許して返事をするというようなことはない。

「ご心配くださいますのは、嬉《うれ》しゅうございます。けれども、わたくしはこのような全《まった》くの世間知らずでございますから、どうしてご一緒などできましょう。このままここで、朽《く》ち果ててしまおうと、そう思っております」

末摘花の返答はこれだけであった。

「おやおや、世間知らずとあっては、そんなふうに思われるのかもしれませんけれど、こうして生きている身を捨てるように、こんな薄気味の悪い所に住まいするというのは、世にたぐいもないことではございますまいか。源氏の大将殿が、このお邸を造り直し磨き立ててくださいますなら、見違えるように玉の台《うてな》とも申すべき御殿にもなり、世にも頼もしいこととは思いますけれどね、……ほっほっほ、お生憎《あいにく》に、源氏殿は目下のところ、兵部《ひょうぶ》卿《きょう》の宮の姫君（紫上）という方のみご寵愛の由《よし》、さればまず他のところへはお情を分けて下さるというわけにはまいらぬように仄聞《そくぶん》いたしておりますよ。なんでも、あの源氏殿という方は、昔から、それはもう色好みの甚《はなは》だしいお心ゆえ、ほんのなおざりなお気持ちで通われた所があちこちにおありだったとやら、でも、どなたもみなすっかり思い離れておしまいになったそうでございますねえ。まして、こう頼りなさそうな藪原《やぶはら》のあばら家に過ごしておいでの人とあっては、いかに貞淑《ていしゅく》に、ご自分を頼りにして孤閨《こけい》を守っておいでだからとて、また源氏の君がお通い下さるなんてことは、まあ、あり得ないことでございましょうねえ」

など、これでもかこれでもかと言い募る。末摘花は、この叔母の言うことはたしかにその通りだと思うにつけても、ただただ悲しくて、つくづくと泣くのであった。

侍従、叔母君と共に去る

それでも末摘花は動こうとしない。

叔母君は、なだめつすかしつ、手を変え品を替えて説得を試みたがどうにもならない。

「それでは、せめてこの侍従だけは連れて行きますからね」

と日の暮れるほどに、急いで発《た》っていくので、侍従も心慌ただしく、泣きながら、

「それでは、まずまず今日のところは、叔母君さまが、こんなにも熱心に仰《おお》せですから、ちょっとそこまで、お見送りにだけ行ってまいります。でもね、姫さま、あの叔母君さまの申し上げることも道理でございますよ。といって、姫さまが思い煩《わずら》われているというのもわたくしにはよく分かります。わたくしは、お二人の中に立って、ほんとに胸の痛む思いがいたします」

と、ひそかに末摘花の耳元へ囁《ささや》くのであった。

〈ああ、とうとうこの侍従までが、私を見捨てて行こうとするのか〉と末摘花は、恨めしくもまた悲しくも思うけれど、といって、侍従を引き止めておくすべもなく、ただ号泣するばかりが、この姫にできるただ一つの抵抗なのであった。

別れに臨《のぞ》んで、今まで忠実に仕えてくれたことゆえ、形見として衣《ころも》の一つも贈りたいとはおもうけれど、どの衣ももうすっかり汗じみてよれよれになっているので、永年の奉仕に報《むく》うべき礼物《れいもつ》とても見当たらない。

が、末摘花唯一の美質とも言うべき黒髪の抜け落ちたのを取り集めて鬘《かづら》（添え髪）に作ったものがあって、これが九尺ばかりの頗《すこぶ》る立派な品であったから、せめて、きらびやかな装飾を施した箱に入れて、常陸宮家に代々伝来する薫衣香《くのえこう》のたいそう香《こう》ばしいのを一壺添えて、遣《つか》わしたことであった。

「絶《た》ゆまじき筋《すぢ》を頼みし玉かづら
　思ひのほかにかけ離れぬる

絶えるはずもないと、その一筋を頼みにしていた、この玉のように美しい鬘……
それなのに、その頼みにしていた玉鬘のようなそなたは、思いもかけぬ形で、
こうしてかけ離れて行ってしまうことですね

今は亡き乳母《まま》が、遺言して置かれたこともあったのだから、いかにわたくしがこんな生きている甲斐のないような身の上になろうとも、そなただけは、見捨てることなく最後まで一緒にいてくれるだろうと思っていましたが、……こんなふうに思いがけなく見捨てられることも、しかたがないといえばそうだけれど、そなたがいなくなったあと、わたくしの身の回りを誰に託《たく》していくつもりなのかと、恨めしく思いますよ」

そう言いながら、末摘花は、またひどく泣き崩れる。

侍従も、泣くばかりで、ろくに口も利けないありさまであった。

「亡母《まま》の遺言は、今さら申し上げるまでもございません。でも、ここ何年と、我慢できぬほどの辛い暮らしを、ひたすら忍んで過ごしてまいりましたのに、今こんな思いもかけない旅路《たびじ》に誘われて、遥かなところへさまよってまいりますこと……」

泣きながら侍従は、そう言って歌を返す。

「玉かづら絶えてもやまじ行く道の
　手向《たむ》けの神もかけて誓はむ

この玉鬘は、今は縁が絶えるように見えますが、そのまま終わりはいたしますまい。
こうしてこれから行く道々の道の神に、この玉鬘を手向けて、神に誓ってまた、
戻ってくることを約束いたしましょうほどに

いずれ儚《はかな》い命のほどは分かりませぬけれど」

などと言い交わしていると、待たされている叔母が、

「どうなさいましたか。もう暗くなってしまいますぞ」

と小言を言うので、侍従は、心も上《うわ》の空《そら》になって茫然《ぼうぜん》としたまま、車が出ていく。侍従は、名残惜しさに、何度も何度も振り返らずにはいられないのであった。

もう長い年月《としつき》、悲観しながらも、行き離れずにいてくれた人が、こうして別れていってしまったことを、末摘花はひどく心細く思っているのに、さらに鞭《むち》打つようにして、世の役にも立たないような老女房までが、

「やれやれ、侍従があして出て行くのも無理からぬことじゃ」

「どうしてこんなところに留まっておられるものか。われらも、とても我慢し切れぬというものよ」

など、それぞれの身内を思い出し辿り求めては、なんとしてもここを出て行こうと思っているらしいのを、末摘花は、〈人聞きの悪いことを……〉と思いながら聞いている。

寒々とした末摘花の日々

十一月《しもつき》のころになると、雪や霰《あられ》が降る日が多くなり、ふつうのところでは融《と》けて消えてしまう間《ま》もあるのだが、この草茫々の邸では、朝日も夕日も遮ってしまう、丈《たけ》高く茂り合

った蓬《よもぎ》や葎《むぐら》の陰に深く積もって、まるで昔から歌にも詠まれている越前《えちぜん》の白山《しらやま》も思いやられるほど堆《うずたか》い雪となり、その雪を踏み分けて出入りする下人も、もはやいなくなってしまっては、ただその消えぬ雪ばかりを、末摘花はなすところもなく眺《なが》めながら、ぼんやりと考え込んでいる。

いまは、もはやあの、なにくれとなく話し相手となっては心を慰め、いっしょに泣いたり笑ったりして愁《うれ》いを紛らわしてくれた侍従も去り、夜もまったく男の訪れの絶えた帳台《ちょうだい》のうちには塵が積もって、独り寝《ね》の閨《ねや》の寂しさに、ただ物悲しい思いばかりが末摘花の心を領《りょう》している。

しかしながら、あの源氏の二条の邸では、いまや久しく留守にしていた主《あるじ》の帰宅を迎えて、上を下への大騒ぎをしているありさまで、いきおい源氏自身もそうそう出歩くことも自由にはなりがたい。そのため、それほど深い思い入れのない女のところへは、強いて出かけていくということもなかった。

まして、末摘花ともなると、わずかに〈あの人はまだ生きているかなぁ〉という程度に思い出す折はたまにあったけれど、まずそのくらいのところで、取り立てて見舞いでもしようかとまでは、にわかに思い立ちもしない。
かくて源氏からはなんの音沙汰もないまま、月日は過ぎて、年が改まった。

四月、源氏、偶然に、常陸宮邸を訪れる

四月《うづき》のころ、花散里のことを思い出して、源氏は、紫上には出かけることを告げてから、ひそかに出向いていった。

ここ数日降り続いていた雨の名残がまだ残っていて、その雨間《あまま》の月が風情豊かにさし出てきた。

源氏は、かつてこのあたりに忍び歩きをした時分のことを思い出して、なまめかしいほどの夕月夜《ゆうづくよ》の景色に、道々なつかしいあれこれが心に浮かんでくる。

ふと見ると、木立が鬱蒼としてまるで森のようになった邸の傍《かたわ》らを過ぎた。その大きな松の木に藤《ふじ》の蔓《つる》が這《は》い掛かって匂《にお》うように咲いているのが、月光に照らされてなよやかに揺れている。風が吹き渡るについて、その花の香がさっと鼻を穿《うが》った。ああ、懐かしい、あるかなきかの香りなのであった。

花散里と言えば橘《たちばな》の香りが思い起こされるのだが、この藤の花の香《か》も捨て難く思って、車から顔を差し出してみる。すると、柳も長くみっしりと枝を垂れ、もはや築地塀《ついじべい》も崩れてしまっていて、その枝先に触ることもないゆえ、地面にたっぷりと引き乱れている。

〈やや、どこか見たことのある木立よな〉と、思い起こしてみれば、さてこそ、かの常陸宮邸なのであった。

あまりにひどく荒れ果てているのをみて、源氏は胸を衝《つ》かれ、車をそこに停《と》めさせた。いつもながら、惟光《これみつ》ばかりは、こういう忍び歩きには、かならず随従《ずいじゅう》しているので、このたびも侍《はべ》っていた。そこで、惟光を召し寄せて、

「ここは、あの常陸宮であったな、たしか」

「はっ、さようでございます」

「この邸に住んでいた人は、鬱々として暮らしているだろうか。もしそうだったら見舞ってやらなくてはなるまいが、わざわざまた訪ねてくるのも面倒だ。ちょうどいいついでだから、そのほう、ちょっと入っていって消息《しょうそく》をせよ。ただしな、よくよくその人に間違いないことを確かめてな、それから事を切りだせよ。万一にも人違いなどしてはみっともないからな」

源氏はくまなき指示を与える。

その常陸宮邸の内部では、おりしもの長雨《ながめ》も添うて、つくづくと憂愁《ながめ》に沈んでいたが、末摘花は、昼寝の夢に、なつかしい亡き父宮の面影が立ち、はっと目覚めて、その夢の名残にただ悲しい思いが胸にせまる。末摘花は、涙にくれながら、雨漏りで濡れた廂《ひさし》の端のほうを押し拭《ぬぐ》わせ、あちらこちらの御座所《おましどころ》を繕《つくろ》い調《ととの》えなどさせて、いつになく世間並みの心になって歌など詠んだ。

亡き人を恋《こ》ふる袂《たもと》のひまなきに
荒《あ》れたる軒《のき》のしづくさへ添ふ

亡き父を慕《した》って泣いていると、この袂は涙で乾くひまもないのに、こうして荒れ果てた軒を洩《も》れる雨の滴《しずく》さえ添うて、ますます濡れるばかり……

……であるのも、痛々しい、というちょうどその時であった。

惟光が入ってきて、邸内のあちらこちらを経《へ》巡《めぐ》っては、人の音がするかなと思うところを見てみるが、さっぱり人気《ひとけ》もない。

〈やはりなあ、俺はこのあたりを行き来するついでに、ちょいちょい覗いてみるけれど、人が住んでいる気配なんぞなかったものなあ〉と、そう思って、もう引き上げようとした刹那《せつな》、空が晴れてさっと射してきた月明かりに見れば、格子戸が二枚だけ引き上げてあって、そこの簾《すだれ》が、ふわりと動くようであった。

この荒れ邸に、やっと人の気配を見出したその気持ちは、なにやら妖怪にでもあったような恐ろしささえおぼえたが、寄っていって咳払《せきばら》いなどしてみると、それはもうひどく年寄った声で、まずは咳《しわぶ》きなどをしてから、

「そこにいるのは誰じゃ、なに人じゃ」

と誰何《すいか》する。惟光はとりあえず名のりをして、

「侍従の君と申し上げる方に、ご対面賜《たまわ》りましょう」

と言う。

「その者は、他のところにおります。ですけれど、その侍従と同じようにお思いくださってよい女が、ここにおりますが」

と答える声は、ひどく年寄り臭くて、さては以前に見知っていたあの老女であろうなと、たしかに聞き知った声音《こわね》である。

御簾《みす》の内側では、まさかこれが惟光だとは思いも寄らない。ただ、狩衣《かりぎぬ》を着た男が、いかにも忍んで通《かよ》ってきた趣で、様子もばかに和《なご》やかなので、なにしろ男《おとこ》っ気《け》など絶えて無い所の女たちの目から見れば、もしや狐《きつね》などが化《ば》けて出てきたのかもしれないという気さえするのだった。

惟光は近く寄っていって、

「たしかにお聞かせ願いたい。もし、このお邸の姫君さまが、今も昔に変わらぬお心でいらっしゃいますなら、わが殿もお見舞いを申し上げようというお心は、絶えずお持ちのように存じますぞ。今宵《こよい》も、このあたりを行き通うにつきまして、このお邸の前を通り過ぎがたいというので、車をお停めになっておられます。なんと申し上げたらよいのでございましょうか。どうかお心安くありのままをお教えください」

と言ってみた。すると、女房どもは、あざ笑って、

「なんの。うちの姫君さまに限って、お心変わりなど……もしそんなことがございますなら、こんな荒れ野が原のようなところから、もっとましなところへお移りにならずに過ごしているなんてことがあるものですか。このあばら家《や》のありさまからご推量あって、よしなに言上《ごんじょう》なさいませよ。もうもう、こうやって長いことお仕えしてきたわたくしの心から

見ても、それはもう、こんな姫君など、またとないお方だろうと、世にも珍しいお暮らしぶりを、ずっと拝見しつつ過ごしてまいりましたほどになあ……」

と、こんなことを語り始めて、惟光がなにも聞かぬのに、問わず語りでも始まりそうな気配《けはい》がある。〈そんな繰《く》り言《ごと》を聞かされてはたまらない〉と、惟光は老女の話の腰を折った。

「ああよし、わかった、わかった。まずまず、こんなことだとよしなに申し上げましょう」

と言い捨てて、惟光は源氏のところへ報告に来る。

惟光、源氏を邸内に案内す

「どうして、こんなに長い時間がかかったのだ。で、どうだった。昔通《かよ》った頃の通い路も見えぬほどの蓬《よもぎ》の茂りかただが……」

源氏はそう尋ねた。

「かくかくしかじかのわけにて、ともかくやっと探し当てて様子を見てまいりました。あの侍従の叔母に当たる少将《しようしよう》とやらいう老女でございますが、あれが昔と変わらぬ声で相手を致しましてございます」

と、それから惟光は、荒れ果てた邸うちの様子など、ありていに報告する。

それを聞いて、源氏は、たいそう心を動かされ、〈やれやれ、こんな草の茂ったなかで、あの姫は、どんな心持ちで過ごしておられたことであろう。今まで訪れもせずにいて気の毒なことをした〉と、我ながら無情な仕打ちであったことを思い知った。

「ついては、さて、いったいどうしたらよかろうかな。こういう忍び歩きも、今となってはなかなか容易でない。されば、こんなついでもなければ、かかるところへ立ち寄るということも難しかろうな。そうか、昔のまま変わらぬありさまだというなら、それはそうだろうと思われるぞ。そういう人柄なのだからな、あの姫は」

とは言うものの、ここで不意に入っていくことは、やはり遠慮しなくてはいけないような気がするのであった。

〈……されば、しかるべき歌など詠んで、消息をまず送ってやりたいけれど、いやいや、以前逢《あ》った折の、あの呆《あき》れるほどの反応の遅さも変わらないとすれば、その文の使いに立つ惟光が、ひたすら外で立ったまま待たされることになって、それもまた惟光に気の毒なことだしな……〉と思って、源氏は文を送るのも思いとどまった。

「とてもとても、源氏さまが踏み分けてお入りになることもできぬほど、茂った蓬の葉末《はずえ》に露がいっぱいになってございますれば、その露をすこし払わせてから、お入りなさいますように」

惟光はそう進言する。されば、

尋《たづ》ねてもわれこそとはめ道もなく
深き蓬のもとの心を

なんとか探し出してでも、この私が訪れることにしよう。こんなに道もないほど、深く茂った蓬のもとに、もとのままの心でいるあの姫を

と、源氏はそんな歌を独り言のように低吟《ていぎん》しながら、惟光の進言にもかかわらず、車を降りて邸うちに入っていこうとする。惟光は、先に立って、馬の鞭《むち》で草の露を払いながら、源氏を中へと案内する。

折しも、ざっと秋の時雨《しぐれ》のような雨が音立てて降り注いで、あの、

東屋《あづまや》の　真屋《まや》のあまりの　その　雨《あま》そそき
われ立ち濡れぬ　殿戸《とのど》ひらかせ
かすがひも　とざしもあらばこそ
その殿戸　われ鎖《さ》さめ
おしひらいて来ませ　われや人妻

寄棟の家の軒先の、切妻の家の軒先の、その雨垂れがかかって、
私は立ち濡れてしまった。どうかその戸を開いておくれ。
なんの、鎹《かすがい》も鎖《とざし》もあるものですか、その殿の戸は何も閉ざしてはおりませぬほどに、
どうぞ押し開いてお入りくださいな、私は人妻でもあるまいに

という催馬楽《さいばら》の「雨そそき」さながらの景色となった。そこで惟光は、

「やれやれ、これはまた『みさぶらひみ笠《かさ》と申せ宮城野《みやぎの》の木《こ》の下露《したつゆ》は雨にまされり（お供のお侍さま、どうぞ、お笠をと、ご主人さまに申し上げなさいませよ、この宮城野は名こそ宮城ですけれど、その実はこの木の下陰の露のしげさゆえ、雨にもまさって濡れますから）』というところでございますな」

と、古歌を以て答える。

なるほど、もはや指貫《さしぬき》の裾《すそ》は雨露でびっしょりと濡れてしまったように見える。

その昔だって、すでにあるかなきかというような情ないさまに崩れ落ちていた中門《ちゆうもん》などは、まして跡形《あとかた》もなく消えうせ、源氏ほどの人が入っていくにつけては、なんとしても格好がつかないのであったが、そこらに立ちまじって見ている人がいないのが、せめて心安く感じられた。

末摘花の応接

末摘花のほうでは、こんなに無沙汰《ぶさた》であっても、それでもいつかはお訪ねくださるだろうと、待って待って待ち暮らしていたその思いの甲斐あって、源氏はこうしてやってきてくれた、それはたいそう嬉しいけれど、こんな恥ずかしいようなみすぼらしさのなかで対面するというのも、なんとしてもきまり悪く思っている。

大弐の北の方の叔母君が持ってきて置いていった装束などは、あの不愉快な人に縁のあるものゆえ、姫は見向きもせずにいた。しかし、この邸の老女房どもが、香《こう》を染《し》み込ませるための唐櫃《からびつ》にしまって置いたので、たいそう心惹《ひ》かれる香が移っている。今、それを出してきて、これに着替えよと、老女どもがしきりと勧めるので、末摘花は、どうしようかと思ったけれど、やむなく着替えて、あの煤《すす》けた几帳《きちよう》を引き寄せ立てて、源氏のご入来《じゆらい》に備える。

源氏が部屋に入って来た。

「もう何年とご無音《ぶいん》に過ごしておりましたが、わたくしの心ばかりは、少しも変わることなく、ずっとお身の上を案じておりました。それなのに、そちらからは少しもご消息をいただけませんでしたのを恨めしく思っておりました。されば、今までお気持ちを試みるつもりで、敢《あ》えてこうして隔てを置いておりましたが、あの『杉立てる』ではございませぬが、鬱蒼たる木立が目に付きまして、とうとう通り過ぎることができずに、こうして根比べに負けて逢いにまいりました」

と『わが庵《いほ》は三輪《みわ》の山もと恋《こひ》しくはとぶらひ来ませ杉立てる門《かど》（私の庵《いおり》は、あの三輪山《みわやま》の麓《ふもと》、もし恋しいなら尋ねておいで、杉を印に立ててある家だから）』の古歌を引いて口説《くど》きながら、源氏は几帳《きちよう》の垂《た》れ絹《ぎぬ》を少し掻きのけて覗いた。

すると、末摘花は、やはり以前と変わらぬ引っ込み思案で、源氏の優しい言葉にも、すぐに答えることもできない。それでも、こんなひどいあばら家に、わざわざ分け入って来てくれた源氏の志の浅からぬのを感じるほどに、臆《おく》する心を奮《ふる》い立たせて、やっとのことに、かすかな声で、なにごとか一言二言、言葉を返した。

源氏はさらにかき口説《くど》く。

「こんな草深いお邸にお過ごしになってこられた年月《としつき》を思えば、わたくしの胸に響くところも決していい加減ではございませんでした。……いえ、姫さまのお心のうちもなかなか推量《おしはか》り得ぬことではございましたが、わたくしの変わらぬ心の習いとして、ともかくもこうして草を分けて露に濡れながら通ってまいりましたこの涙ぐましい思いを、どのようにお思いなのでしょうか。……このところの長いご無音《ぶいん》は、これも、どなたへも同じことでございましたので、お許しいただけましょうか。でも、これから後《のち》に、お心にかなわぬことがございましたなら、その時こそは、約《やく》を違《たが》えた罪を負うことにいたしましょう」

などなど、それほど真摯《しんし》には思っていないことでも、いかにも情深《なさけぶか》げに言い做《な》すことが多いようであった。

かようなことを、さももっともらしく口にはしても、では、このままこの邸に今夜一晩を過ごすかということになれば、なにさま、この荒れ果てた邸ではあり、人気《ひとけ》もなく何の用意もない、見るに見兼ねるありさまゆえ、源氏は、上手に取り繕《つくろ》って、そのまま立ち去ろうとする。

あの「引き植ゑし人はむべこそ老いにけれ松の木高《こだか》くなりにけるかな（この松をここに植えた人がこんなに老いてしまったのも、まずむべなるかな、その松がこんなにも背の高い古木になってしまったのだから）」という古歌とは事変わり、ここにこうして植えたのは源氏自身ではないけれど、こんなにも松が丈高い大木になってしまっているのを見ると、その長い年月《ねんげつ》もしみじみと思われて、その間《かん》、まるで夢のようにあれこれとあったわが身のありさまなども、それからそれへと思い出される。

源氏は語り続ける。

「藤波《ふぢなみ》のうち過ぎがたく見えつるは
松こそ宿《やど》のしるしなりけれ

松を頼りとして波のように咲き揺れているあの藤の花を見て、そのまま通り過ぎることはできぬように思ったのは、その松こそ、ここで待つ人の家の目印だったからでございます改めて数えてみれば、ずいぶんと年月《としつき》が積もったのでございましょう。都でも変わってしまったことが多くあったのも、さまざまに心に沁《し》みて感じられます。そのうち、機会を改めて、わたくしが鄙《ひな》に下ってすっかり零落《れいらく》した暮らしをしておりましたころの物語なども、つぶさに申し上げることにいたしましょう。姫君も、この年ごろずっと過ごしてこられた日々の暮らしのお辛さなども、わたくしならでは誰にお打ち明けなさることがあろうかと、疑うべくもなく思っておりますのも、思えばおかしなことかもしれません」

源氏の、この懇《ねんご》ろな語らいに、さすがの末摘花もやっと歌を返した。

年を経て待つしるしなきわが宿を

花のたよりに過ぎぬばかりか

もう何年も、あの松のように待って待って、それでも何の甲斐もなかったわたくしの家ですのに、あなたは藤の花に目をつけてただ通りがかりにお立ち寄りくださっただけなのですね

こんな歌を、辛《かろ》うじて返してきた末摘花は、忍びやかにその几帳の陰で身じろぎをする気配である。すると、その袖《そで》の香りも、昔よりは、いくらか大人びた感じになったのではないかと、源氏は思った。

夜半、月も西の山の端《は》に入る時分になった。

西の開き戸は開け放されている。その外には、陰になるような渡殿《わたどの》のような建物ももはや失《う》せ、軒《のき》の端《つま》あたりもすっかり朽ち落ちてしまっている。そのあばらな軒のあたりから、月光が輝やかしく射し込んできて、くっきりと照らし出された邸の景色を眺めてみると、昔に変わらぬ部屋のしつらいのありさまなど、あの「君しのぶ草にやつるる古里《ふるさと》は松虫の音《ね》ぞ悲しかりける（あなたをしのぶというしのぶ草が茂ってすっかりみすぼらしくなってしまったこの古里には、ただ恋しい人を待つという名のまつむしが鳴いて、その声の悲しいことよ）」という古歌さながらの、ノキシノブの生い茂ったみすぼらしい外観よりは、思いがけず雅《みや》びやかに見える。昔物語には、夫の他行《たこう》中貞淑《ていしゅく》を疑われるのを避けるために、塔の壁に穴を穿《うが》って夜もすがら灯《とも》火を灯していたという女の事跡《じせき》がある、というようなことを思い合わせつつ、まさにその昔物語と同じく貞淑至極に何年も孤閨《こけい》を守ってきたこの姫の心こそ、しみじみと心に沁みることだと源氏は思う。

そう思ってみれば、このようにただただ恥ずかしがって引っ込み思案に過ごしている末摘花の気配が、さすがにどこか貴《あて》やかなのも、なかなか見どころがあるように思って、まず、恋人としてでなく、そういう貞淑一方《いっぽう》の人として忘れずにいようと、なにやら労《いたわ》しい思いを抱いていたのだ。しかし、この何年かは、源氏もあれこれと多事多端《たじたたん》で、苦悩のうちにうっかりと失念しつつ、訪れることもしなかったのは、さぞひどい男だと思われたことであろう、かわいそうなことをしたと、源氏は思うのであった。

あの花散里のあたりも、目に立つような華やかさなどはない所なので、邸の古めかしさは五十歩百歩とも言うべく、いっそこの末摘花の邸のみすぼらしさも、それほど見ては気にならなかった。

源氏の手厚い庇護

さて、賀茂の祭に先立っての、禊《みそぎ》の儀などが執り行なわれるころ、そのお支度《したく》にということで、あちこちの人々から贈られてきたものが、いろいろ多かったので、源氏は、これらを日頃から特に目をかけている女君たちに、いろいろ配慮を加えて配りやる。

なかにも、この末摘花には、いちだんと細《こま》やかなところまで気を配って、気心の知れた家来たちに命じて、下僕《げぼく》などをも遣わし、茂った蓬を払わせ、見苦しく崩れたぐるりの築地塀に代わって板の仮塀というものを、とんとんと打ち堅《かた》めて格好をつけさせる。

しかしながら、このようにして探し出してまで逢いに行ったなどと噂になったりしては、源氏自身の名誉にもならぬことゆえ、あえて通っていくようなことまではしない。

その代わりに、末摘花に宛てて、心細やかな消息を書いて贈り、折しも二条の邸近くに、東院《とういん》を造営中であることを述べたあとで、

「そこにいずれはお住まいいただくつもりです。されば、姿や心ばえの良い女《め》の童《わらわ》など、探し求めてお側にお仕えさせなさいますように」

などと、侍女たちのことまで残る隈無《くまな》く思いやって、痒《かゆ》い所に手の届くような配慮をする。

されば、常陸宮の荒れ邸の、蓬に埋もれたようなところにあっては、皆々まったく身の置き所もないようなかたじけなさを覚えて、老女房どもも空を仰《あお》いでは、源氏の二条の邸のほうに向いて、ひたすら感謝の気持ちを表わすのであった。

さてもさても、源氏という人は、ちょっとした遊びであっても、十人並み、当たり前の女には目もくれないで、世の中に、すこしでもなにか取り柄のある者と思われているような、心の留《と》まるような女には、無理算段しても探し求めて言い寄るのだろうと、誰もが思

っている。それなのに、こんな大違いの、なにごとも人並みですらないようなありさまの人を、まるで一廉《ひとかど》の女君のように扱うというのは、いやはや、いったいどんな心持ちだったのであろう。いやいや、つまるところ、前世からの因縁であったように思われたことである。

末摘花の家など、もうおしまいだと侮《あなど》りきって、四方八方散り散りに別れていった上遣《うえづか》い下遣《しもづか》いの使用人どもも、源氏の世話で、再び光の当たるようになった常陸宮邸へ、我も我も帰参せんものと思って、先を争って出て来る者もある。

主《あるじ》の末摘花は、もともと性格などはいかにも善人で、また、引っ込み思案が過ぎるほどに人がいいので、かつてここに仕えていた人たちは、じっさいほんとうに居心地が良かったのだが、いざ、ここを出てそこらの生半可《なまはんか》な受領の家などに勤めることになった人たちのなかには、思ってもみなかったような居心地の悪さを味わった者もあって、まことに現金な心がけをあらわにして帰参してくる。

源氏は、以前にも増した威勢を手にして、苦労をしたぶん、人に対する思いやりも身につけたので、それはもう心細やかに、いろいろと至らぬところなく指図《さしず》をする。それがために、貧窮《ひんきゅう》していた常陸宮邸も見違えるように富み栄え、邸のうちには次第次第に人の姿も見えるようになった。

庭の草木の葉も、以前は、ただもうぞっとするように寂しく見えていたのが、庭内の遣《やり》水《みず》もすっかり清掃が済み、植え込みの根方《ねかた》の雑草などもきれいに取り払われていかにも涼しげになっている。

そうして、これといってお覚えめでたいわけでもないような下級の家来のなかに、それでもしかし、これから先もここに精勤したいと思っている者は、〈ははぁ、こちらの姫君には、源氏さまも格別のご寵愛らしいぞ〉と見て取って、ひたすら姫君にご機嫌取りのお追従《ついしょう》などしてのけるのであった。

かくて、それから二年ばかり、この古い邸に茫然と暮らしたあと、二条の東院落成後は、そちらに引き移して過ごさせることになった。実際に源氏が、この姫君に対面するというようなことは難しかったが、もともとこの東院は、二条の本邸のすぐ近くでもあり、なにかちょっとした用事などで東院に渡ってくるついでに、源氏は、末摘花のところをちらりと覗きなどして、とくに軽んじているような扱いはしないのであった。

あの大宰の大弐の北の方の叔母君は、上京してみたらこういう思いもかけないことになっていたので、それはそれは驚くまいことか……。また、あの侍従としては、末摘花がかくも花々と栄えているのは嬉しいことは嬉しいものの、〈あーあ、こんなことなら、もう少し辛抱して姫君の運勢の開けるのを待っていればよかった。そこを辛抱しきれなかったのは、いかにも浅い思案であったわ〉と、ずいぶん恥ずかしい思いをしたこと、などなど、いま少し問わず語りもしたいと思うのだが、どうもひどく頭痛がして、もう語るのも面倒で、いやになってしまったので、このくらいにしておくことにしよう。

いずれまた、適当な機会があれば、その時に、思い出してお話ししようということにて……。

関^{せきや}屋

源氏二十九歳の九月晦日から晩秋まで

空蟬、夫に従って常陸へ下り、やがて上京

かつて伊予《いよ》の介《すけ》であった人は、故桐壺院崩御《きりつぼいんほうぎょ》の翌年に常陸《ひたち》の介に補《ふ》せられて任国《にんごく》へ下った。それゆえ、妻の空蟬《うつせみ》も誘《いざな》われるまま、夫についていった。

空蟬は、源氏が須磨《すま》に蟄居《ちっきょ》しているということを遥《はる》かに常陸の国で聞き、ひそかに思いやる時がないでもなかったが、その思いを伝えるすべとてありはしなかった。古歌に「甲斐《かひ》が嶺《ね》を嶺越《ねこ》し山越し吹く風を人にもがもや言《こと》つてやらむ（甲斐の高嶺を、あの嶺を越し山を越して吹きゆく風よ、その風に言づけて、あの人に思いを知らせてやりたいものだ……）」と詠じてあるが、常陸ともなればもっと遠い国、その筑波の嶺を越え山を越えての風の便《たより》というのも、まるであてにならないように思われて、結局まったく何の音信《おとずれ》もせぬまま、年月《としつき》が重なっていった。

源氏の須磨蟄居は、特別に何年という年限があったわけでもなかったが、やがて京《きょう》に帰り住んで、その翌年の秋に、常陸の介は任果てて上京してきた。

その常陸の介一行が、逢坂《おうさか》の関《せき》にさしかかるちょうどその同じ日、源氏もまた、須磨での願立《がんだ》てが叶《かな》ったことの礼《れい》参りに、石山寺《いしやまでら》へ詣《もう》でたのであった。

あの頃、紀伊《き》の守《かみ》と言っていた常陸の介の息子など、逢坂の関まで出迎えに来た人々が、この日源氏が石山に詣でるということを父に知らせてきたので、さては道が混雑するといけないといって、常陸の介がたでは、まだ真っ暗な暁《あかつき》の時分から道を急いだのだが、なにぶん女の車が多く、広からぬ道をゆらゆらと揺れながら進んでくるゆえ、思いの外《ほか》に時間がかかって、逢坂に接近するころには、すっかり日が高くなっていた。

琵琶湖《びわこ》岸から逢坂山への上《のぼ》り口に当たる打出《うちいで》の浜まで常陸の介一行が辿《たど》り着いたとき、源氏の行列はちょうど逢坂から一里あまり京寄りの粟田山《あわたやま》を越えるところであった。

源氏一行の前駆《さきが》けの人々がそのことを知らせながら、道幅いっぱいになって大勢やってくる。常陸の介の一行は、しかたなく逢坂の関近くに車を停《と》めて降り、ここかしこの杉の根方《ねかた》に、牛を外した車の長柄《ながえ》を下ろし、みなみな三々五々木陰に畏《かしこ》まって源氏の通過するのを見ていた。

常陸の介のほうも、どうしてどうして、なかなか大人数で、一部はあえて遅らせて後から来させ、一部は前日に先行させたりして混雑をさけるように配慮したのだが、それでもやはり相当に眷族一類《けんぞくいちるい》が多いものと見える。

これらの車のなかに、十台ばかり、御簾《みす》の下から袖口《そでぐち》や衣裳《いしょう》の襲《かさね》の色合などを覗《のぞ》かせている女房衆の車も見えて、それがなかなか田舎《いなか》びたところもなく、趣味も良いこと、源氏の目には、なにやら伊勢《いせ》の斎宮《さいぐう》の下向《げこう》の折に見物に出てきた車などが彷彿《ほうふつ》と思い出されるのであった。〈あれは……〉と、源氏は、この女房車の内に乗っている人が、あの空蟬であることに気付いた。

その源氏がたも、このように中央に返り咲いて、久しぶりの供揃《ともぞろ》えとあって、随行《ずいこう》してきた数え切れぬほどの前駆けの者どもが、みな件《くだん》の女房車に目を留《と》めた。

源氏、空蟬に伝言をつかわす

折しも秋の末、九月《ながづき》の終わり頃である。

紅葉《もみじ》は、紅《くれない》に黄金色《こがねいろ》にさまざまこき混ぜて綾《あや》なし、霜《しも》に枯れた草々の色も、濃く薄く趣《おもむき》豊かに色づいているのが見渡される。

逢坂の関の建物から、ざっと湧《わ》き出るように現われ出《いで》た旅装束《しょうぞく》の男たちは、身分位階によりさまざまの色合いの襖《あお》（旅行用の狩衣《かりぎぬ》）に、それぞれ似合《にあ》わしい縫《ぬ》い取りや絞り染めの紋《もん》を見せて、旅装束としてはまことに結構な趣味に見える。

源氏の車は御簾《みす》を下ろしている。

見れば、常陸の介の行列のなかには、見知った顔が見える。あの頃、まだ少年で小君《こぎみ》と言っていた者が、今は立派に成人して衛門《えもん》の佐《すけ》となっている……源氏は、すぐにこの衛門の佐を召《め》し寄せて、姉空蟬への伝言を託《たく》した。

「今日、わたくしはこの逢坂まで関迎えに参りました。そのわたくしの気持ちを、まさか黙殺なさることはおできになりますまいな」

こんなことを言いやる源氏の心のなかには、あの悲しい出会いと別れと、空蟬にまつわってしみじみと思い出されることがたくさんあったが、こんな行きずりに、形ばかりの言《こと》伝《づて》をしても、なんの甲斐《かい》もありはしない。

が、空蟬も、誰にも知られぬことながら、昔のことは忘れていない。あの頃のことを心中に反芻《はんすう》して、なんとも言えないような切なさを感じて、つい歌が独《ひと》り言《ごと》のように呟《つぶや》かれる。

行くと来《く》とせきとめがたき涙をや
絶えぬ清《し》水《みづ》と人は見るらむ

行く者と、来る者と、この関を境にせき止めることもできずすれ違って行く。
そうして、せき止めることができぬものは涙だけれど、
このように限りなく流れる涙を、逢坂の関の清水かと、人は見ることであろうな

こんな歌を詠んだとて、源氏が知るはずもなく、そう思うと、ほんとうに甲斐のないことであった。

源氏と空蟬の歌の贈答

それから何日かして、石山寺の参詣《さんけい》を終えて帰京する源氏のところへ、小君の衛門の佐が京から出迎えにやって来た。先日関のところですれ違った時に、石山詣でにお供をすることもなくすれ違って行き過ぎてしまったことの非礼を、まず佐は恐縮して詫《わ》びた。

昔、佐がまだ童《わらわ》であった時分に、源氏は、たいそう睦《むつ》まじくしてかわいがってやり、叙《じょ》

爵の世話までもしてやったものだった。そんなふうに、なにもかも源氏のお蔭を蒙っていたにもかかわらず、あの思いがけぬ政変で、源氏が須磨に退かなくてはならなくなった折、この男は、かわいがってくれた源氏に従うことなく、ただ世間の評判を憚《はばか》って、姉らとともに常陸へ下ってしまったのだ。そのことを、源氏は決して忘れない。

以来、何年も、いささか心の隔《へだ》てを置いていたのだが、今ここで源氏は、そんなことを少しも面《おもて》に出すことなく、おっとりと相手をしている。さすがに、昔のように睦まじい態度は見せないが、それでもなお親しい家来の一人には数えている。

常陸の介の息子、むかし紀伊《き》の守といっていた男も、いまは河内《かわち》の守になっている。

その弟は、かつて右近《うこん》の将監《ぞう》といっていた者で、これはあの須磨退隠《たいいん》の際に、親にも世間にも背を向けて、近衛府《このえふ》の官位を解《と》かれてまで、敢《あ》えて源氏の供をして行った、あの忠義の男である。この男を、源氏は、復権後、特別に引き立てたが、これを見ては、世の誰もが、〈どうしてあの時あんな風に、少しでも世間に諂《へつら》うようなことをしてしまったのだろうか〉と思い出して悔やんだものであった。

衛門の佐に、源氏は空蟬に宛てた消息を託した。これを受け取って、佐は、〈ふつうだったら、今ごろはもう忘れてしまうようなことまで、こうしてお忘れにならないとは、な

んとまあお心が長くていらっしゃることよなあ〉と、感心してしまった。その消息には、
こんなふうに書いてあった。
「いつぞやは、思いがけず再会を果たし、前世からの因縁の深いことを知りました。そなたも、そのようにお思いになりましたか。

　　わくらばに行きあふ道を頼みしも
　　なほかひなしや潮《しほ》ならぬ海

　たまさかにゆきあふみちだという、あの近江路（あふみぢ）を頼りにしておりましたが、
　それでも、そんなことを頼りにしても甲斐のないことでした。なにしろ、
　あそこは湖で潮海《しおうみ》ではないので、海松（みる）も生えませぬゆえ、逢《あ》い見ることは叶《かな》いますまい。
　さては貝（かひ）もない海の如く頼りにする甲斐（かひ）もないことで……

逢坂の関守《せきもり》さながらに、恋の関を据《す》えております常陸殿が、いかにも羨《うらや》ましく癪《しゃく》に障《さわ》ります」
　こんなふうにしたためて、文の使いの佐に、
「もうこう何年も音信《おとずれ》が途絶えていては、いまさらのお便りもなにやら面はゆいけれど、

ただね、私の心には、いつもあの姉君のことが思われてね、あの頃のことも、まるで昨日今日のような感じがする……そんなふうに思うのが私の心の癖なのだ。いやいや、こんなことを言うと、また好き者めいた振舞いだと、姉君はますますお嫌いになるかな」

などと言いながら、源氏は手紙を渡した。

佐は、恐れ入りながら、これを預かっていって空蟬に手渡した。

「どう思われようと、まずはお返事をなさいませ。……あんなことがあって、ずいぶんご無沙汰《ぶさた》しておりましたから、昔に比べて、もしかしたら冷たくあしらわれるのではないかと思っておりましたが、いや、ちっともそんなことはなくて、昔と少しも変わらずお心のお優しいことといったら、世の中にそうそうあることではないなあと思いましたよ。このお手紙とて、源氏さまにとっては、いずれほんのお慰《なぐさ》みという程度のことでしょうし、そんなものをこうして取り次いだりするのも、無用のこととは思いますけれど、でもね、わたくしとしたら、そうそう無愛想にお断わりもできませんよ。姉上、もしここで姉上がお返事をしたとて、まあ、女だから情《じょう》に絆《ほだ》されたんだろうという程度のことで、誰も咎《とが》めだてなどいたしますまい」

佐は、こうかきくどいたが、空蟬の身にとっては、源氏よりもさらにきまりの悪いことで、なにもかも気が引けてならないのであった。それでもやはり、めずらしい源氏の消息《しょうそく》には、どうしても我慢することができなかったのであろうか、すぐに歌を返した。

「逢坂《あふさか》の関やいかなる関なれば
しげきなげきの中を分《わ》くらむ

逢う坂、と名に負うていながら、この逢坂の関は、いったいどんなわけで、こうも深く茂った木をかき分けて行くように深い嘆きの中をばかり行くのでしょうか

こうして消息を交わすことも、まるで夢のようでございます」

この空蟬という人は、源氏にとっては、そのしみじみとした恋しさも、またわが思いどおりにならなかった辛《つら》さも、決して忘れることのできない女人として記銘されていたので、この後も、なおときどきはこんな恋文を送って心を動かそうとしたものであった。

常陸の介の死と空蟬の後日

そうこうするうちに、この常陸の介は、老いが募ってきたのであろうか、しだいに病気

がちになり、やがて老い先心細くなってきたので、息子河内の守に、ただこの空蟬のことばかりを、よくよく遺言して、

「なにもかも、みなこの人の望むとおりにしてな、自分が生きているときと同じようにお仕えしてくれよ」

と、明けても暮れても言い言いするのであった。

空蟬にしてみれば、もともと、こんな老受領《ずりよう》の妻になるなどということ自体が不本意で、よほど前世の因縁がよくないのだろうと辛い思いをしていたのだが、しかもその夫にさえ先立たれては、〈ああ、この先いったい自分はどんな悲しい身過《みす》ぎに落ちぶれさまようことになるのだろうか〉と、思い嘆いている。

それを見ている夫常陸の介は、〈そうはいっても、命には限りがある。どんなに命が惜しくても、命終《みようじゆう》の期《ご》を止《とど》めることなどできはしない。ああ、なんとしても、この妻のために、せめて自分の魂《たましい》だけでもこの世に留《とど》めておきたい……いかにわが子たちとはいえ、本心など知れたものではないになあ〉と、気掛かりで気掛かりで、それが悲しいと口にも言い、心にも思うのだった。

が、いかに死にたくないと思っても、命は留まらぬもので、介はついに空《むな》しくなってし

まった。

それから、しばらくのうちは、子供らも、

「まあ、親父殿が、あんなふうに仰《おお》せであったから……」

などと、もっともらしく案じるふりをしていたが、うわべはともかくとして、じっさいにはなにかとこの生《な》さぬ仲の後妻に辛く当たることのみ多かったのである。

こんなこともあんなことも、結局これが世の中というものだと思って、空蟬は、自分一人の身の運の拙《つたな》さを思って、ただ嘆きつつ明かし暮らしている。

じつはしかし、嫡子《ちゃくし》の河内の守という男だけは、昔から好色な下心があって、いかにも情《なさけ》らしく振舞うのであった。

「ああして親父殿が、しみじみと仰せ遺《のこ》されたことでござれば、それがしなどは、所詮《しょせん》物の数でもないものなれど、なにによっても、疎《うと》ましがらずに遠慮なく仰せくださいませよ、のう」

などと追従《ついしょう》がましいことを言い言い、すり寄ってくる。その態度物腰には、いかにも呆《あき》れ果てた下心が見え透《す》いている。空蟬は、つくづくと思った。

〈ああ、それでなくても、この身の宿縁の辛さなのに、こんなふうに夫に先立たれて、おめおめ生きての果てには、こういう世にも稀《まれ》な、ひどい目にあい、嫌《いや》なことも聞かなくてはならぬものか……〉と、人知れず、思い知っては、誰に相談するでもなく、一心に思い切って尼になってしまった。

空蟬に仕えていた女房たちは、嘆いても甲斐のないことと嘆き悲しんだ。

河内の守も、大いにがっかりして、

「いくら俺を嫌っていなさるからとて、まだまだこれから先の命は長いことだろうになあ、いったいどうやって生きてゆかれるおつもりであろう」

などと、空蟬の行く末を案じなどするのであったが、いやはや、それはとんだ賢《さか》しら立て、よけいなお世話だと世の人は評定《ひょうじょう》しているようであった。

絵合
<ruby>え<rt>え</rt>あわせ</ruby>

源氏三十一歳の三月

前斎宮入内。朱雀院の祝いの品々

六条御息所《ろくじょうのみやすんどころ》の息女《そくじょ》が伊勢《いせ》の斎宮《さいぐう》になって、やがてその任を解《と》かれて帰京したことは、すでに澪標《みおつくし》の巻にあるとおりである。

この美しい前斎宮を巡っては、源氏もいささかならぬ野心がありながら、母故御息所の頼みを思って自重《じちょう》しつつ、幼い冷泉帝《れいぜいてい》の妃《きさき》として入内《じゅだい》させたいと考えている。しかし、同時に病弱な朱雀院《すざくいん》が、この姫を上皇御所のほうへよこしてはどうかと申し入れて来てもいた。

源氏は、朱雀院の願いを無視して、冷泉帝に入内のことを進めようとしている。それについて源氏は藤壺《ふじつぼ》のもとを訪ねて相談し、ひとつの密約ができていた。すべては藤壺が熱心にそのことを後見人の源氏に催促し、源氏は藤壺の勧めに従って事を運ぶ、という形にする約束になっていたのである。

そして今、ことは、その密約の通りに運びつつある。

天涯孤独な前斎宮については、日頃のこまかな世話に至るまで、これという後見人もないから、できれば自分の邸に引き取って親代わりに、などと源氏は密《ひそ》かに思ってもいたが、今や内大臣の重職にある源氏としては、そのことが朱雀院のお耳に入ることを憚《はばか》って、とりあえず二条の邸《やしき》に迎え取るということは思い止《とど》まった。そしてただ知らん顔で過ごしながら、それでも、入内に際してのおおかたのお支度《したく》などのことは、万事源氏が引き受けて、まるで実の親になったように面倒をみている。

朱雀院は、ことが思うようにならないのを口惜《くちお》しく思われていたが、そのことを表に顕《あら》わすのも人聞きがわるいので、その後は院のほうからお手紙を出されることもすっかり絶ってしまっておられた。

しかし、前斎宮が入内するというその当日になって、朱雀院から、たくさんの祝いの品が届けられてきた。

院は、得も言われぬほど綺羅《きら》を尽くした装束《しょうぞく》などや、櫛《くし》などのお道具を入れる箱、また乱れ箱、香《こう》の壺を納める箱、などなど、いずれも世に類《たぐ》いもないほどの名品ばかり、さらには種々の薫香《くんこう》、薫衣香《くぬえこう》など、いずれも天下無双《てんかむそう》の香りが、百歩を離れてなお馥郁《ふくいく》と匂《にお》い立つほどにたっぷりと、心を込めて用意されていたのであった。

これは、いずれ源氏が見るだろうというお心積もりがあって、じつはずっと前々から特別念入りに誂《あつら》えしておかれたものだろうか、これみよがしのわざとらしさが感じられるほどの見事さであった。

折から、源氏も六条の邸へやってきていたところであったが、

「このように立派なお道具類が院さまから」

と女別当《にょべとう》が披露に及ぶと、源氏は、二つ一組の櫛箱のうちの片方だけを手に取って、ちらりと見た。すると、その細工は細かく念入りで、優艶《ゆうえん》この上もなく、世にも珍しい名品である。

櫛箱のなかに納められた挿《さ》し櫛の箱には、また見事な飾り花が付けられてあって、そこに一首の御製《ぎょせい》が添えられてある。

別れ路《ぢ》に添へし小櫛《をぐし》をかことにて
はるけき仲と神やいさめし

あの伊勢への下向《げこう》の別れの挨拶《あいさつ》のときに、そなたの身に添えた小櫛、
その折に私が「京のほうへ赴《おもむ》かれるな」と告げたことを口実として、

神が、私たちの仲を遠いものだよとお諫《いさ》めになったのであろうか

この歌を見つけて、源氏は、心中さまざまに思いを巡らした。

〈ああ、まことに恐懼《きょうく》すべきこと、院さまにはお気の毒なことをしてしまった〉と、我とわが心のよからぬ癖を省《かえり》みて、なにやら身につまされる思いに駆《か》られた。

源氏は、それからそれへと、思い続けた。

〈思えば、あの斎宮の伊勢下向の折に、おそらく院さまはこの姫をさぞ好ましく思われたことであろうな、……それが、何年もの月日を経た今、あの『京のほうへ赴かれるな』というお言葉に反して京へ帰って来られたのだから、これでやっとその恋しいお心を遂げられようかという時になって、こんな掛け違いの出来《しゅったい》したことを、どんなにお思いであろうか。……帝の位を退《しりぞ》かれ、ご身辺もお寂《さび》しいご日常であるだけに、この度《たび》のことはさぞ恨《うら》めしいこととお思いであろう。……これでもし、私自身がこんな目に遭《あ》わされたら、けっして安閑《あんかん》とはしていられまいに……〉などなど、源氏は院のお心を推《お》し量《はか》る。それにつけても、

〈ああ、私はどうしてこんな強引なことを思いついて、院さまが心痛ましく思い悩まれる

ことをしたのであろう。かつてあの、須磨退去の時分には、院さまをひどい方だと怨《うら》むような気持ちもあったけれど、しかし、よくよく思えば、あんなに優しく情深《なさけ》いお心をお持ちであったものをなあ……〉と、あれこれ思いは乱れ、しばらくの間、沈痛な面持《おもも》ちで考え込んでいる。

「さて、このお返事は、どのように申し上げるおつもりであろうかな。……まさか、この歌だけを賜《たまわ》ったということは、よもやあるまい。なにか、お手紙も添えられていたのではないかな」

と、源氏は女別当を通じて姫に尋ねる。しかし、女別当としては、そう尋ねられるのはなんとしても居心地悪く、懸想《けそう》の文《ふみ》さながらの院のお手紙ばかりは、どうあっても披露することができない。

このやりとりを聞いている前斎宮は、すっかり気分が悪くなってしまって、お返事を書くなど、とてもとても煩《わずら》わしいと思って逡巡《しゅんじゅん》している。しかし、

「姫さま、なにもお返事を差し上げないなんて、それこそ情知らずというものでございますよ。院さまにはなんとしても恐れ多いことですしね」

と女房たちは、しきりと返事を書かせようと勧める。源氏もこれを聞いて、

「その通りですよ。なにもお返事を差し上げないなど、あるまじきことです。ま、形だけでいいから、とにもかくにもお返事をお書きなさい」

と言葉を添えた。

前斎宮は恥ずかしくてならぬ。けれども、あの伊勢に下って行くときの挨拶の折を思い出すと、朱雀院のお姿がすがすがしく汚れない美しさで、ひどく泣かれたありさまを、なにがなし心にしみるような思いで拝見していた自分の幼心も、つい昨日のことのように思い出される。すると、今は亡き母、六条御息所のことなどまで、つぎつぎに思い出されて、またしんみりとした悲しみが心を満たすのであった。

そうして、前斎宮は、ただこんな歌ばかりを返した。

別るとてはるかに言ひし一言も
かへりてものは今ぞ悲しき

お別れした、あの遥か昔の日に、「京のほうへ赴くな」と仰せになった一言も、こうして京に帰ってきた今となっては、かえって心に沁《し》みて悲しく思い出されます

お返事には、この歌一首だけが書かれていたのであったろうか、さて……。

院からのお使者たちには、それぞれの身分に応じて、さまざまの褒美《ほうび》を取らせた。

源氏は、前斎宮が院へ奉《たてまつ》った返事の中身をすっかり見てみたいと思ったが、なんとなく遠慮されて、とうとうそれは言えずじまいになった。

朱雀院のご容貌というものは、男にしておくのはもったいない、いっそ女にして見てみたいというくらいに優しい美しさであったが、なお御齢《おんよわい》三十四歳、前斎宮は二十二歳とあって、年格好から言っても、また容貌から見ても、ちょうどお似合いの、まことに良い配偶と見えるのに対して、冷泉帝は、いまだ十三歳とて、たいそう幼なげに拝見するほどに、

〈さても、こんなふうにあえて強引に不釣り合いな形で入内を進めようとすることを、前斎宮は、人知れず厭《いと》わしく思っておいでであろうな〉と、源氏はふてぶてしくも前斎宮の心中にまで立ち入って思い巡らした。

源氏にとってはまことに胸痛いことだが、といって、今さら今日の今日になって入内を取りやめるというわけにもいかぬ。せめて源氏は、諸事万端、ぬかりなく滞《とどこお》りなく運ぶように係の者に命じおいて、とりわけ親しくしている宮中の調度《ちょうど》を司《つかさど》る修理職《すりしき》の長官に、こ

れはこうあれはああ、と詳細に奉仕するように申し付ける。そうしておいてから、源氏は、内裏《だいり》へ参った。

とは言いながら、あまり親ぶって目立つようなことをすれば朱雀院の手前が憚られる。そこで、このたびの参内《さんだい》は、ただ、ちょっとお祝いのご挨拶に参上したというふうに見せかけたのであった。

もともと、六条御息所のもとには、筋の良い女房などが多く近侍《きんじ》していたことでもあり、この盛儀《せいぎ》に際しては、里に下っていた女房衆も続々と参り集まってきて、その風雅さ優美さ、またとなく理想的なありさまであった。

〈ああ、これで亡き六条御息所がここにおいでになったら、どんなにお世話のし甲斐《がい》があると思ってお努めになったであろうか……〉と、今は亡き人の心のありさまをまで思い出しては、また感慨に耽《ふけ》る。

〈あれで、もし自分とああした間柄でなかったら、……よそながら拝見している分には、ほんとうにすばらしい……亡くなられたのはまことに惜しまれるようなお人柄であったな。……あんなふうに上品に風雅には、だれもとてもできはしなかったものをな〉と、とりわけ風雅の方面にぬきんでていたことが、なにかの折々につけて、源氏の心に彷彿《ほうふつ》と思い出されるのであった。

前斎宮入内、弘徽殿女御に親しむ帝

藤壺も、その日は内裏に参上している。

冷泉帝は、「すばらしい方が、きょうおいでになりますよ」と聞いて、それはそれはかわいらしく緊張の面持ちでおられる。その様子は、実際の年齢よりはだいぶ洗練されて大人びておいでであった。

「きょうお見えになる方は、たいそうご立派な人でございますからね、せいぜいきちんとした態度で会ってさしあげるのですよ」

藤壺は母親らしく、こんなことを諭《さと》す。

帝は、内心に思った。

〈年上の人となると、なんだか緊張するけれど……〉

そんなふうに思いながら待っていると、前斎宮は、ずいぶん夜が更けたころになってやっと参内し、ただちに夜のご寝所《しんじょ》のほうへ入った。

見れば、その人はたいそう慎《つつし》み深い様子で、おっとりとして、しかし小柄な、どこか弱々しい感じのする姫君であった。

帝は、一目ご覧になって、〈これは、とてもすてきな人だな〉と思われた。

いっぽう、権中納言《ごんちゅうなごん》の息女、弘徽殿女御《こきでんのにょうご》のほうは、もうすっかり見慣れた仲ではあり、睦《むつ》まじく心許して、気安く思っている。それにたいして、この新しい姫君は、人柄もしっくりと落ち着いて、その風姿《ふうし》は、はたが恥《は》ずかしくなるほど立派なうえに、源氏の後見役としてのもて扱いも重々しく大事にされているのであってみれば、弘徽殿に比べてどこか気が置けるところがあって、そうそう軽々しい扱いもできないと帝は思われる。

そこで、夜の御殿《ごてん》への伺候《しこう》なども、あちらとこちら、不平等なくしておられるのではあったが、なにぶんまだ子供のこととて、昼間の子供らしいお遊びのあれこれとなると、やはり仲良しで馴れ親しんだ弘徽殿のほうに出向かれることが多かった。

権中納言は、娘の弘徽殿を差し出したについては、むろんゆくゆくは正式のお妃ともなり、お世継《よつ》ぎをも儲《もう》け、などと思ってのことであったけれど、そこへこの前斎宮という伏兵《ふくへい》が入内して、自分の娘と競い合うということになってしまったのは、なににしても、いかにも安からぬことだと思っているようであった。

源氏、朱雀院と語らう

朱雀院のほうでは、あの櫛箱の文の返事をご覧になるにつけても、やはりどうしても前斎宮を諦《あきら》め切れないお気持ちなのであった。

その頃、源氏の参内した折、院は、源氏を御前《ごぜん》に召《め》して情《じょう》も細《こま》やかに物語りをされる。すると、以前にも院は、あの斎宮の美しく魅力的であったことを口に上《のぼ》されたことがあったが、話のついでにまたも斎宮の下向《げこう》の時の追懐などを言葉に出される。けれども院は、そのとき、この美しい姫に恋しい思いを懐《いだ》いたことまでは、なかなか露骨には仰《おお》せになれぬ。そうなると、源氏のほうも、もちろん院のそういう恋心は承知していたけれど、あえて知らぬふりをしている。そうして、ただ、院が本心のところはどうお思いであろうかと探るようなつもりもあって、あれやこれやと、前斎宮のことを話題にしては、院の顔色や返答を窺《うかが》ってみる。すると、深く心を惹《ひ》かれておられること、ひととおりでないように見えるので、源氏は、〈まったくお気の毒なことをしてしまった……〉と思うのであった。

〈それにしても、院さまがご覧になって美しいとご執着なされるという、その姫君のご容貌は、さていったい、どんなふうに素晴らしいのであろうか……ああ、一目しっかりと見てみたいものだが〉と内心に思い焦《こ》がれるけれども、どうやっても見ることができない……〈くやしいな、見られないのは〉と源氏は思う。

この前斎宮という姫君は、母御息所譲りなのであろうか、軽々しいところのない人柄であった。もしこれが、もうすこし軽率な人柄で、子供っぽいところでもあれば、もしかしてなにかの隙間からチラッとでも垣間見《かいまみ》することもあろうけれど、実際には、心憎いほどに慎重で奥床《おくゆか》しいところがますます深まっていくばかりであったから、なかなか垣間見などもも難しいのであった。源氏は、こうした前斎宮の重々しい振舞いを見るにつけても、〈ああ、まことに帝の妃として、望ましいことだな〉と、そんなふうにも思っている。

このように、右手に弘徽殿の女御、左手に前斎宮と、冷泉帝には二人の素晴らしい妃がお仕えしている関係で、かねて自分の二番目の姫（中《なか》の宮《みや》）を入内《じゅだい》させようという下心をもっている兵部卿《ひょうぶきょう》の宮は、そうそうすっきりと入内のことを具体化させるわけにもいかなくなった。

ただ、この先、帝がもう少し大人になったら、その時には、それでもなお、まるっきり脈のないこともあるまいと思って、兵部卿の宮は、なお時宜《じぎ》の至るのを待っている。

かくて、弘徽殿の女御と前斎宮と、二人の妃は、それぞれに帝のご寵愛《ちょうあい》を競い合っているのであった。

帝、絵を愛好される

帝は、万事にまさって、絵を好まれた。されば、好きこそものの上手なれということであろうか、ご自身もまた人並み外れて巧《たく》みに絵を描かれる。

入内して、今は斎宮の女御《にょうご》と呼ばれるようになった前斎宮も、また、たいそう味わい深い絵を描く人であったから、帝は、どうしてもこちらにお心を移され、つねにお渡りになっては一緒に絵を描いてお楽しみになる。

宮中殿上《てんじょう》の間《ま》にお仕えしている若い公家《くげ》衆のなかでも、この絵筆の方面を学んで嗜《たしな》みのある者を、帝は、とくにお心に留めて〈なかなか見どころのある者だな〉とお思いになるほどだから、ましてや、前斎宮のように魅力的な姫が、なお手筋よろしく、自在な筆運びで思いのままに絵の世界に遊びながら、飾らぬ様子でふわりと物によりかかって、すこし描いては筆を止めてなにか考えたりしている、その様子のかわいげのある様子には、どうしても帝の心は動かされずにおかれない。

結果的に、この斎宮の女御のところへ、帝はしげしげとお渡りになって、通えば通うほどにますますいとしさが募るということになってしまった。

これを聞いては、弘徽殿の父、権中納言はおさまらない。もともとこの人は、才気走ったところのある、派手な性分であったから、〈こんなことで後《おく》れをとってなるものか〉と我と我が心を励《はげ》まして、国中から優れた手腕を持った名人の絵師どもを召し集め、

「くれぐれもここで絵を描かせていることを他言してはなるまいぞ」

と、よくよく戒《いまし》めつつ、無二無双《むにむそう》の絵柄を、しかも天下一品の上等な紙に、あれこれとたくさん描かせたのであった。

「とくに物語の名場面を絵に描くのが良いぞ。あれは、また一段と雅趣《がしゅ》豊かで見どころが多いからな」

権中納言は、そう言って、数多い物語のなかから、殊《こと》に面白く趣深い作品を選んで、あれもこれもとたくさん描かせた。さらには、十二か月の画題を連ねた月次《つきなみ》の絵には、描かれた絵柄に添わせる和歌なども、ちょっと思いつかないような珍しい趣向の詠《えい》を書きつけ

て、これを帝の上覧《じようらん》に供《そな》える。

斎宮の女御の絵に心奪われていた帝も、さすがに、この念を入れて面白く作った絵には心惹かれて、弘徽殿のところでもせいぜいその絵をご覧になるのだが、権中納言は、なかなか気安くもお見せしないで、厨子《ずし》などに深く秘めてしまっている。帝がこれらの絵を斎宮がたへ持っていってしまわれるのを警戒し、出し惜しんで独占しているのである。

源氏はそれを聞いて、

「そんなことをしているのか。やれやれ、あの権中納言の心がけの大人げなさよな。どうもああいう狭量《きようりよう》さというものは、なかなか改め難いように見えるね」

と言って、からからと笑った。かくては、しかたない。源氏は帝に奏上《そうじよう》する。

「どうやら、あの権中納言は、せっかく描かせた絵をひしと隠してしまって、心安く陛下のご覧に入れることもせず、大いにお心を悩ましておるやに思われます。なんともはや、けしからぬことでございますが、されば、わたくしどものところには、そのような昨日今日描かれたのでなくて、ずっと昔より伝わっております名画があれこれございますので、それをご覧に入れましょう」

源氏はこう言って、二条の邸に所蔵の物語絵の古いもの、新しいもの、取り混ぜて納め

てある厨子を開かせ、紫上《むらさきのうえ》と一緒に、

「このなかで、今風の面白さのあるものは、これと、それ、かな」

など言いながら選び調《とと》えさせる。

しかし、妃と死に別れる長恨歌《ちようごんか》や、蛮夷《ばんい》に嫁《とつ》がされた王昭君《おうしようくん》、などの詩文は、面白く、また人情味豊かだとはいえ、内容が内容だけに、縁起《えんぎ》でもないというわけで、慎重に選び出して、この度《たび》はやめておこうと、手元に留《とど》めおくことにした。

あの須磨明石《すまあかし》に流寓《りゆうぐう》の折の絵日記の箱も、この機会に取り出させて、紫上にも初めて見せた。

この絵日記は、まことに見事な、そして趣深いもので、仮にその頃の源氏の心事《しんじ》などなにも知らない人が見たとしても、ものごとの情理《じようり》を知る人なら、おそらく涙なくしては読めないというほど、しみじみとした味わいがあるのだった。まして、源氏と紫上は、何もかも知悉《ちしつ》している当事者どうし、あの夢のように思える日々のことは忘れがたく、つねづね心になまなましい記憶として残っている。だから二人してこれを眺《なが》めていると、また昔に返った心地がして、あらためて悲しかった気持ちが蘇《よみがえ》ってくるのであった。

紫上は、こんなに哀しくも美しい絵日記を、どうしていままで自分に内緒にして見せてくれなかったのかと、恨めしい気持ちがして、一首の歌を詠じた。

「一人ゐて嘆きしよりは海士《あま》の住む
かたをかくてぞ見るべかりける

あんなふうに、たった一人で京に居残って嘆いているよりは、海士の住む潟（かた）のほうへ
私も下っていって、この絵形（えがた）のような風景を、二人で見ればよかったのに
そうすれば、逢いたくて不安だった気持ちも、もしかしたら紛《まぎ》れたかもしれないのに
……」

と、紫上は、こんなことを洩《も》らす。

源氏は、はっと胸衝《つ》かれる思いがして、すぐに歌を返す。

憂《う》きめ見しそのをりよりも今日《けふ》はまた
過ぎにしかたにかへる涙か

その海に浮いている海藻……浮布（うきめ）のように流浪《るろう》して憂き目を見ていた、
あの折よりも、きょうはまたいっそう、過ぎてきたかたに返っていく波（なみ）のように

思いは昔に帰っていって、その過ぎし昔の絵形（えがた）を見ながら、なみだをながすことだね

この絵日記には、須磨、明石での辛い暮らしのありさまあれこれのはざまに、藤壺腹の東宮《とうぐう》が宮中から追われるようなことのないよう、身を捨てて実のわが子を守った源氏の密かな思いが縷々《るる》書かれてあった。藤壺への思いもおのずからにじみ出ている。

〈……こんな日記ゆえ、ほんとうは藤壺にだけ、密かに、しかししっかりと見せてさしあげたい、むろん、どこまでも二人だけの秘密にしておかなくてはならないけれど……〉と源氏は思っている。

それゆえ、この日記をすべて紫上に見せるわけにもいかないし、ましてや、帝のお目にかけるなど、もってのほかである。

源氏は、そういう秘密の日記のなかから、誰に見られても差《さ》し障《さわ》りのないようなところを、須磨のあたりから一帖《じょう》、明石のところから一帖、とそれぞれ選んだ。いずれも、内容的には差し障りがないけれど、それぞれの海浜の景色がくっきりと描かれている部分を念入りに選んだ。選びながら、源氏の心中には、まずあの明石の入道《にゅうどう》の家居《いえい》が思い起こされ、するとたちまちに、〈ああ、あの明石の君や、生まれたばかりの姫はどうしているだ

ろう〉と、絶えず思いやられるのであった。

源氏かたで絵を集めていると聞いて、権中納言も負けぬ気になり、それはそれは細かなところまで気を配って、表装《ひょうそう》の軸《じく》から、表紙から、紐《ひも》の飾りから、何から何まで贅《ぜい》を尽くして絵巻物など調《ととの》えさせる。

おりしも三月弥生《やよい》の十日のころ。空もうららかに、人の心も悠々《ゆうゆう》として、万事うきうきとしたような季節であるが、宮中あたりでも、ちょうど何の節会《せちえ》もない暇《ひま》な折節《おりふし》であったので、帝は、ただただ、こんな絵を眺めたりすることで、二人の妃がたと、それぞれにのんびり過ごしておられた。

そういうことなら、もっと帝が興味津々でご覧になれるように念入りに仕立てて差し上げることにしようと、源氏は思い立った。

そこで、それまでよりもいっそう心を込めて、素晴らしい絵ばかりを集めて献上したのである。

こちらのかたにも、あちらのかたにも、こうして素晴らしい絵が、さまざま多く集められている。そのなかにも物語の絵は、細密に描かれて、ぐっと心惹かれるように見えるものだから、梅壺《うめつぼ》に住む斎宮の女御のほうは、昔物語のなかでも名高い、そして由緒《ゆか》しき作品ばかりを集め、いっぽうの弘徽殿のほうは、反対に新作の物語で、まだ誰も知らないような作品の、いかにも面白げな見せ場のところを選んで描かせたので、一瞥《いちべつ》したところ、今風の華やかな画風ということになれば、やはり弘徽殿かたがどうしても勝《まさ》って見える。

こうして、その頃の帝の周辺では、近侍《きんじ》の女房たちが、明けても暮れても、「あの絵は素敵ね、この絵も捨て難いわ」など、ひたすら評定《ひょうじょう》して、まるでそれが仕事になっているかのようであった。

中宮の御前の絵合わせ

ちょうどその頃は藤壺も参内していた頃のこととて、藤壺自身もまた、これほどの絵とあっては興味津々で、仏道の勤行《ごんぎょう》もわきにおいて一心に眺め入っている。

そして、帝の近侍の女房たちが、ああだこうだと批評するのを聞いて、ちょうど歌合わせのように、左かたと右かたとの二群に分けて闘わせることを、藤壺は思いついた。

左、梅壺の斎宮の女御のかたには、平典侍《へいないしのすけ》、侍従の内侍《じじゅうのないし》、少将の命婦《みょうぶ》、右、弘徽殿のかたには、大弐《だいに》の典侍《ないしのすけ》、中将の命婦《ちゅうじょう》、兵衛の命婦《ひょうえ》、とこう二群に分かれて、議論を闘わせるのであったが、なにぶんこの者たちは、当代聞こえた訳知《わけし》りどもであったから、この者たちが思い思いに口角泡《こうかく》を飛ばして言い争うありさまは、まことに面白いと藤壺は聞き入っている。

まず、最初の番《つが》いは、左かた、物語の祖《おや》『竹取物語《たけとりものがたり》』、右かた『宇津保《うつぼ》物語』俊蔭《としかげ》の巻の勝負となった。

左かた曰《いわ》く、

「かのなよ竹のかくや姫《びめ》の物語でございますが、はるかの昔より世々に伝えてもう永い日月《じつげつ》を閲《けみ》してまいりました。されば、とくにこれという興味ぶかいところがあるというわけでもございませんけれど、このかくや姫が、かかる濁世《じょくせ》の汚《けが》れにも染まらず、はるばると遠い天上めざして昇ってまいりました、その先の世よりの契《ちぎ》りはいかにも丈高《たけたか》く見えてございます。さりながら、いずれ神代《かみよ》のことのようでございますから、そこらのあさはかな女どもの目には、良さも分からぬことかとぞんじます」

と、こんなことを言う。すると右かたから出た女房が、さっそく反駁《はんばく》を加える。

「いかにも、かくや姫がはるばると昇っていったあの雲の居るあたりのことまでは、よう存じませんが、それはどなたも同じこと。さりとて、じっさいには、そのかくや姫とやらは、竹のなかに生まれたのでございますから、この世では下《しも》ざまの身分のものと見えます。さてこそ、その老人の貧しい家のなかばかりは多少は照らしたかもしれませぬが、上《うえ》つかたの恐れ多いあたりの御光《みひかり》とまでは、ならずじまいでございましたろう。阿倍《あべ》のおほしという男は、千万の黄金を投じて火鼠《ひねずみ》の皮衣《かわごろも》を得んものとの奮闘も空《むな》しく、その思ひ火《ひ》は火鼠の火のようにあっけなく消えたとやら、まことにあえなき結末でございました。また、車持《くらもち》の親王《みこ》は、まことの蓬萊島《ほうらいじま》のありがたい謂《いわ》れも承知のうえで、その玉の枝の偽《にせ》物《もの》を持参して大恥をかいたのは、まことによろしくない行ないでございましたろう。

この絵は、巨勢《こせ》の相覧《おうみ》、文字は紀貫之《きのつらゆき》の手でございます。紙屋紙《かむやがみ》に唐渡《からわた》りの綺羅《きら》をば裏に打ち、赤紫の表紙、紫檀《したん》の軸、かかる装訂《そうてい》はそこらにいくらもある凡庸《ぼんよう》の作りでございましょう。

これに比べて、我がかたの俊蔭は、激しい風雨に溺《おぼ》れつつ、見知らぬ国に流されましたものながら、それも結果的には、唐土《もろこし》へ渡りたいとの宿願を果たしたも同じこと。……しまいには、かの国の朝廷《みかど》にも、わが国にも、およそ希有《けう》なる楽才を天下《てんが》に轟《とどろ》かして、日本にその人ありという名を残したと申します。その名人逸話をかれこれ物語りつつ、絵のさまも、唐土と日本と、いずれも美しい景色を描きつらねて、いやまことに面白いことは、並ぶものとてもございますまい」

こういうことを述べ立てた。この『俊蔭』のほうは、白い料紙《りょうし》に、青い表紙、黄色い宝《ほう》玉《ぎょく》の軸を以《もっ》て飾り、絵は飛鳥部常則《あすかべのつねのり》、文は小野道風《おののみちかぜ》という名手を起用して、いかにも当世風の派手なるつくり、見るに眩《まばゆ》いまでの出来栄えであった。

この弁舌には、左かたから反駁《はんばく》する声も出ない。

伊勢物語と正三位

次に、左かたは『伊勢物語』、右かたは『正三位《じょうざんみ》』の物語という組合せである。

この古物語と、新作物語との勝負は、ふたたびまた丁々発止《ちょうちょうはっし》の議論が続いてなかなか勝負がつかない。

これまた、右かたの物語は、面白くて見どころに富み、内裏あたりの景物をあれこれと描いたのを手始めに、当世のありさまを活き活きと描き取っているところ、まことに興味満点で見どころはややこちらが勝るかと見える。
そこで左かたの平典侍が弁《べん》じ立てる。
「伊勢の海の深き心をたどらずて
ふりにし跡と波や消《け》つべき

かの神の国なる伊勢の海、その深い海のように、奥深い伊勢の物語の心をきちんと解ろうともせずに、ただもう古ぼけている物語だなどと、波が砂浜の跡を消すように、言い消してよろしいものでしょうか

そこらにありがちな、浮ついた色恋話を、あれこれ飾り立てて書き綴《つづ》ったに過ぎない物語、その表面上の面白さに気圧《けお》されて、あの奥床しい業平《なりひら》の名を朽ち果てさせるなんてことがあってよろしいものでしょうかしら」

こんなことを陳《ちん》じたけれど、これでは、かならずしも右かたを論破したことにはなっていなかった。

すぐさま、右かたの大弐の典侍が反論の歌を詠じた。

雲の上に思ひのぼれる心には
千尋《ちひろ》の底もはるかにぞ見る

伊勢の海の深い心とやら、おっしゃいますけれど、正三位が宮中で高位に昇った、
その心の気高さに比べましたら、千尋の深さの海底などは、
まあはるかにはるかに下のほうに見えますことね

ここで藤壺が判定を下した。

「主人公の兵衛の大君《おおいぎみ》の心の気高《けだか》さは、なるほどたしかに捨て難いけれど、といって、在《ざい》五《ご》中将業平の物語の名を貶《おとし》めることもなりますまい」

とこんなふうに藤壺は述べて、歌を詠じた。

みるめこそうらふりぬらめ
年経《としへ》にし伊勢をの海士《あま》の名をや沈めむ

伊勢の浦（うら）の海松布（みるめ）ではありませんが、ちょっと見る目には
うらぶれ古ぼけているかもしれませんが、そうやってもう古くから
時を経てきた伊勢物語ですもの、伊勢の海士が海底に沈んでいくように、

伊勢物語の名を沈めていいはずはありませんよ

こうして藤壺は、左かたの昔物語の肩を持った。

とことんなふうに、女同士の言葉争いで、それはもう言いたい放題に争ったけれど、一巻《ひとまき》の絵物語に対して、ああでもないこうでもないと言葉を尽くして、それでもどうしても思いを尽くすことができないのであった。

ただ、こういう風に言い争っているのは、梅壺付きの女房衆と弘徽殿付きの女房衆に限られていて、それ以外の女房たちは肝心の絵を見せてもらうことができない。

もとより、そんなふうに結構な絵巻など見たこともない若い女房たちは、もう身をよじり死にそうなほどに渇仰《かつごう》して見たがるけれど、主上《しゅしょう》付きであれ、藤壺付きであれ、直接の当事者でない女房たちは、その片端《かたはし》すら、ちらりとも見せては貰《もら》えない、そのくらい、この絵合わせは秘中の秘という扱いなのであった。

源氏、内裏での絵合わせを提案

そんなふうに女たちが言い争っているところへ、源氏がやってきた。源氏は、このように双方それぞれに理屈を立てて言い争い、ののしりさわいでいるその言い草を、なんと面白いことよと思ってしばらく聞いていたが、そのうち、やおら口を出した。

「どうせならば、こんなところで争っていないで、いっそ帝の御前《ごぜん》でやったらどうかね。そこで決着を付けたらいいではないか」

じつは、源氏の内心には、こんな成り行きになることもありはせぬかと思って、敢《あ》えて、特に優れた絵はいままで献上することなく、厨子の奥に秘めておいたのであったが、あの、源氏自筆の、須磨・明石の絵日記も、主上《おかみ》の御前《ごぜん》での絵合《えあわせ》ということになれば、いささか思うところあって、こんどは左かたからの一作として差し加えることにしたのであった。

一方の、弘徽殿の後見人たる権中納言だって、負けてはいない。

とはいえ、この時分の風潮として、襖《ふすま》や屏風《びょうぶ》の絹に大きく描くのでなくて、小さな紙地に面白い絵柄を描かせて楽しむことが、広く流行していたのだが、源氏は敢えてこんなことを提案する。

「今、この絵合のために新しく描かせるなんてのは、面白くない。今回は、各自すでに持っているもののなかから、名品を出しあって比べあうことにしよう」

源氏はこう言うのだが、中納言は従わない。例の極秘の工房において、誰にも見せずに新しくいくつもの絵巻を描かせている。

が、朱雀院は、このことを漏れ聞いて、おん自ら秘蔵される絵をいくつか、梅壺の斎宮の女御に密かに贈られたのであった。それだけ、院のご執心が一途《いちず》であったというわけである。

この院より賜った絵巻は、毎年宮中で催される折々の節会《せちえ》のなかからとくに面白く風情《ふぜい》のある場面を、昔の名画工がそれぞれの技を尽くして描いたところに、延喜《えんぎ》の帝醍醐天皇《みかどだいごてんのう》が御《おん》手ずから事の謂《いわ》れなどを染筆《せんぴつ》された、そういう巻と、同時にまた、朱雀院が自らの治世の事績をあれこれ描かせた巻も添えられていて、そこには、あの斎宮が伊勢へ下るときに大極殿《だいごくでん》において催されたお別れの儀式……このとき院は斎宮を初めてご覧になって、その美しさに心を奪われ、しかし、きまりどおりに「再び京のほうへ赴かれるな」と言い聞かせねばならなかったことなど、お心に沁《し》みて思い出されるゆえ、特にこの場面に関しては、ここはこうあそこはああと、詳しく絵柄構図などを指示されて、名手巨勢公茂《こせのきんもち》が筆を執《と》ったという、かれこれ併《あわ》せてまことに素晴らしい絵巻を女御に賜ったのであった。それも、優艶な透《す》き文様を施《ほどこ》した沈香《じんこう》の箱に、それにふさわしい風情の飾り花を付けたところなど、いっそ当世風に華々しい美しさであった。

この絵巻に添えての消息は、文の形で添えられてはおらず、ただお使者の口頭による伝達のみであったが、そのお使者は、院の殿上の間にも伺候している左近《さこん》の中将が立った。

しかしながら、この絵巻のなかで、女御が特に目を留めたのは、いつぞやのお別れに、斎宮の乗った御輿《みこし》が大極殿に掻《か》き寄せられた場面であった。

その神々《こうごう》しいまでの絵に、院のご自筆で、

身こそかくしめの外《ほか》なれ
そのかみの心のうちを忘れしもせず

今、私はこうして禁裏《きんり》の標《しめ》の外にいるが、その神の御心を忘れぬと同じく、往昔（そのかみ）にそなたを愛しく思った心の内は、決して忘れはせぬとだけ書き添えてあったのだ。

これに、まったく返歌を差し上げないというのも恐れ多いことゆえ、斎宮の女御は、〈困りました……、なかなか詠みにくいもの……〉と思いながら、それでも、昔その大極殿でのお別れに際して、院より賜った挿し櫛の片端を少し折って、

しめのうちは昔にあらぬここちして
神代のことも今ぞ恋しき

禁裏の標《しめ》の内は、もう朱雀院さまが治めておられた昔とはすっかり変わってしまった気持ちがいたします。それで、あの伊勢の神にお仕えしていた時分のことも、今となっては、いっそ恋しく思われます

と、こういう歌を詠んで書きつけ、櫛とともに淡々《あわあわ》とした藍《あい》に染めた唐渡《からわた》りの紙に包んで院にお返ししたのであった。このお使者を務めた左近の中将には、女御からの礼物《れいもつ》として、たいそうすっきりと美しい衣《ころも》が遣《つか》わされた。

この返歌を、院はご覧になって、〈……嗚呼《ああ》、限りなく哀しい……〉と胸を痛められる

についても、あの頃にもう一度戻りたいとお思いになるのであった。そうして、それにつけてもさぞ、源氏が恨めしいと思われたことであったろう。

いやいや、思えば、これもかつて院が源氏を須磨に追いやったことの因縁《いんねん》が巡り巡って身の仇《あだ》となったのでもあろうか……。

こう書くと、なにやら朱雀院の宝物の絵が梅壺のかたへばかり贈られたかのように見えるが、どうしてどうして、そんなことはない。もともと、院のご所蔵の絵巻は、母の弘徽殿大后《おおきさき》から伝えられたものゆえ、一族の現弘徽殿の女御のところへもそれなりに多く伝わっているはずであったし、また大后の妹君の朧月夜《おぼろづきよ》の尚侍《ないしのかみ》も、こういう物語絵などに対する好尚《こうしょう》は人並み外れたところがあって、風情《ふぜい》豊かな絵柄に描かせてはたくさん集めて持っているのであった。

御前《ごぜん》の絵合わせ

さて、その冷泉帝の御前《ごぜん》における絵合《えあわせ》は、しかじかの日と定められた。三月弥生の十日に催された藤壺かたでの絵合から、それほど日数《ひかず》も置かず、ずいぶん急な催しのようではあったが、ともかく、風雅に、しかし大げさにならぬように取り計らって、左かた右かたの絵を、みな帝の御前へ集めさせた。

その上で、帝の玉座《ぎょくざ》は、敢えて女房どもの詰《つ》め所《しょ》、すなわち台盤所《だいばんどころ》に設け、玉座を中央に挟《はさ》んで南と北に別れて左右両派が控えるという形に定められた。陪席《ばいせき》の殿上人《てんじょうびと》どもは、別棟後涼殿《こうろうでん》の簀子《すのこ》に、それぞれ左右どちらかを応援する心積もりで控《ひか》えている。

左かたは、紫檀《したん》の箱に絵巻を納めて、蘇芳《すおう》の木で作った飾り机に乗せ、敷物には、紫色の地の唐渡《からわた》りの錦織《にしきお》り、机の上の敷物は、葡萄茶《えびちゃ》色に染めた唐渡りの薄い錦織りであった。控える女《め》の童《わらわ》は六人、いずれも赤い上着の上に桜襲《さくらがさね》（表は白、裏は紫）の汗衫《かざみ》（裾長《すそなが》の晴れ着）を着して、上着の下には藤襲《ふじがさね》（表は薄紫、裏は萌黄《もえぎ》）の織物の袙《あこめ》（下着）を着ている。その姿といい、心の用意といい、並々のことではないように見受けられる。

右かたは、沈香《じんこう》の箱に絵巻を納めて、浅香《せんこう》の木で作った下机《したづくえ》、机の上の敷物は青地の高《こ》麗《ま》渡りの錦織り、机の脚には色美しい組糸《くみいと》を結《ゆ》いつけて垂らしてある。その飾り脚の意匠なども趣向を凝《こ》らしてぐっと当世風である。女の童は、青色に柳襲《やなぎがさね》（表は白、裏は青）の汗衫、山吹襲《やまぶきがさね》（表は薄朽葉《うすくちば》、裏は黄）の袙を着している。

かくて皆、それぞれの机を肩に舁《か》いて御前に立てる。帝にお付きの女房たちも、それぞれ左か右か、応援するほうに別れて色を違《たが》えた装束を纏《まと》い、左と右に別れて着座する。帝よりのお召しを得て、内大臣《ないだいじん》の源氏と権中納言が参上する。その日は、源氏の異母弟の帥《そち》の宮もやってきた。

この宮はもともと風流人というべき人柄であったが、なかでも絵を好むとあって、源氏が、非公式にこの会に誘ったのでもあったらしい。正式の堅苦しいお召しというのではないゆえ、殿上の間に控えているところを、帝から仰せ言があって、御前に参上したという次第であった。そうして、それならこの絵合の判者《はんざ》を務めるようにということになった。

けれども、どれもどれも、どこまでも見事に筆を尽くしたすばらしい絵ばかりで、さすがの帥の宮も、その優劣を判定しかねるのであった。

あの四季の節会を描き集めた絵巻も、なにぶん昔の名画工たちがとりわけ風趣に富んだ画題を選んで、筆の運びも悠々と描き流したものゆえ、その素晴らしさはたとえようもないと宮は感心して見ている。

これに比して、一枚ずつの紙に描いた紙絵《かみえ》のほうは、画面の広さに限界があって、ひろびろとした山水の風景を雅致《がち》豊かに描き尽くすということはなかなか難しいのではあるけれど、ただ、筆先の技巧はまた大したもので、どこか珍しい趣向などを構えつつ、華やかに、またいかにも面白げに描かれているところは、今出来《いまでき》のいささか浅薄《せんぱく》な描きぶりとは中せ、なお昔の立派な絵にも劣るまじき楽しさがある。

などなど、左右両陣営の繰《く》り出す絵どもの争いで、今日は、どちらも甲乙つけ難く興味深いことも多かった。

秘巻須磨の絵日記の登場

台盤所の北側の朝餉の間《あさがれいのま》の障子《そうじ》を引き開けて、藤壺も臨席している。

〈中宮さまなら、かねて絵の方面については、深い素養がおありであろうな〉と思うゆえ、源氏は、藤壺の臨席を、いかにもこの場に相応《ふさわ》しいことと感じている。

じっさい、判定の不明確な折々などに、時々藤壺が意見を挟《さしはさ》む、その判断はまことに肯繁《こうけい》に中《あ》たっていて、間然《かんぜん》するところがないのであった。

こうして、勝負の決着がつかぬまま、夜になった。

左かたには、もう一つ残っているというその最後に、例の源氏の筆になる須磨の巻が差し出される。これをみて、権中納言の心は穏やかでない。右かたとしても、心して最後の一巻は、これこそはとっておきという逸品を選んでおいたのだが、なにしろ相手が出してきたのが、源氏ほどの名手が極限まで心を澄ませて静かに描いた一巻であるだけに、なんともたとえようもないほどの出来栄えであった。

帥の宮も、そのほかの人々も、これには感動のあまり涙をとどめることができぬ。

かつて、源氏が須磨・明石に蟄居《ちっきょ》していた時分には、みなその身の上を案じて、お気の毒なことだ、悲しいことだ、と遥かに思いやっていたものだったが、いざこの絵巻を見ると、浦辺の仮住まいのありさまも、その頃源氏の胸に去来した思いも、あたかも目の前に見るように感じられて、事実は想像を遥かに超えていたことがわかるのであった。

絵日記には、須磨・明石の所のさまや、見たこともないような浦々や磯辺《いそべ》の佇《たたず》まいを、隠れるところもなく描きあらわしてあった。

しかも、これに加えて、源氏の流麗な筆で、それぞれの地名などを草仮名に記入し、またところどころには、男たちの正式な漢文日記とはことかわり、しみじみとした和歌なども書き交えてある。そういう優婉《ゆうえん》な絵日記ゆえ、出品された巻ばかりでなく、他の巻々も見たいものだと、誰もが思った。

こうして、あれもこれも素晴らしい絵巻を闘わせたその果てに、これほどの名品を目にしては、すべての人が皆この巻に心を奪われて、ああ、すごい、おもしろい、とひたすら感激してしまっている。そうなると、もう他の作品のことなどは心から消えうせて、結局、この最後の一巻にはいずれも敵《かな》わないというので、ついに左かたの勝ちと定められた。

源氏と帥の宮の才芸論

夜明けが近くなってくると、自然と心のなかに種々《くさぐさ》の思いが募《つの》ってくる。源氏は、土器《かわらけ》に酒を酌《く》んでは一杯また一杯と傾《かたむ》けている。

源氏は、問わず語りに、昔のことのあれこれを、口の端《は》に上《のぼ》せるのであった。

「思い出してみれば、私は小さな子供だった頃から、漢学の勉強に心を込めておりましたが、まずそこそこに学問が身に付くかもしれぬとご覧になったのでしょうか……、亡き父院が、こんなことを仰せになったことがある。……『よいか、才学というものは、世に大変に重んじられるものだ。だからであろうか、満つれば欠けるが世の習いというもの、才学の大いに進んだ人で、長寿をも全《まっと》うし、世俗の幸福にも恵まれるというような例は、ほんとうに稀《まれ》なものだ。そなたのように高貴の身に生まれつけば、懸命に漢学など身に付けずとも、おさおさ人に劣るようなこともあるまいから、強いて学問などに深入りするでないぞ』と、くれぐれもお諭《さと》しいただいた。それゆえ、漢学はさておいて、儀礼、音楽、書道、舞楽、などなど、実際の役に立つ諸学芸のことのみ、あれこれとお教えくださったものであった、……すると、不思議にどの道も拙劣《せつれつ》というようなこともなく、といって、これこそは上手というほどのものもありませんでした。ただね、絵を描くということだけは、……いや、そもそも絵なんてものは、かりそめの幻のようなものに過ぎぬのだけれど……なぜか、この絵にはどうしても心惹かれて、どうしたら心ゆくまで絵を描いてみることができるだろう、などと思う折々もございましたな。けれども、人生は不思議だ、あの須磨あたりで、思いもかけない賤《いや》しい暮らしをして、四方《よも》の海の景色の深い趣をこの目で見聞《けんもん》することになった、あの暮らしのなかで、絵筆のことはなにもかも会得《えとく》することができたけれど、なに、所詮《しょせん》筆の及ぶところには限りがある。心の中に思っているようには、そうそううまく描けるものではない、と思い知りました。だからあんな絵日記など、人に見せるほどのものではないと心得て、もちろん然るべきついでもないのに上覧に供するなんてことはあり得ぬこと、それで今まで誰にも見せずにおいたわけなのですが、こんどこんなことになって、自慢らしくあんなものを披露することになったのは、思えば、後世の人に物好きの極みだと難ぜられることになるかもしれないな」

源氏が、こんなことを、弟の帥の宮に語り聞かせると、宮は、これに応《こた》えて述べたてる。

「いえいえ、何をおっしゃいます。もとよりどんな才芸といえども、深奥《しんおう》に肉迫する魂《たましい》なくして良く習得できるはずもございませぬ。しかしながら、どんな芸道にもそれぞれの師があり、また学ぶ方法があるような場合は、その芸の到達が浅いか深いかはわかりませんが、ともあれ、教わったとおり、お手本の真似をして、それなりの結果は得られましょう。

……諸芸のうちには、たとえば書画の筆の道と碁《ご》を打つことだけは、不思議に生まれつきの天分というものがあるように見えます。されば、それほど苦労して学んだとも見えないようなふつつか者でも、それなりに文字や絵を書いたり、碁を打ったりするようなのも出て来るものですね。しかし、しかるべきお家の子のなかには、やはり一頭地《いっとうち》を抜いた高《こう》才《さい》の士が出るもので、そういう人は、どんなことも思いのまま、自由自在に会得できるものと見えます。

かつて亡き父院のお膝元では、親王たちも内親王がたも、それぞれに、とりどりの才芸を習わせないということはございませんでしたが、そのなかにあって、源氏の君だけは、とりわけ心を込めて師よりの伝授を習得なさった甲斐《かい》があって、文章の才は言うまでもなく、その他の才芸のなかでは、あの七弦の琴《きん》をお弾きになるのが、まず第一等の才、その次には、横笛、琵琶《びわ》、十三弦の箏《そう》の琴《こと》……とまあ、次々と見事に習得されるのだということを、故院もいつも感心して仰せでございました。されば、世間でもそのようにお噂《うわさ》しておりましたが……絵となると、これは書道などされるついでの、ほんのかりそめの余技とでもいうところかと思っておりましたが……、いやあ、これほど素人ばなれのしたところまで熱心になさっていたとは、驚きました。これではまるで、昔の墨で輪郭《りんかく》を描くことを許された名人たちも、とっとと逃げ出そうかという技巧にて、いやはや、ここまでの技ともなりますと、却《かえ》ってけしからぬほどだと申しましょうか……」

帥の宮は、もはや酩酊《めいてい》の気配である。やがて酔って涙もろくなったのであろうか、故桐壺院の思い出など語り出しては、皆々涙でぐしゃぐしゃになってしまった。

二十日《はつか》あまりの月が、やっと空に差し昇ってくる。一同のいる清涼殿《せいりょうでん》の西廂《にしびさし》あたりは、まだ月光も射さず、さやかに明るくはなっていないが、それでも、空全体が、ぼおっと明るんで、却ってひと風情ある空の色となった。

書司《ふむのつかさ》から琴を持ってこさせて、六弦の和琴《わごん》の演奏を権中納言が承《うけたまわ》る。源氏には及びもないとしても、なお人並みよりは遥かに上手に中納言はこれを掻《か》き鳴らした。帥の宮は箏の琴《こと》、源氏は得意の七弦の琴《きん》、琵琶は少将の命婦が承る。なお、殿上人のなかで、ことに音楽の道に達したものを召《め》して、拍子《ひょうし》取りを仰せ付けた。

かくて音楽が奏でられる。

その楽の面白さ、なんともいえぬ。

やがて夜が明けて、あたりが明るくなってくる。花の色も、人の姿形もほんのりと見えはじめて、鳥の囀《さえず》りが聞こえるほどともなれば、心も晴れ晴れと、美しい明け方となった。

一同への褒美は、藤壺の御方《おんかた》から下される。帥の宮は、さらに重ねて、御衣《おんぞ》をば帝からも賜った。

こんなことがあって、この時分、どこでもここでも、この両度《りょうど》の絵合の噂で持ち切りとなった。

源氏は、この絵日記について、

「あの須磨明石の浦々の絵巻は、藤壺の中宮さまのお手元にお収めいただくことにいたしましょう」

などと言うので、藤壺はそれを聞いて、その最初から見たい、こんどの絵合には出されなかった残りの巻々も見たいと、そのことを源氏に申し入れる。しかし、源氏は、

「それらは、いずれ、順々にお目にかけましょう」

と言うのであった。

かくて、帝も、この度の御前絵合のことは、たいそうご満悦で、それを源氏も嬉《うれ》しく拝見する。

一事が万事、このようなかりそめの遊びごとについてさえ、源氏は、これほどにまで斎宮の女御に肩入れをするとあって、権中納言は、ますます娘の弘徽殿の女御が斎宮かたに気圧《けお》されるのではないかと、面白からず思っているように見えた。

とはいえ、冷泉帝のお心としては、もとより弘徽殿にしみじみとした好意を抱いておられるので、相変わらず心細《こま》やかに寵愛される。この様子を、父権中納言はよそながら見知

って、〈頼もしいことだな、ああして源氏が斎宮に肩入れしようとも、まさか弘徽殿を見捨てなさるというようなこともあるまいな〉と思っているのであった。

この絵合に限らず、しかるべき正儀《せいぎ》の節会《せちえ》の折々にも、この御代《みよ》より始まったと後世の人が言い伝えるような例を新たに加えたいと帝は思われて、また後宮あたりで催されるこうしたかりそめのお遊びなども、なにかと新機軸な趣向を立てようと図《はか》られる、まことに栄光に満ちた帝のご治世がらであった。

けれども、源氏自身は、世の中は所詮無常なものだと思い切っている。

〈……これで、もう少し陛下がご成長なさるのを見届けたら、その時には、やはり出家して仏に仕える身となりたいものだ〉と心中深く期するところがあるようであった。

〈……昔の事例を見聞きするに、いまだ若年のうちに位人臣《くらいじんしん》を極め、世に抜《ぬ》きんでた人が、長命を保ったということはあまり聞かぬ。それにつけても、私は、この帝の御代《みよ》に当たって、もう身の程をはるかに越えるような声望を身に帯《お》びるようになってしまった。……思えば、一時異境に沈淪《ちんりん》して苦しい思いをしたことと引き換えに、今こうして永らえて高位に昇っているのであろう。……となれば、今から後の栄華を願ったりしては、いつ命を失うか気掛かりなことだ……それならいっそ、出家遁世《とんせい》して静かに山にでも籠《こも》り、ひたすら後世《ごせ》の安楽往生を願って、仏道の勤行に専念したい。それが結局、齢《よわい》を延べることにもなるだろうかな〉と、そんなふうに思って、山里ののどかな場所に地を占《し》めて、仏堂を造立《ぞうりゅう》し、本尊《ほんぞん》や経典《きょうてん》などをも併《あわ》せて用意させると見える。

しかしながら、実際となると、血を分けたる子どもたちを、なんとかして思いどおりに育ててあげてみたいと思うゆえに、直《ただ》ちに世を捨てて仏道に帰依《きえ》し果てるということも難しいようであった。

さて、そうなると、この仏堂造立は、どう思ってしたことなのか、ほんとうのところはさっぱり分からない。

松風《まつかぜ》

源氏三十一歳の秋

二条の東院落成し、明石の君の上洛を勧める

二条の源氏邸の東に予《かね》て普《ふ》請《しん》中であった二条の東院《とういん》も無事竣工《しゅんこう》し、そこにまず、予定どおり花散里《はなちるさと》を引き移らせた。

花散里は西の対《たい》の主《あるじ》となり、渡殿《わたどの》まで含めてその支配下に置くことになった。そのため対専用の事務取扱所と、そこに奉仕する事務官を、すべてしかるべく配置する。

これに対して、東の対は、明石《あかし》の御方《おんかた》とその姫の住まいとして想定してある。

北の対は、ことに広く造り、ここは源氏がかりそめにであっても、情《なさけ》を懸《か》けて行く末の約束など交わした女君たちを一堂に集めて住まわせる予定であった。そのために、その広い対の内部は、小さな部屋に仕切られていて、その一つ一つに、さまざまの女君が暮らすようにしつらえてあるのも、いかにも親切な造りようであった。しかもその一室一室が、みなどこか見どころがあって、細《こま》やかな神経が行き届いている。

中央の寝殿《しんでん》は、どの女君が住むのでもなく、普段は空けてある。すなわち、源氏自身が時々この東院に渡ってきた折には、そこを住み処《か》としようというわけであった。だから、

またいちだんと立派な、源氏の居所にふさわしいしつらいを施《ほどこ》してある。

明石の御方には、その後も源氏からの消息《しょうそく》が絶えない。そうして、今はもう決心して上京なさいと源氏は言ってくるのだったが、それでも、女は、やはりわが身の程をつくづくと思い巡らすにつけて、踏《ふ》ん切《ぎ》りがつかぬ。

〈……自分なんかより遥《はる》かに素晴らしいお家柄の姫君に対してでも、源氏さまという方は、なまじっかに情を懸けては、正室に迎えるでもなく、といってすっきりと思い離れるでもなく、冷淡な態度で生殺《なまごろ》しのようにしておかれるそうだし……そういう噂《うわさ》を聞くにつけても、自分なんかが京《きょう》に上《のぼ》ったって、それはただ苦しい物思いをするために行くようなもの。……ましてや、私なんかは田舎《いなか》の受領《ずりょう》の娘に過ぎないのに、どれほどな身分の者のつもりで、都の高家《こうけ》のかたがたの間に立ち交わろうとするのであろう。そんなことをすれば、この姫君の母親が物の数でもないような身分の田舎娘だということが、天下に知れ渡って、結果的に、姫に恥をかかせるようなことになるかもしれない。

……それに、仮に上京したとしても、源氏さまがそうしょっちゅう通《かよ》ってくださるはずもなく、ごくたまに、どこかへお出《い》でになるついでにちらっと立ち寄られる程度にちがいない。そんな機会をただ待つだけのこと、結局人様《ひとさま》からはいい笑いものになって体裁《ていさい》の悪いことがどんなに起こるだろうかしら……〉と、思いは乱れるばかりであった。

さりとて、姫がこんな田舎に育って、源氏の子として一人前に数えてもらえないのも、姫にとってはかわいそうでしかたがないと思えば、いかに源氏が消息をよこしたとて、そのことを恨《うら》みもできぬし、といって、きっぱりと縁を切ることも出来難い。

両親の、明石の入道《にゅうどう》と母君としても、娘の思い悩むところは尤《もっと》も至極《しごく》だと思って、出るのはため息ばかり、こんなことでは、源氏が好意で京へ呼んでくれることが却《かえ》って仇《あだ》になって、神経衰弱になってしまいそうな日々を送っている。

母君の祖父、中務宮の大井の邸を修築

昔、この母君の祖父にあたる中務宮《なかづかさのみや》という人が領《りょう》していたお邸《やしき》は、大井川《おおいがわ》のあたりにあるのだが、その没後は、これという後継者もなくて、もう何年ものあいだ荒《あ》れ果てたままになっているということを、入道は思い出した。

そこで、宮の生前から、引き続きこの邸の管理人のようになっていた者を急遽《きゅうきょ》呼びつけ

た。

「わしは、世の中などというものは、所詮《しょせん》こんなものだろうと見切りをつけてな、かかる田舎住まいに身を落とすことになったのだが、……いやいや、その人生も終わりになってから、思いもかけない幸いに出くわしてな、ちと仔細《しさい》あって、これより都の内に改めて住まいを求めようということになったのじゃ。さりながら、これだけ田舎住まいをしておったものが、いきなり晴れがましいところへ立ち交わるというのも、まあみっともない話さ。あの娘なども、こんな田舎育ちゆえ、いきなり賑々《にぎにぎ》しいところへ出ては、心も落ち着くまいしな、……さてそこでだ。わしは、ひとつ思いついた。あの古びて忘れていた邸を探し出して、そこへ移ろうかと思いついたというわけさ。引き移るについては、今のままではどうにもなるまい。修理に必要な入用《いりよう》などは、いかほどもこちらから送ることにしようから、よく修繕して、一通り人の住めるようにはしてもらえまいかの」

入道は、預かりの者にこうもちかけた。預かりの者が答えていうには、

「はあ、もうここ何年と持ち主というべき方もおられませず、今ではひどい藪《やぶ》になってしまっております。わたくしどもは、召使い部屋をば、なんとかかんとか修繕して住まいおりますが、この春の頃から、内大臣《ないだいじん》の源氏さまがご建立《こんりゅう》になられました御堂《みどう》が近くに出来

ました関係で、あのあたりもなにかと騒がしい気配となってまいりました。なにぶん、それはもうえらく立派な御堂でございましてな、その普請に、たくさんの人数が出てしきりとトンカントンカンやっておりますようでございます。されば、もし静かなところにお住まいになりたいというご希望でございますれば、あそこはいささかご期待には添いかねようかと存じますが……」

「いやさ、そんなことはなんでもない。その源氏さまのお蔭を少しばかりこうむって、と思うところがあってのことじゃ。ま、こまかな部屋のなかの造作《ぞうさく》などは、おいおい調《ととの》えようほどに、まずは急いで、とにもかくにも住めるように取り計らってな」

と、入道はそんなふうに言った。

「はっ、わたくしが持ち主というわけではもちろんございませんが、当面あのお邸を相続なさったという方もございませぬで、ちょうど物陰になっておりますようなところでございますれば、ここ何年か、わたくしめが隠れ住んでおりますような次第で……。あのあたり一帯のご領地の田畑なども、ひどく荒れ放題になってございましたので、中務宮さまのご子息、故民部《みんぶ》の大輔《たゆう》さまにお願いして、わたくしめが申し受け、収穫したもののなにがしかをお納めするという約束にて、せいぜい耕作いたしておりますので、へい」

どうやら、この男は、その田畑を召し上げられるのではないかと危《あや》ぶんでいるらしい。髭《ひげ》ぼうぼうの、にくらしげな仏頂面《ぶっちょうづら》をして、鼻などを赤くしつつ、口をとがらせてぶつぶつと言う。

「これこれ、なにを申しておるのじゃ。その田畑のことなど、わしの知ったことではない。べつに召し上げたりはせぬから、安心して、今後も耕《たがや》しておるがよい。その土地の地《ち》券《けん》は、今もわしの手元にあるが、しょせん世俗の一切を捨てた身じゃ、この年ごろ、どうなっているのか、一切尋ねたこともない。さればいずれしかるべくその方のものにしてやろうほどにな」

入道は、こんなことを言うにつけても、なにかと源氏との縁を仄《ほの》めかす。預かりの男は、そんなことを一々言われるのも煩わしいことと思って、話を適当に切り上げると、諸々《もろもろ》の入用などたんまりと受け取って帰り、急ぎ修繕にとりかかった。

入道がこんなことを思い付いたとも知らず、源氏は、どうして明石の御方と姫が上京を渋っているのであろうかと、それが不審でならぬ。

〈いかになんでも、このまま姫君があんな片田舎になすところなく暮らしている事実を、後々まで人々が言い伝えるというのは、なんとしてもまずかろう。姫君が上京した後になって、母は田舎の受領の娘に過ぎぬところへ、さらに田舎育ちということになれば、一段と外聞《がいぶん》よろしからず、姫にとって一身《いっしん》の疵《きず》となりはすまいか〉と、とつおいつ考えているところに、入道は、その大井川の邸の修繕を終えて、源氏のもとへ、

「かくかくしかじかのところがあるのを、この頃思い出しましてございます」

と言上《ごんじょう》してきた。

〈ふむ、さては入道め、あの娘が京の邸に来て人と交わるのをさもいやがっていたのは、こういうことを思っていたからであったか、なるほどな。ま、それはそれで、悪くない心配りだな〉と、源氏は、そのように心得た。

惟光《これみつ》は、こうした源氏の秘密の恋路には、いつだって一役買ってきた男ゆえ、このたびも、さっそく大井川の邸へ遣《つか》わして、みっともなくないように、ここはこう、あそこはあと、邸のしつらいについて指図《さしず》させたのであった。

惟光は帰ってきて報告する。

「あのあたりは、なかなか風光もよろしく、例の明石の海辺あたりにもいささか似通《にかよ》ったところもございますような場所柄でございます」

源氏は、これを聞いて、〈うむ、明石の人を人目につかぬように住まわせて通うのには、

ふさわしからぬこともあるまいな〉などと思っている。

さて、源氏が造らせているという御堂は、大覚寺《だいかくじ》の南に当たり、庭には、人造の滝なども拵《こしら》えて、同じく庭の滝で有名な大覚寺におさおさ劣らぬように、風情豊かに造営した寺なのであった。

一方、明石の入道の言っていた大井川の邸というのは、川に面した、枝ぶりも面白い松の蔭に、建物そのものは、特段に趣向を凝《こ》らしたというわけでもない、すっきりと質素な寝殿造《しんでんづく》りで、その飾り気のない佇《たたず》まいは、いっそ山里らしい雅趣《がしゅ》を感じさせている。源氏は、その内部のしつらいなどにまで、おさおさ怠《おこた》りなく心配りをするのであった。

明石の御方上京す

そうしておいて、源氏は、気心の知れた腹心《ふくしん》の家来を、極秘裏に明石へ派遣した。

こうまでされれば、明石の御方に、もはや否《いな》やは許されない。

いよいよ今度こそは都へ上らなくてはと思うと、もうずっと住み慣れてきた海辺の里を離れてしまうことが名残《なごり》惜しく胸に迫《せま》ってくる。しかも、母君と、自分と、かわいい姫君と、三人とも上京してしまったら、父入道は一人この寂しい浦里に心細く取り残されることを思って、心は乱れ、なにもかもが悲しく思える。

〈ああ、どうしてこんなにも、心を悲しませるようなことばかり多くなってしまったわが身なのでしょう。……こんなことなら、いっそ源氏さまのお情《なさけ》の露《つゆ》など、始めからかからぬような人の身の上が、かえって羨《うらや》ましく思えるくらい……〉と、女君は悲嘆にくれるのであった。

親たちにしてみれば、こんなふうに、源氏ほどの人からお迎えが来て上京するということは、もとより幸いであるには違いないし、いや、そうなることを、入道たちは、ここ何年というもの、寝ても覚めても祈願していたくらいで、その願いが叶《かな》ったのだから、それは嬉《うれ》しい。嬉しいはずなのだけれど、しかし、これから先、遠く離れて、長年連れ添った妻とも、愛育した娘とも、そして可愛い盛りの姫君とも、もう今生《こんじょう》では二度と、会うことはできないのだと思うと、その別れの辛《つら》さが、堪《た》え難い悲しさとなって入道の心を締めつける。

入道は、夜も昼も、ただうつけのようにぼんやりと思いに沈んで、何度も何度も同じことばかり、

「ああ、そんなら、この姫君を、これからもう見ることもできずに暮らさなくてはいかんのか……」

と、繰《く》り返し呟《つぶや》くばかりであった。

母君も、たいそう哀しいことであった。もうここ何年と、入道は浜近い邸に、母君と娘は山里の館に、と分かれて離れ離れに住んでいたのだから、今娘が上京するとなったら、なぜ一人だけ山里に居残る理由があるだろうか。そう思って母君も上京する決心をしたのだ。けれども、ただ浮《うわ》ついた気持ちでちょっと契《ちぎ》ったという程度の、あさはかな仲ですら、男と女の契りというものは、いざ別れるとなったら、ただごとでは済まぬ。古歌に、

「みなれ木の見慣れそなれて離れなば恋しからむや恋しからじや（磯辺《いそべ》の松のように水馴（みな）れた木……その木のように見慣（みな）れ、磯に慣れていたのに、別れたならば、恋しいだろうか、恋しくないことがあるものか）」と歌ってある、その磯に慣れた木と水とが別れるような、別離の悲しみ、誰だって別れは悲しいけれど、まして、長年連れ添って、いずれは共にこの世の命を終えようとまで思っていた夫婦の別れである、悲しくないなどということはあり得ないのであった。

〈あの入道は、あんな頑愚《がんぐ》そのものの坊主頭で、偏屈な心のさまも、あまり頼りにはなら

ないけれど、でも、やっぱり夫は夫、この明石こそは、ここで一生を終えるべき終《つい》の住み処《か》なのだと思って今まで来た。「あり果てぬ命待つ間《ま》のほどばかり憂《う》きことしげく思はずもがな（いつまでも生きて居られるという命ではなし、せめてそのはかない命の間くらいは、辛いことをあれこれ思わずに過ごしたいものだ）」という古歌の、その「あり果てぬ命」だもの……せめて限りある命のあいだばかりはいっしょに、と思って、この所で夫婦として過ごしてきたのに、こんなふうに急に離れ離れになってしまうなんて……〉と、それは心細く思わずにはいられない。

都から下ってきて入道の家に召し使われていた若い女房たちは、もともとこんなうらぶれた浜辺の里で暮らすことを悲観していたのだが、それが一転して上京すると決まったのは、なにより嬉しい。けれども、そうは言っても、何年か見慣れてきたこの浜の景色も見捨て難く、〈この浜の景色も、もう二度と帰って来て見ることはできないのね〉と思うと、やはりそれも悲しくて、ただでさえ打ち寄せる波に濡れがちの袖《そで》が、悲しみの涙にひどく濡れるのであった。

明石の父娘別離の朝

しかも、秋のことであった。なにもかもがしめやかな情調《じょうちょう》に塗《ぬ》りこめられたなかで、とうとう出発の日がやってきた。

もうじき夜が明けるというその日の暁《あかつき》の闇《やみ》のなか、寂《さび》しさを募らせる秋風が涼しく吹いて、虫もせわしなく鳴き立てている。明石の御方は、眠りもやらず海のほうをぼんやりと見ている。

父入道は、いつも払暁《ふつぎょう》のころに後夜《ごや》の勤行《ごんぎょう》に起き出すのだが、きょうはそれよりも早く起きてきて、暗い闇のなかで、鼻を啜《すす》り上げながら、涙声で読経《どきょう》をしている。晴れの出立《しゅったつ》の日ゆえ、「別れる」やら「悲しい」やらの忌《い》まわしいことばは使わぬように、また涙も不吉ゆえ流さぬようにと、皆心がけてはいるのだが、ついつい、堪《こら》えることができぬ。

姫君は、愁嘆《しゅうたん》する大人たちの心も知らぬげに、それはそれはかわいらしい様子で、かの唐土《もろこし》の人がなによりも大事にするという夜光《やこう》の玉のように大切に思われる。

〈おお、おお、この姫は、こうして爺《じじ》の袖から放《はな》したことがないほど、いつもわしに馴《な》れて、まつわり付いている……この心根《こころね》のけなげなこと。……それにくらべてこの爺は、縁《えん》起《ぎ》でもないような坊主の姿になって、こんなときには、おのれのこの忌まわしい姿がなさけない。それでも、これから先、この姫を片時だって見ずに過ごすことなど、いったいぜんたいできるものだろうか……〉と、そう思うと、入道は不吉なことと分かっていながら、滂沱《ぼうだ》の涙を禁じ得ない。

「行くさきをはるかに祈る別れ路《ぢ》に
堪《た》へぬは老《おい》の涙なりけり

これより先、はるかな旅路の安全と、遠い都での将来の幸福をと、一心に祈っている
この別れの時に、それでも堪《こら》えることができぬものは、老い先短い年よりの涙でござるよなあ

ええい、涙など不吉じゃ」

そう言って、入道は、顔をごしごしと押し拭《ぬぐ》って必死に涙を隠そうとする。

北《きた》の方《かた》は出家して尼になっていたが、この夫の歌を聞いて、すぐに唱和する。

もろともに都は出でき
このたびやひとり野《の》中《なか》の道にまどはむ
もう大昔に、あなたと二人で都を出てきたのでしたね。
でも、このたびの、この旅は、あなたと離れて、わたくしひとり、野中の道にくれ惑うことでございましょう

それだけ言うと、尼君は、さめざめと泣いてことばもない。が、それも道理というものであった。
もう長い年月《としつき》、夫婦の契りを結んで年を重ねてきたことを思えば、ただただ源氏のあてにもならぬ愛情だけを頼りにして、夫と別れ、とっくに捨ててきたはずの都に帰るというのも、思えば思えば悲しいことであった。
娘の明石の御方が、両親の唱和を聴いて、自らも歌い聞かせる。
「いきてまたあひ見むことをいつとてか
限りも知らぬ世をば頼まむ
これから遠い道を行き、生きてまた相見ることができるのは、いつになるのかと、

いつ命の果てるとも知れぬこの儚《はかな》い世を頼みにしようということでしょうか

せめて都まで、お送りくだされればいいのに」

女君は、そう言ってしきりに父に頼むけれど、入道は、いろいろな理由をつけて、とてもそうはいかないのだということを言い聞かせる。それでも、馴れぬ道中のほどが、気になって気になってしかたないという様子であった。

「されば、昔、わしが世を諦《あきら》めた頃のことを言えばな、こんな見も知らぬ国に下って来たというのも、煎《せん》じ詰めればただ、おまえさまのためじゃった。都で不自由な暮らしをするくらいなら、中央での出世など諦めて、いっそ播磨《はりま》あたりの国守になれば、なにかと手元が自由になろうから、そしたらわしらの思いのままに、明け暮れおまえさまのお世話をして、立派に育ててやることが叶うに違いないと、そう思って決心したのじゃが……。けれどもな、そうそう思うようにはいかなかった。播磨守としては、とかくうまく運ばぬことのみ多くてな、わが身の運のつたなさを思い知ったというわけだ。といってな、もういちど都に帰って……と思ってみたところで、しょせんは、受領上がりの落ちぶれ者とでもいうところさ。貧相なもとの家はすっかり草ぼうぼうになってしまっておるしな、それをもとどおりに盛り返すこともむずかしい。それで、公私にわたって愚かな奴よとろくでもない評判ばかり蒙《こうむ》って、亡き親どもの名声をまで辱《はずかし》めることになるのは必定《ひつじょう》、それもたまらん話さ。……で、結局こうして頭を丸めて出家となったわけだから、あの都を出たのが、すなわち世を捨てた門出《かどで》であったなと、人の口の噂にもなった。……だがな、その出家ということについては、我ながら良くもまあ俗世の欲を離れて決心したものだと自分では思っていたものだが……いや、おまえさまがだんだんと大人びて、物心のつくころになるにつれてな、ああ美しい娘に育った、それなのにどうしてまたこんな、なんの取り柄《え》もないような田舎に、その錦《にしき》のような美しさを隠したまま、故郷の都へ帰ることもせぬのであろう……と、そんなふうに思うと、かの『人の親の心は闇にあらねども子を思ふ道にまどひぬるかな』と詠った古歌の心さながら、私の心の闇の晴れ間とてもなく、日々ただただ溜《た》め息をついてくらしておった。せめて、神仏《しんぶつ》に願《がん》を懸けてな、それでも、なにぶん私自身がこうも不運な人生を送っているとあっては、おまえさまも、その巻き添えになって、このような山賤《やまがつ》の小屋のようなところに、一生を送るなんてことになっては一大事じゃ、いや、まさかそんなことはあるまいと、それだけを心のなかのたった一つの願いとして過ごしていた。

……ああ、ところがじゃ、あの思いも寄らなかった幸いがあって、源氏の君のお情を賜《たまわ》り、嬉しいことのなりゆきを見る結果になったけれど、だがな、生半可《なまはんか》にすばらしいご縁を賜ったにつけては、この情ない入道の身の程《ほど》を思い知らされることも、あれこれあってな、それはそれでまた、却《かえ》って悲しい嘆きの種となったわ。

……ところへ、あの姫君が、こうしてお生まれになった、前世からのご縁の頼もしさに、さてそうなれば、おまえさまだってこんな辺鄙《へんぴ》な渚《なぎさ》にべんべんと月日を過ごしているというわけにもいかぬこと、それはそれはなんとしてももったいないことじゃからな。それに、姫君がここにお生まれになったについては、その前世からの契りというものは、たしかに格別のものにちがいないのじゃから、まず、これから先はこんな田舎爺《じじい》が気安くお目にかかるというわけにもいくまい。そのことは、幾重《いくえ》にも悲しいし、心の鎮《しず》めようもないけれど、いやなに、しょせんこの老いぼれは、もう永劫《えいごう》にこの俗世を捨て果てたつもりでおる。

……が、おまえさまや姫君は、これから世を照らすに違いない光が御身《おんみ》に添うておるのじゃから、おそらくは天女《てんにょ》の降臨でもあったのであろう。それがほんのしばらくの間だけ、こんな田舎爺の心を乱す程度の因縁《いんねん》はあったにもせよ、もとより娘が天女とあっては、わしとて天人《てんにん》のはしくれであったかもしれぬ。聞けば天人もやがて命尽きるときには、地獄《じごく》、餓鬼《がき》、畜生《ちくしょう》の三悪道《さんあくどう》に堕《お》ちるとか。

……されば、この別れの辛《つら》さも、その天人の苦悩に思いなぞらえて、今日《こんにち》のただ今、きっぱりと永《なが》のお別れを申すことにしよう。

……よいか、わしが死んだと聞いたとて、葬式やら法事やらのことなど、なにも考えんでよいぞ。……古歌に『世の中にさらぬ別れのなくもがな千代《ちよ》もと嘆く人の子のため（世の中に、どうしたって避けることのできない別れ、死というものがなかったらいいのに。永遠に生きていてほしいと嘆く子どもらのために）』と歌うてある……が、そんなことにお心を動かしなさいますなよ」

入道はこう言い放ってはみるものの、また、

「この爺は、な、死んで煙になるその間際《まぎわ》まで、姫君のおん行く末をな、毎日六度の勤行ごとに……祈っておるからの。未練、といえば未練かもしれぬ、それでもな……」

そこまで言うと、入道は、顔をクシャクシャにして泣きべそをかいた。

明石の御方、大井の邸に到着

さて、京への道中は、牛車《ぎっしゃ》を連《つら》ねて行くとすれば台数も夥《おびただ》しく大げさなことになるし、といって、少しずつ何組かに分けて行くというのもなにかと煩《わずら》わしかろう。また、源氏の遣わした供人《ともびと》たちも、せいぜい内密にせよという命《めい》を受けて来ているので、目立つのは困る。そういうわけで、陸路ではなく、船路《ふなじ》ひそかに上京しようということに定められた。

朝、辰《たつ》の刻《こく》（午前八時前後）に船を出した。

「ほのぼのと明石の浦の朝霧《あさぎり》に島隠れゆく舟をしぞ思ふ（ほのぼのと明けてきた明石の浦に朝霧が立っている。その朝霧のなかを、だんだんと遠ざかって島陰に隠れてゆく舟、その舟を、しみじみと思い遣《や》っているのだ）」と、昔の人は、こんな歌を歌って明石の浦の朝霧のなかを遠ざかる舟を見送ったものだが、今目前に古歌さながらの景色を見やって、入道の悲しみはひとしお深い。この悲しみのために、入道の身ながら、とうてい心を澄ませて仏に仕えるなどできぬ相談で、ただただ魂も消え行くばかりに茫然《ぼうぜん》と沈み込んでいる。

舟の上の人となった尼君も、もうこの明石で長い月日を過ごして、今さらに京に帰るというのも、やはり心に思うことどもは尽きず、さめざめと泣きながら歌を詠んだ。

　かの岸に心寄りにし海士船《あまぶね》の
　そむきしかたに漕《こ》ぎ帰るかな

もはや俗世を捨てて明石のあの岸に隠遁《いんとん》して、彼岸のほうへ心の寄ってしまっているこの尼（あま）の乗る、海士（あま）の船は、
いまこうして、かつて捨てたはずの塵土《じんど》の都のほうへ漕ぎ帰っていくことよ

明石の御方がこれに唱和する。

　いくかへり行きかふ秋を過ぐしつつ
　浮木《うきき》に乗りてわれ帰るらむ

いったい何度去来したことだろう明石の秋を、こうして過ごしてきたのに、
まるで浮木のような儚《はかな》いものに乗って、わたくしはいま、なぜに都のほうへ帰るのでしょうか

　こうして船は順風に乗じて、予《あらかじ》め予想していた日数《ひかず》のとおり、一行は京に到着した。なにぶん、人に見咎められぬようにとの心づもりもあるので、船を降りての後、陸路入京

するときの道中も、よほど軽輩《けいはい》のそれのように装って行く。

　大井川の邸に着いた。

見れば、この家の造作《ぞうさく》もなかなか趣があって、水辺《すいへん》の雰囲気は年来住み慣れた明石の海浜《かい》にも似通《ひん》ったところがあるので、尼君も明石の御方も、まるで別の土地に来たような気がしない。それでいて、ここはもともと尼君の祖父中務宮《なかづかさのみや》の旧居だったことゆえ、亡き祖父のことやらなにやら、昔のことも思い出されて心に沁《し》みることが多かった。

寝殿と対屋《たいのや》を結ぶ渡殿などは、もとのはもう壊れてしまったと見えて、こたび新しく造り添えてあったが、それもまた、由緒《ゆいしょ》ありげな佇《たたず》まいに造りなし、庭の遣水《やりみず》もたっぷりと趣《おもむき》豊かに作りあげてあった。それらはみな、源氏の心配りから出たことに違いない。

急ぎ普請《ふしん》したことゆえ、まだ完璧《かんぺき》に調《ととの》っているとまではいかなかったが、これからここに住み着いてしまえば、まず住めば都というところであろうか。

源氏は、気心の知れた家来に命じて、明石一行の歓迎の祝宴のことなどしかるべく手配してあった。けれども、肝心の源氏自身がこの邸に渡ってくるということになると、本邸の紫上《むらさきのうえ》の手前、なんと口実をつけて出かけようかと考えあぐねているうちに、何日も日数が経《た》ってしまった。

　明石の御方は、しかし、源氏の訪れもなくて寂しい日々のなかで、毎日憂鬱《ゆううつ》な思いでいる。捨ててきた明石の家居《いえい》も恋しいし、ぽつねんとして所在なくもあるし、しかたないので、源氏が形見として置いていった、あの琴《きん》を掻《か》き鳴らした。

折柄蕭然《しょうぜん》たる秋、寂しさは堪え難くて、近侍《きんじ》の女房などもいない自室にくつろいで少し弾いてみる。すると、松風《まつかぜ》があられもないほど音高く響きあうのであった。尼君も、どこか悲しげな様子で横になっていたが、この鏘々《そうそう》と響きあう琴声松風《きんせいしょうふう》を聞いては、堪《たま》らず、ふと起き上がって、歌を詠じた。

　　身をかへてひとり帰れる山里に
　　聞きしに似たる松風ぞ吹く

　昔ここに居た頃とはすっかり身のありさまを引き変えて、こんな尼姿となって一人で帰ってきたこの山里に、
ああ、あの明石で聞いたのとよく似た松風の音、それに紛《まぎ》れてあの琴の音が聞こえてきます

明石の御方は、この歌にも応《こた》える。

故里《ふるさと》に見し世の友《とも》を恋《こ》ひわびて
さへづることを誰《たれ》か分《わ》くらむ

むかし、この里で仲良くしていた幼なじみが恋しくて、こらえ切れずに弾いてみても、明石なんて田舎で弾いていた琴（こと）だもの、海士《あま》の囀《さえず》りのように田舎訛《なま》りの音で奏でていることを、都の誰が聞き分けてくれるものでしょう

こんなふうになんだかあてにならない日々を、明石の御方は過ごしている。

源氏は、もう我慢ができなくなった。こうして明石の人々を待たせているのも心が落ち着かないので、この際、紫上がなんと思うかも憚《はばか》らず、逢いたい一心で大井川へ出かけることにした。紫上には、こんなふうにして明石の人々が上京してきているということを、まだ教えてもいなかったのだが、自分が言わぬうちに、また紫上のほうで人聞きにでも事実を知ったりしては一大事だと心得て、源氏は、このことを虚実《きよじつ》とりまぜて知らせやるのであった。

「桂《かつら》のあたりに、ちょっと行かなくてはならない用事があったのだけれど、なんともはや、うかうかとしているうちに、思いがけず、ずいぶん日が経ってしまって……。予《かね》て訪ねようと約していた人も、ちょうどその近くまで来ていて、なんでも私を待っているということでもあり、あまり待たせるのも気の毒だからね、また、このところ造営中であった嵯峨《さが》の御堂にも、まだちゃんと飾り終えていない仏像があるので、そちらにも顔出しをせねばならず、かれこれ二、三日はかかるだろうか……」

源氏は、こんなふうに挨拶をした。

この桂のあたりに、桂の院という邸を、このところ急ぎ造らせていると聞いて、紫上は、〈……さてはあの明石の御方とやらを、その桂に住まわせるつもりなのね〉と思うと、いかにも面白くない。

「そんなにあれこれご普請の見回りをなさるのでは、さぞ斧《おの》の柄《え》も付け替えなくてはならなくなるほど、長《なが》のご逗留《とうりゅう》になるのでしょ。待ち遠しいこと」

紫上は、いかいかんむりでこんなことを言った。昔唐土《もろこし》の晋《しん》の王質《おうしつ》が、木を伐《き》りに石室山《せきしつざん》に到《いた》り、そこで数人の童子が囲碁《いご》に興じているのに出くわした。見物していて、ついつい面白さにふと気がつくと、持っていた斧の柄が腐ってしまっているほどの長い時間が経っていた。帰ってみれば、もう故郷に誰も知る人は居なかった、という話を、なにかの絵巻ででも見たのであろう、不機嫌そうにこんなあてこすりを言う。

〈また、いつもの焼きもち沙汰《ざた》か……どうも女の心は度《ど》し難いな。もう昔のような浮気心は名残《なごり》もなく治まっていると、世の人だって噂していると言うのに〉などと、源氏は、内心ぼやきながら、なんとかかんとか女君のご機嫌を取り結んでいるうちに、すっかり日も高くなってしまった。

大井邸にて明石の御方と再会

ともあれ、前駆《さきが》けも、ほんとうに腹心の者だけにして、せいぜい秘密裏に源氏は大井川の邸へ忍んでいった。出かけるのが遅くなったせいで、到着したのは、もう黄昏《たそがれ》どきであった。

かつて明石で逢うたときの源氏は、まるで狩《かり》にでも行くような質素な身なりであったが、それでも明石の御方の目には、世に二人と居ないほどの美しさに思えたものだった。ましてきょうは、逢瀬《おうせ》のために、しっくりと心がけて十分に念を入れた直衣姿《のうしすがた》とあれば、この世のものとも思われないくらい清艶《せいえん》な美しさで、目もくらむ思いがする。こんな美しい源氏を目《ま》の当たりにして、女君は、このところ物思いに咽《むせ》んでいた心の鬱屈《うっくつ》も、さあっと晴れるような心地がした。

なかなか見ることができなかった姫君を、今はじめて見て、源氏の心はひどく揺さぶられる。されば、何年もの間逢わずにいたことも悔やまれて、源氏の胸中には、この再会に深い感慨がわきおこるのだった。

〈あの葵上《あおいのうえ》の遺《のこ》した若君を、世の中ではみなたいそうかわいらしげだともてはやすが、それも、今の私の権勢に目がくらんでそんなふうに見做《みな》すのであろうかな。しかし、この姫は違う。麗《うるわ》しい人は、こんな頑是《がんぜ》無い子のうちから、はっきりと見分けられる……このにっこりとした笑みのあどけなさ。この優しい美しさたるや、はっきりと形に出ている。ああ、かわいい、ほんとにかわいい〉と源氏は思う。

あの京から下っていた乳母《めのと》も、赴任したころには落ちぶれていたせいもあって窶《やつ》れていたけれど、今ではすっかり垢抜《あかぬ》けて美しくなり、明石を出て以来の日々のことをあれこれと親しげに源氏に物語って聞かせる。源氏は、しみじみとこれを聞きながら、あんな海士《あま》どもが塩を焼いている小屋の近くで何年も過ごさせたことに、懇篤《こんとく》なねぎらいの言葉をかける。

「ついては、この大井川のあたりも、ずいぶんと人里離れているから、私が訪ねてくるのも容易でない。やはり、こちらに用意してあるちゃんとしたところへお移りなさるがよいぞ」

と、源氏は勧めてみるが、明石の御方は首を縦に振らない。

「それでも、まだ都には馴れませぬものを。もうすこしいたしましてから……」

と、そういうのも、まず道理というものであった。

その夜は、一晩中懇《ねんご》ろに契りを結んで、二人は語らい明かした。

源氏、大井邸に逗留

この大井の邸も、よく見ればあちこち修繕しなくてはいけないところがあるので、源氏は、その役目を、この度《たび》新しく任命した職員に命じおいた。

源氏が桂の院に入来《じゅらい》すると聞いて、そのあたりに領している荘園《しょうえん》の者どもは、桂へ参集してきたが、やがて大井のほうを探し当ててやってきた。そこで、源氏は、この者たちに命じて、大井の邸の庭の植え込みが折れて倒れてしまっているところなどを植え直させる。

「そちこちに立ててあった石が、もうすっかり倒れてしまっている。あれらをうまく立て直したなら、きっと風情ある庭になることであろう。……だがね、まず、こんな仮住まいの邸の庭を、そうそう入念に直し繕うというのも、あまり意味がない。仮にそうやって、せいぜい手入れをして住んだとしても、そう長いことここに住むわけでもなし、いずれ出て行かなくてはならないとすれば、あまり心の移るほど手入れをして住んでいては、立ち去る時に執着が残って、却って辛い思いがするだろうし……」

などと、あの明石の仮住まいのことなども、あれこれ思い出しながら、泣いたり笑ったりして、のどかに楽しそうに話をする、そんな源氏のさまも、またたいそう魅力的なのであった。尼君は、物陰から覗《のぞ》き見しては、老いも忘れ、屈託《くったく》した胸も晴れやかになる思いがして、つい口元に微笑《ほほえ》みがこぼれた。

源氏は、続いて東の渡殿の下から流れ出て庭に向かう遣水《やりみず》の佇《たたず》まいを修繕させるというので、その指図をするために、飾らぬ美しさに満ちた袿《うちき》（下に着る衣）だけの姿で端近《はしぢか》に出てきた。尼君のいるところから、その源氏の姿が見える。〈ああ、素晴らしい、嬉しい〉

と尼君は、ひたすら眺め入っている。

すると、簀子《すのこ》の端に、仏に花や水を供《そな》えるための閼伽棚《あかだな》が設けられているのに目を留めて、源氏は、ふと声を上げた。

「おや、これは……さては尼君は、このあたりにおいででしたか。いけない、こんなだらしない格好でうろついてしまいました」

源氏はそんなことを言うと、召使いの者に命じて直衣《のうし》を持ってこさせ、ただちに身なりを整えた。そして尼君のいる几帳《きちよう》のすぐ近くに寄ると、こう語りかけた。

「姫君を、あのように美しく床しくご養育なさったについては、さぞ前世の罪の軽かったことと拝見いたしております。その因縁を辿《たど》れば、尼君さまの熱心なご勤行の賜物《たまもの》であろうと、感無量の思いにございます。しかも、明石でお過ごしになっていた、あの、たいそう清浄《しようじよう》に俗念を去ったお住まいを捨てて、かかる憂《う》きことばかり多い俗塵《ぞくじん》の世へお帰りになった、その子や孫を思い遣りなさいますお志《こころざし》のほどは決して浅くは思われませぬ。また、明石には、あの入道がお独りで留《とど》まられて、はてさていったいどんな思いで、こちらのほうを思い遣っておられましょうか。それを思うと心も千々《ちぢ》に乱れます」

そう語りかける源氏の声の優しさに尼君の心は惹きつけられる。

「もう捨てておりました俗世でございましたが、今さらながらに、こうして立ち帰ってまいりました。それがために、さまざまに思い乱れておりますわたくしの心中を、ご推量いただきましたので、こうして命長く生き永らえておりますことの甲斐《かい》もあったことと、つくづく思い知ったところでございます……」

そこまで言うと尼君は、嗚咽《おえつ》を漏らし、また言葉を継いだ。

「……姫君は、あの明石の荒々しい磯《いそ》の陰に生えた松の二葉さながら、片田舎に生まれついて、そのこともまことにお気の毒なことと存じおりましたが、今はもう間違いなく末頼《すえたの》もしいこととお祝いを申し上げましょう。それでも、姫の母親は、賤《いや》しい家の子でございますれば、この先どんな苦労をするやもしれぬと、親としてはあれもこれも心配ばかりいたしております」

こんなことを述懐《じゅっかい》する尼君の様子は、たしかにおっとりとした風格がある。昔の思い出話に、かつてこの邸には祖父に当たる中務《なかづかさ》の宮が住んでいたというようなことをぽつりぽつりと尼君に語らせて、源氏は聞いている。すると、いましがた修繕を終わった遣水の水音も、昔を今に返すことのできぬことを嘆いているように聞こえてくる。

住み馴れし人はかへりてたどれども
清水《しみづ》ぞ宿のあるじがほなる

かつてここに住み慣れていた人が帰ってきて、
思い出そうにも却ってたどたどしくしか思い出せませんが、
流れ行く湧き水のほうがむしろこの家の主のようなわが物顔で、
さらさらさらさらと流れていきます

尼君は、遣水を見やりながら、そんな歌を詠む。この歌を以《もつ》て、わざとらしくならぬように謙遜して見せるさまは、〈ああ、まことに雅《みや》びやかで良いな〉と源氏は聞いている。

「いさらゐははやくのことも忘れじを
もとのあるじや面《おも》がはりせる

その小さな清水は昔のことも忘れはせぬであろうけれど、
この家の元の主が、こうして尼姿となって面差《おもざ》しを変じてしまったので、
つい知らん顔をして流れてゆくのでありましょうか

ああ……」

と、低吟《ていぎん》しながら、源氏はさっと席を立った。その姿の颯爽《さっそう》たる美しさを、尼君は、

〈この世に、こんな美しい方は二人とはおられまい〉とうっとり見ている。

嵯峨野に造立《ぞうりゅう》している御堂に、源氏はやってきた。

毎月十四日、十五日、そして晦日《みそか》の日に、それぞれ普賢菩薩《ふげんぼさつ》を祀《まつ》っての講《こう》、阿弥陀仏《あみだぶつ》の念仏三昧《ねんぶつざんまい》、そして釈迦《しゃか》の念仏三昧、と執行《しゅぎょう》すべきことはもちろん、またその他にもいろいろと仏事を加えて営むようにと、源氏は住持《じゅうじ》の僧に申し付ける。その上で、堂の飾り、仏の飾り、さまざまの仏具を周到に指図して用意させた。

かくて源氏は、皓々《こうこう》たる月光のなかを、大井の邸へ帰っていった。

目前には悠々たる大井川の水、月光はさざ波だつ川面《かわも》に燦々《さんさん》と降り注いでいる。源氏は、いつぞやの秋、明石の岡辺《おかべ》の邸で、切々《せつせつ》と琴《きん》を掻き鳴らしたあの別れの夜のことを思い出さずにはいられなかった。その折を見過ごすことなく、明石の御方は、源氏が形見として残していった琴《きん》の琴《こと》を差し出した。

この琴を目の当たりにして、源氏は懐かしさに堪《た》えず、つい掻き鳴らした。あの別れの

夜に、二人は別離の歌を贈答したのだったが、その時「逢ふまでのかたみに契る中の緒《を》の調べはことに変わらざらなむ（また逢うまでと、二人で互（かたみ）に約束した仲（なか）ではありませんか。この形見（かたみ）の琴の中（なか）の緒《いと》の調べがいつまでも変わらぬように、二人の仲（なか）もずっと変わらないであってほしいものです）」と源氏が詠んだ、その約束どおり、あの頃と琴の調子は少しも変わっていなかった。さながら昔に返ったようで、あの別れの夜のことが、まるで今のことのように思われる。

契りしにかはらぬ琴の調べにて
絶えぬ心のほどは知りきや

あの夜約束したとおり、少しも変わらない琴の調べを聞いて、
私の絶えぬ愛情のほどがお分かりいただけたでしょうか

源氏が歌うと、女はこう返した。

かはらじと契りしことを頼みにて
松の響きに音《ね》を添へしかな

ずっと心変わりはすまいと約束してくださったことだけを頼りにして待つわたくしは、あの明石の松（まつ）の根（ね）かたで、松風の響きに琴の音（ね）を添えて、音（ね）を上げて泣いていたことでした

こんなふうに、歌を詠み交わしたことも、決して不釣り合いな感じがしなかったのは、思えば、明石の御方にとっては、ずいぶん身に余る幸いというものであったろう。

明石の御方は、今は大人びて﨟長《ろうた》けた容貌や雰囲気を身に纏《まと》っているので、源氏はとうてい思い捨てるなどという気持ちにもなれず、まして、姫君の美しさかわいらしさ、ついいつまでもじっと見てしまっているのであった。

〈……さて、どうしたものであろう。こんなふうに隠し子のような形で生まれ出たことが、かわいそうで残念でならぬゆえ、二条の邸に引き取って、心のままに十分な世話をして育ててやったら、後々人々によからぬ噂をされるという虞《おそれ》もまずあるまいが……〉と、源氏は思う。けれども、それでは母親の明石の御方が気の毒に思われて、なかなか口に出しても言うことができず、だまって涙ぐんでじっと見つめるばかりであった。幼い姫君は、はじめのうちは人見知りをしてはにかんでいたが、しだいにうちとけて、物を言い、

にこっと笑いなどして源氏に馴れ睦《むつ》む様子を見ているうちに、その美しさはいっそうまさってかわいらしいのであった。

美しい源氏がかわいい姫を抱いているさまは、見るだけでも甲斐があって、この姫の前世からの因縁で約束された幸福はまたとないものと見えた。

大井邸、後朝《きぬぎぬ》の別れ

翌日はもう源氏は京の本邸へ帰らなくてはならない。が、すこし朝寝坊をして、大井の邸からそのまま帰京するつもりであった。けれども、源氏の来訪を聞いて桂の院にたくさんの人たちが押しかけていたし、この大井の邸にも、殿上人《てんじょうびと》たちが大勢迎えに来ていた。

そこで、源氏は、衣服を改めるなどし、

「やれやれ、これはきまりが悪い。こそこそ隠れていたのを、こんなふうに見つけられるというような、お忍びの通いどころでもないものを」

と、苦々《にがにが》しい表情になって、その騒然たる空気に引っ立てられるようにして出ていった。

せっかくの後朝《きぬぎぬ》だというのに、ろくに別れを惜しむ暇もなく出て行くのは明石の御方に対していささか気がとがめるので、源氏は戸口のあたりで、さりげなく立ち止まった。すると、乳母が、姫君を抱いて姿を見せた。

源氏はさすがにそのままは帰りかねた。それで、深い愛情を込めた様子で姫君の頭を掻《か》き撫《な》でながら、良く通る声で言う。

「やれやれ、今までは遠い明石に放っておいて逢わずにいても平気だったものを、こうしてひとたび姫の姿を見てしまうと、これからは逢わずにいるのが苦痛になるだろうと思うのだから、まったく我ながらはっきりしたものよな。さて、どうしたものであろう。たびたびここまで来るのはあまりにも遠いし……」

すると乳母は、奥に隠れている明石の御方の気持ちを代弁して言った。

「あの遥かな明石で、まさかお目にかかることはあり得ぬものと諦《あきら》めて過ごしておりました月日は、まだ我慢できましたけれど、今こうして都の近くにおりますのに、これよりあまりに疎遠なお扱いをなされますなら、そのほうがよほど心細くて気が尽きますものを」

その時、姫君が手を差し伸べて、出て行こうとする源氏の跡を慕《した》ってくる。

源氏は、そっと膝《ひざ》をついて姫を抱き留めた。

「ああ、どうしていつも私はこうも物思いに責められる身なのであろうな、自分でもわけが分からないよ。こうしておまえと別れて行くと、ほんのしばらくの間《あいだ》でも逢わずにいるのは辛《つら》い……。なあ、そうだろう姫。どうしておまえの母君は一緒に出てきて別れを惜《お》しんではくれないのかな。そうしたら、きっとこんなに辛い思いをせずに済むものをなあ」

源氏は、姫に話しかけるようにこんなことを言って、その実、奥にいる姫の母君に聞かせている。

乳母はこの様子に、ふふっと笑うと、

「はいはい、女君にそのようにお伝え申しましょ」

などと言うのであった。

さてその明石の御方のほうは、逢わなければそれなりに落ち着いていられたのに、こうしてなまじ再びの逢瀬を遂げてみれば、恋の思いのあれこれに責められて身も心も乱れたまま臥《ふ》せっている。だから、起きて見送ろうにも、すぐには起きることもできないのであった。

けれども源氏は、〈出ても来ないとは、ずいぶんとまた上《うえ》つかたの夫人めいた、もったいぶりようだな〉と思った。それゆえ、脇で見ていた女房たちは、なにやら見兼ねる思いがして、口々に諫《いさ》める。しかたなく、明石の御方はしぶしぶ膝行《しっこう》して出てきた。それでも、几帳《きちょう》の陰にまだ身を隠すようにしている。その横顔はたいそう飾り気のない美しさで見どころがあり、そのやわらいだなよやかな雰囲気は、皇女《みこ》といっても通るくらいの上品さであった。

源氏は、立ち戻ると女君が姿を隠している几帳の垂《た》れ絹《ぎぬ》をざっと引き放って、情深くこまやかに別れを告げる。外では、前駆《さきが》けの者どもなどが、今や遅しと源氏が出て来るのを待って騒然としている。これ以上はぐずぐずもできぬゆえ、源氏は部屋を出ていこうとして、もう一度ふっと振り返ってみた。明石の御方と、目と目が合った。

それまで一生懸命に我が胸を抑えてきた明石の御方は、とうとう我慢ができなくなった。そして人目も構わず、端近《はしぢか》まで出てきて、源氏を見送ったのである。その目に映った源氏はいかばかりであったろうか。

〈なんと、言いようもないほど男盛りの立派なお姿、あの明石では、ずいぶんすらりとした方という感じだったけれど、今拝見すれば、ご身分相応にすこしふくよかにもなられて……こうなられてこそ貫禄《かんろく》もおつきになるというもの、ああ、頭のてっぺんから、指貫《さしぬき》の裾《すそ》まで、どこからどこまでも艶《つや》めいて美しくて、ご立派で、魅力が体全体からこぼれ落ちているようだわ……〉と、明石の御方はうっとりしてしまっている。

それも思えば、ずいぶんと贔屓《ひいき》の引き倒しめいた見方と申すべきでもあろうか……。

右近の将監のその後

以前須磨退隠時分に、源氏に同心してその役を解かれたもとの蔵人《くろうど》（右近の将監《ぞう》）も、いまでは、また蔵人に復職している。そればかりか、靫負《ゆげい》の尉《じょう》に任ぜられ、昇格して従五《じゅご》位下《いげ》を授《さず》けられている。今は昔に引き替えて、この尉も堂々と胸を張って、源氏の佩刀《はいとう》を受け取りに、近くへ寄ってきた。

その時、尉は、ふと、昔明石で契りを結んだ女房がいるのを見つけて話しかけた。

「あの過ぎ去りしころのことは、けっして物忘れしたわけでもございませぬが、恐れ多いことと存じまして、なにかと遠慮などいたしておりました。さても、今朝の暁の寝覚《ねざ》めには、このお邸の前の川面《かわも》より至る秋風に、明石の浜より至る浦風の冷たさをふと思い出しましてございますが、そのことを語り合うべきそなたに、言伝《ことづ》て申すよすがとてもなくて残念に思っておりました」

尉は、妙に格好をつけて風流ぶった口ぶりで申し入れた。

するると、中から答えた女房の答えがまた、なかなかお高く止まっている。

「この大井あたりの『八重《やえ》立つ山』の寂しさは、さらさらあの『島隠れ《しまがくれ》』なる明石の浜にも劣らぬものでございましたゆえ、『松も昔の』友ともいえぬ寂しさに思い悩んでおりました。あなたさまのように、昔のことを決して物忘れせぬと仰《おお》せの方もおいでございますれば、たいそう頼もしいことに存じます」

この答えに尉は苦笑する。

〈やれやれ、なんとまあ、これっぱかりのことに、「白雲《しらくも》の八重《やえ》立つ山の峰にだに住めば住まるる世にこそありけれ（あの白雲の湧き立っている山の峰にだって、住もうと思えば住める、それがこの人の世であったよな）」「ほのぼのと明石の浦の朝霧に島隠れゆく舟をしぞ思ふ（ほのぼのと明けてきた明石の浦に朝霧が立っている。その朝霧のなかを、だんだんと遠ざかって島陰に隠れてゆく舟、その舟を、しみじみと思い遣《や》っているのだ）」「誰をかも知る人にせむ高砂《たかさご》の松も昔の友ならなくに（今となっては、いったい誰をこの世での知友としたらいいものだろう。老いさらばえて、あの長命の高砂の松だって、昔からの友とは言えなくなってしまったものを）」と三つ立て続けに引き歌ずくとは……、なにを勿体《もったい》をつけて。……そのように自分ばっかり、あっちでもこっちでも苦労してきたようなことを言うけれど、俺だってあの頃はなにかと不如意《ふにょい》で愁《うれ》いがなかったわけでもないのになあ〉と、尉は、ちとあきれ返った。とはいえ、表面上はきっぱりと、

「そのうち、しかるべくご挨拶申しましょう」

など四角四面なことを言い捨てて、源氏の側《そば》へと進み出《いで》た。

源氏は、いかにも威風堂々たる足取りで歩み出てゆくと、その前を前駆《さきが》けの者がやかましく声を上げ、同じ牛車の後ろには、頭中将《とうのちゅうじょう》、兵衛督《ひょうえのかみ》らが、乗り込んだ。

源氏は苦々《にがにが》しい表情をしてつぶやく。

「それにしても、こんな軽々しい隠れ家を、大勢の人に見知られてしまっては、どうも閉口するな」

大井の邸は、こっそりと通う隠れ家にしておくつもりだったのに、これではそうも行くまい。それにこんなところから出て来るのをみんなに見られるのも恥ずかしい。源氏の苦々しい表情の理由はそこにあった。頭中将らは、せいぜい座を取り持った。

「いやはや、さてと、……ところで源氏さま、昨夜は良いお月夜でございましたが、ついうっかりお供として参ることができませんで、まことに残念至極に思っておりましたの

で、それがし、今朝は奮発して早起きいたしまして、この朝霧を分けて参上いたしましたような次第で、はい。……さても、なんでござりますな。あの山のほうの紅葉《もみじ》はまだいささか早うございましょうかな。なにぶん、まだああして野辺《のべ》のほうは秋草が咲《さ》き誇っておりますほどに……。えー、あのー、あのナニガシの朝臣《あそん》めは、なんでも隼《はやぶさ》の鷹狩りにかまけておりまして、来るはずが未だに参上つかまつりませぬが……さて、どうなりましたろうかなあ」

などと言い言い、頭中将らは、話をそっぽのほうへはぐらかした。

源氏、桂殿へ

源氏は、にわかに予定を変更して、

「きょうは、これから桂殿《かつらどの》のほうへも参るぞ」

とて、そちらのほうへやってきた。

桂殿（桂の院）のほうでは、まったく突然に源氏が現われたので、何の用意もできていない。とりあえずは饗宴《きようえん》の準備に大わらわとなった。ついては、この川に漁《すなど》る鵜匠《うしよう》どもを呼んだが、その者どもの口調からは、かつて明石のあたりで見聞した、海士の漁師どもの何を言っているとも分からぬ訛《なま》りことばが連想された。それもまた一興と思っていると、そこへ、頭中将らの話していたナニガシの朝臣とやらどもが、野宿して鷹狩りに獲《え》た小鳥を、ほんのお印ばかり結びつけた荻《おぎ》の枝など、土産物に持ってやってきた。たっぷりと酒の入った大甕《おおがめ》が供せられて、それを一座順繰《じゅんぐ》りに飲んでいく。何度も何度も、その甕が巡って、しまいにみんなヘベレケに酔っぱらってしまった。これでは、この川の辺《べ》の遊びなどは、水に落ちる危険もあるからとて、ただただ桂殿で日がな一日、酒盛りに暮らしたのであった。

おのおのが絶句《ぜっく》の漢詩などを作って遊ぶうちに、月が冴《さ》え冴《ざ》えとさし昇ってきて、やがて管弦の遊びが始まった。その一座のいかにも活き活きした楽しさ。

弦楽器は琵琶《びわ》と和琴《わごん》、笛は手だれの奏者ばかり、季節柄の調子に吹き立てるところへ、ちょうど川風の音《おと》が調《しら》べを添えて、その面白いこと。折しも月は中天《ちゅうてん》に高く照らし、なにもかもが澄み渡った夜もようやく更けてくると、殿上人《てんじょうびと》が四、五人連れ立ってやってきた。

この殿上人たちは、帝のお側仕《そばづか》えの者どもであったが、ちょうどその日、内裏でも管弦《かんげん》の御遊《ぎょゆう》が催されていた。その時、帝が、
「今日は、六日間の物忌《ものい》みの謹慎期間が明けて、いつもなら、きっと参内《さんだい》するはずだが、どうして今日に限って源氏は参らぬのか」
と仰せいだされた。そこで、侍臣《じしん》たちから、源氏はこの桂殿に滞在中だということをお聞きになって、それではというので、わざわざお手紙を遣わされたのである。その勅使《ちょくし》は、蔵人の弁《べん》であった。
帝の宸翰《しんかん》には、
「月のすむ川のをちなる里なれば
　桂の影はのどけかるらむ
　　桂川とて、月の中に桂の住む川の、その澄む水のかなたの桂の里なのだから、
　月は山の端に入る気遣いもなく、さぞのんびりとながめることができましょう
羨《うらや》ましいことに思います」
と、こうあった。

源氏は参内せずにかかるところでのんびりしていることが帝のお耳に達したことを、大いに恐れ入っているという旨をお使者を通じて奏上《そうじょう》させる。といって、この月の宴をとどめたわけではない。禁中《きんちゅう》の盛大な管弦の御遊よりも、こんな辺鄙な所がらの音楽は、しんみりと心に染み込んでくる感じがして、またさらに酔いが加わっていった。

せっかく帝から勅使まで賜ったというのに、その勅使に遣わす褒美や、一座への土産物なども用意がなかったので、源氏は、大井の邸へ使いを立てて、

「できるだけさりげない、用意の品はないか」

と言伝《ことづ》てやる。

大井の邸では、さっそく邸にあった物をあれこれ取り合わせて、すぐに運んできた。衣《きぬ》櫃《びつ》が二つ運ばれてきた。勅使蔵人の弁は、すぐに帰参しなくてはならないので、この衣櫃のなかから、女の装束を、その肩に懸けさせて遣わした。

源氏は帝への返歌を、勅使に言付ける。

　久《ひさ》かたの光に近き名のみして

　　朝夕霧も晴れぬ山里

桂の里などと、久方の空の上なる月の桂に近いような名ではありますが、
その実は、朝も夕べも霧の晴れぬ里で、さほど光に近くもないのです

源氏がこんな歌を奉《たてまつ》ったのは、どうかこの桂の里へ行幸をなさってください、お待ちしております、というような気持ちだったのであろう。

こんな歌を作ったついでに、この歌の本歌《ほんか》ともいうべき、古い歌を、源氏は朗詠する。

久方のなかに生《お》ひたる里なれば
光をのみぞ頼むべらなる

ここ桂の里は、久方の空の月の中に生《は》えるという桂を名に負《お》うている里だから、
ただ君の御光だけを頼りにいたしておるようでございます

こんな歌を口ずさんでいるうちに、源氏は、ふとあの明石で「淡路にてあはと遥かに見し月の近き今宵は所がらかも（淡路《あはじ》の島で、彼（あ）はと、阿波門（あはと）遥かに見た月だが、今宵はずいぶん近く見えるのはこの都という所がらからだろうか）」という歌を詠じつつ、その昔躬《み》恒《つね》が、月が近くに見えることをいぶかしがったという故事などを思い出して、胸に込

み上げてくるものを感じた。そのなかには、いくぶん酔い泣きということも混じっているのかもしれぬ。

そして源氏は、こんな歌を詠じた。

めぐり来て手に取るばかりさやけきや
淡路の島のあはと見し月

月日はめぐり、わが身もこうして運勢がめぐり来て、都で手に取るばかり近々とさやかな月を眺めている。はたしてこれは、あの淡路（あはぢ）の島で、彼（あ）はと、阿波門（あはと）遥かに見た月と同じ月なのであろうか

続いて頭中将の詠。

浮雲にしばしまがひし月影の
すみはつるよぞのどけかるべき

夜空の浮雲に紛れ込んでいた月の光が、すっきりと澄み果てる夜……
源氏さまもこうして素晴らしい地位に住み果てる世でございましょうな

左大弁は、もう良い年で、故桐壺院《きりつぼいん》の御代《みよ》から、源氏にずっと親しく仕えていた人物であったが、この者もこう詠んだ。

雲の上《うへ》のすみかを捨てて夜半《よは》の月
いづれの谷《たに》にかげ隠しけむ

雲の上の住み処を捨てて、あの夜半の月は、
いったいどこの谷にその光を隠してしまったのでしょうか……
ああ、あの桐壺の帝は、雲の上のお住まいを捨てて、
いまどこにそのお姿をお隠しになってしまったのでありましょう

かくのごとく、その座に侍《はべ》った人々は、みな心ごころに多くの歌を詠み交わしたけれど、それをいちいちここに書き連ねるのは煩《わずら》わしいゆえ、このくらいにしておく。気を許した親しい人々の、しんみりした物語は、だんだんと内輪の話題なども出て、それはそれは千年でもこのまま見たり聞いたりしていたいというほど、源氏のさまは魅力的であった。

けれども、源氏の心には、ふっと紫上の言葉が面影《おもかげ》に浮かんできて、しまった、と思

う。今回の大井行きの前に、「そんなにあれこれご普請の見回りをなさるのでは、さぞ斧《おの》の柄《え》も付け替えなくてはならなくなるほど、長《なが》のご逗留《とうりゅう》になるのでしょ。待ち遠しいこと」と拗《す》ねて見せた紫上の相貌を思い浮かべると、源氏は、もうこれ以上、こんなところでうかうかと旅寝もしていられないと、覚めた思いで、蒼惶《そうこう》として帰途に就《つ》いた。

それから、供の者、参集の者たちに、それぞれ身分相応の褒美として、色とりどりの衣を肩に懸けさせて与えた。肩に色鮮やかな衣を懸けた者どもが三々五々帰っていくありさまは、あたかも霧の絶え間に立ち交じって彷彿《ほうふつ》と見える植え込みの花々のように美しく眺められた。

近衛府《このえふ》の官人《かんにん》で殊に奏楽に通じた舎人《とねり》どもや、なかでもまた東遊《あずまあそ》びの楽《がく》の名手らなども近侍していたので、このまま何も奏《かな》でずに散会してしまうのも、なにやら物足りない思いがして、神楽歌《かぐらうた》『其駒《そのこま》』などを演奏させてなごりを惜しんだ。

葦駮《あしぶち》の や 森《もり》の 森《もり》の下《した》なる
若駒率《わかこまゐ》て来《こ》 葦毛駮《あしげぶち》の 虎毛《とらげ》の駒《こま》
その駒《こま》ぞ や 我《われ》に 我《われ》に草乞《くさこ》ふ

草《くさ》は取《と》り飼《か》はむ　水《みづ》は取《と》り　草《くさ》は取《と》り飼《か》はむや
葦毛の斑の、や、森の下にいる若駒を引いて来い
葦毛斑の、虎毛の駒を
その駒ぞ、や、俺に草を寄越せと言う
草は取って食わせよう、水はとって飲ませよう
草は取って食わせようよ

こんな神楽の歌を、盛大に歌わせたあと、褒美に源氏が自ら着ていた袿《うちき》を脱いで楽人《がくにん》どもに投げ懸けてやった。そのとりどりの色の美しさは、さながら錦秋《きんしゅう》の紅葉を風が吹きかぶせたかと見える。かくてにぎやかに帰っていく人馬の轟《とどろ》きを、大井の邸にいる明石の御方は、遠く距離を隔てて聴いて、〈ああ、お帰りになってしまう……〉と名残惜しく寂しく、思いに耽《ふけ》っている。

その明石の御方のことを、源氏は忘れてしまっているわけではない、帰る道々も、〈しまった、手紙の一つも書かずに帰ってきてしまって……〉とそのことが気にかかるのであった。

帰邸後、紫上のご機嫌ななめ

二条の邸に帰って、源氏はしばし休息を取った。そして紫上に、大井の山里の物語などを話して聞かせる。

「いや、家を空けるについての約束の日限を過ぎてしまって、すまないな。なにしろ、いつもやってくるあの物好き連中が押しかけてきてね。私は帰ると言ったんだけれど、なんといってもあの者どもが強引に引き止めるのだ。それでついつい根負けして日限を過ぎた。ああ、それで今朝は疲れて気分がすぐれない」

などと言い訳をしながら、源氏はさっさと寝所に入ってしまった。

紫上は、またもやご機嫌うるわしくない。

しかし、源氏はそのことを見て見ぬふりをしつつ、

「まず、肩を並べるほどにもない者を、いちいち思い比べたりするのも、まあよろしくない思案と見えるぞ。あれはあれ、我は我と、おっとり構えていたらいいのだよ」

と、一生懸命に教え諭すのであった。

そしてその日の暮れかかる頃に、源氏は内裏へ参上のため出かけようとして、なにやら、そっと隠すようにして急いで手紙を書いている様子である。さては、あの大井の明石の御方へ、なのであろう。それも、傍目《はため》にも、いかにも細々《こまごま》と心を込めて書いているように見える。

そして書き上げると、側近の者を呼んで、ひそひそひそひそと、何ごとか申し付けて、その手紙を託して出すようであった。それを見ると、紫上に仕えている女房たちなどは、どうしても憎らしがらずにはおかない。

源氏、姫君の養育につき紫上に相談

その夜は、内裏に宿直《とのい》の予定であったが、どうしても紫上のおかんむりが解けないのが気にかかって、もう夜更けていたけれど、せっせと帰ってきた。

そこへ、さきほど大井へ遣わした家来が、明石の御方の返事を持って帰ってきた。

これではとても隠しおおせぬ。源氏は、敢えて紫上の目の前で読んで見せた。そして、文面にはこれといって差し障りのありそうなことは書いてないのを確認してから、

「これね、そなたが破いて始末しなさい。ああ、面倒面倒面倒。こんなものが万一にも外に漏れたら、また大いに面倒なことになる、そういう年格好になってしまったよなあ」

などと嘯《うそぶ》いては、脇息《きょうそく》に倚《よ》り掛かって、しかし、その内心に、やはり明石の御方のことばかりが恋しく思いやられる。

源氏は、ぼんやりと灯明《とうみょう》の火を眺めやって、これといってなにも話さずにいる。明石の御方の文は、そこらへんに広げて散らかしたままになっている。しかし、紫上は、それを見ようともしない。

「ははは、そのね、必死に見て見ぬふりをしている目つき、なんだか妙な按配《あんばい》だね」

源氏はそんなふうに言って、軽く笑った。その愛敬《あいきょう》たっぷりなありさまは、あたりにこぼれ散るようであった。

源氏は、そっと紫上の近くに躙《にじ》り寄って囁《ささや》く。

「じつはね、かわいらしい、いじらしいような姫君を見てしまったよ。されば、やはりああいう子が生まれるということは、前世からの因縁が浅からぬというわけであろうね。とはいいながら、なにしろ母親があああした身分の者ゆえ、わが正式の娘として披露することも、いささか憚りがある。で、いろいろと思い煩《わずら》っているところなのだよ。そこでだね、どうだろう、そなたもひとつ、私と同じ心になってみて、どうしたらいいか、決めてはくれまいか。ああ、どうしたものであろうなあ。……おお、そうだ、そなた、ここであの姫を育《はぐく》みそだててはくれまいか。……うむ、その姫はな、あの伊邪那岐《いざなき》伊邪那美《いざなみ》の産みなさった蛭子《ひるこ》の年、三歳ほどにもなっているのだけれど、それはもう、罪のないあどけない子でね。とてもこのまま思い捨ててしまうということもできがたいのだ。それゆえ、そろそろ袴着《はかまぎ》の年頃でもあるわけなので、今のような頼りない腰つきのままにも捨ておけまいよ。そこでね、もしそなたが、心外で嫌《いや》だとお思いにもならぬのであれば、ひとつ着袴《ちゃっこ》の儀の腰結《こしゆ》いの役をつとめてやってはくれまいかな」

　紫上は静かに答える。

「そうやって、いつでもわたくしが焼きもちを焼くものと、勝手に決めつけておしまいになる……そういう冷淡なお気持ちを、わたくしが強いて気付かぬふりをしているのもなんだかばかばかしくなってしまいます。それだから……。でもね、そのまだ幼い姫君のお心には、きっとお気に入って頂けましょう。さあ、どんなにかわいらしくおなりでしょうか」

　こう言って紫上は、ほんのりと微笑んだ。日ごろから、小さな子どもを見ると、ともかくかわいがりたくなるという気性なので、もういっそちゃんと引き取って、こちらでしっかり抱いてかわいがってあげたい、と紫上は思っている。

が、源氏は、さあどうしたものであろう、迎えに行こうか、どうしようか、と迷っている。

理由もなく大井のほうへ通うということも、これでなかなか難しい。しかたないので、嵯峨野の御堂での念仏講などを口実にして、月に二度くらいは通って契りを結ぶように見えた。「玉かづら絶えぬものからあら玉の年のわたりはただ一夜のみ（あの延々たる蔓《かずら》のように二人の縁《えにし》は絶えぬとはいうものの、天の川を渡っての逢瀬は、あら玉の年の渡りとて、年に一回きりなのでございます）」と古歌に歌われた牽牛織女《けんぎゅうしょくじょ》の逢瀬よりはましのように見えるから、明石の御方としてみれば、これ以上を望むのはとても及ばぬ願いだとは思うけれど、それでもやはり物思いをせずにいられるものであろうか。いや……。

【第三巻】 訳者のひとこと

副人物のおもしろさ

林 望

光源氏が、理想的に美しく、神のごとく聡明で、聖人さながらに有能な為政者で、と、作者の筆は、この主人公を理想化することに並々ならぬ情熱を傾けているけれど、その実、彼の行状となれば、まず感心せぬことばかり多い。それは矛盾といえばたしかに矛盾だけれど、反対側から見れば、これほどの色好みを尽くすためには、そこまで素晴らしい男でなくては間尺《ましやく》が合わないのであった。なにせ、女のほうから見て魅力のない男だったら、色好み話にはまったく説得力がないからである。

そういう意味でいうと、源氏の造形は、いささか図式的で、その周囲の女達の造形のほうが、たしかにより切実、よりリアルだということができるかもしれない。

そこで、ややもすれば、光源氏とその周りの女達にばかり目が行きがちだけれど、そこからちょっと離れたところに点綴《てんてい》される、いわば副人物のなかに、なかなか面白い人間が立ち現われるのにも注目しなくてはならぬ。

たとえば、この巻に登場する人物では、明石《あかし》の入道《にゅうどう》という老人に注目してみたい。

明石の入道については、一つの興味深い噂話《うわさばなし》として、『若紫《わかむらさき》』ですでに言い及ばれていたのであったが、それが実体ある人物としてクローズアップされてくるのは、まず『須《す》磨《ま》』の巻である。

『須磨』の終わりのほうに、源氏の須磨退隠を聞きつけた入道が北の方と問答をするくだりがある。

「桐壺《きりつぼ》の更衣《かうい》の御腹《おんはら》の、源氏の光君こそ、朝廷《おほやけ》の御《おん》かしこまりにて、須磨の浦にものしたまふなれ。吾子《あこ》の御宿世《おんすくせ》にて、おぼえぬことのあるなり。いかでかかるついでに、この君にたてまつらむ」

と切り出した入道に、妻の返答はにべもない。

「あなかたはや……」

『謹訳』では、ここのところ「んまあ、なんてことを」と訳したのだが、要するに妻が頑《かたく》ななな夫をやり込めている場面である。入道が何を言おうとも、妻は聞く耳を持たない。それは、高望みで偏屈で夢想家の夫に対して、気位高く現実家の妻という、現代でもありそうな夫婦像で、とても生き生きとした、面白い場面である。

このあたりに描かれる入道は、それほど品格のある人物のようにも見えないのだが、後に、『明石』の巻でしきりと登場する入道は、勤行《ごんぎょう》に痩《や》せてはいるが品のよい好ましい老人として描かれていて、いくらか人物像にブレがあるようにも感じられる。

それはともかく、『明石』では、娘の明石の君と源氏が宿縁によって契《ちぎ》りを結び、懐妊したことが知らされる。源氏の血をわけた、ただ一人の娘、明石の姫君である。

やがて帰京して返り咲いた源氏は、明石の姫君のことがしきりと気になり始める。当時の政界で権力を握るための捷径《しょうけい》は、娘を入内《じゅだい》させて外戚《がいせき》の地位を占めることであったのだから、たった一人の姫を、明石などという田舎育ちに放置しておくなどというもったいないことはできないのである。

そこで源氏は明石の君を京の自邸へ呼ぼうとするが、明石の方ではよろず気が臆するゆえにすぐには上京しようとはせず、結局大井川の辺《ほとり》の山荘まではやってくることになった。

この時、明石の君、母尼君、姫君の三人が揃って上京してしまうと、入道はたった一人、寂しい明石に取り残される。しかも一たびここで家族と離れれば、それは今生《こんじょう》の別れを覚悟しなくてはならなかった。その発《た》っていく妻や娘や孫を、孤独に見送る入道の姿が描かれるのが『松風《まつかぜ》』の巻である。この老入道の悲哀と諦観《ていかん》が描かれる一段は、この巻屈指の読み所で、私などは、自らも娘や孫を持つ身として、とうてい涙なしには読まれない。

『源氏物語』が恋の物語であることはその通りだが、一面また親子の物語でもあって、こうした親子の別れの愁嘆《しゅうたん》の描き方には、また独特の力が籠《こも》っている。そういうところをよくよく味わってみれば、この物語の面白さが一段と骨髄に徹するにちがいない。

本書の主な登場人物関係図（須磨〜松風）

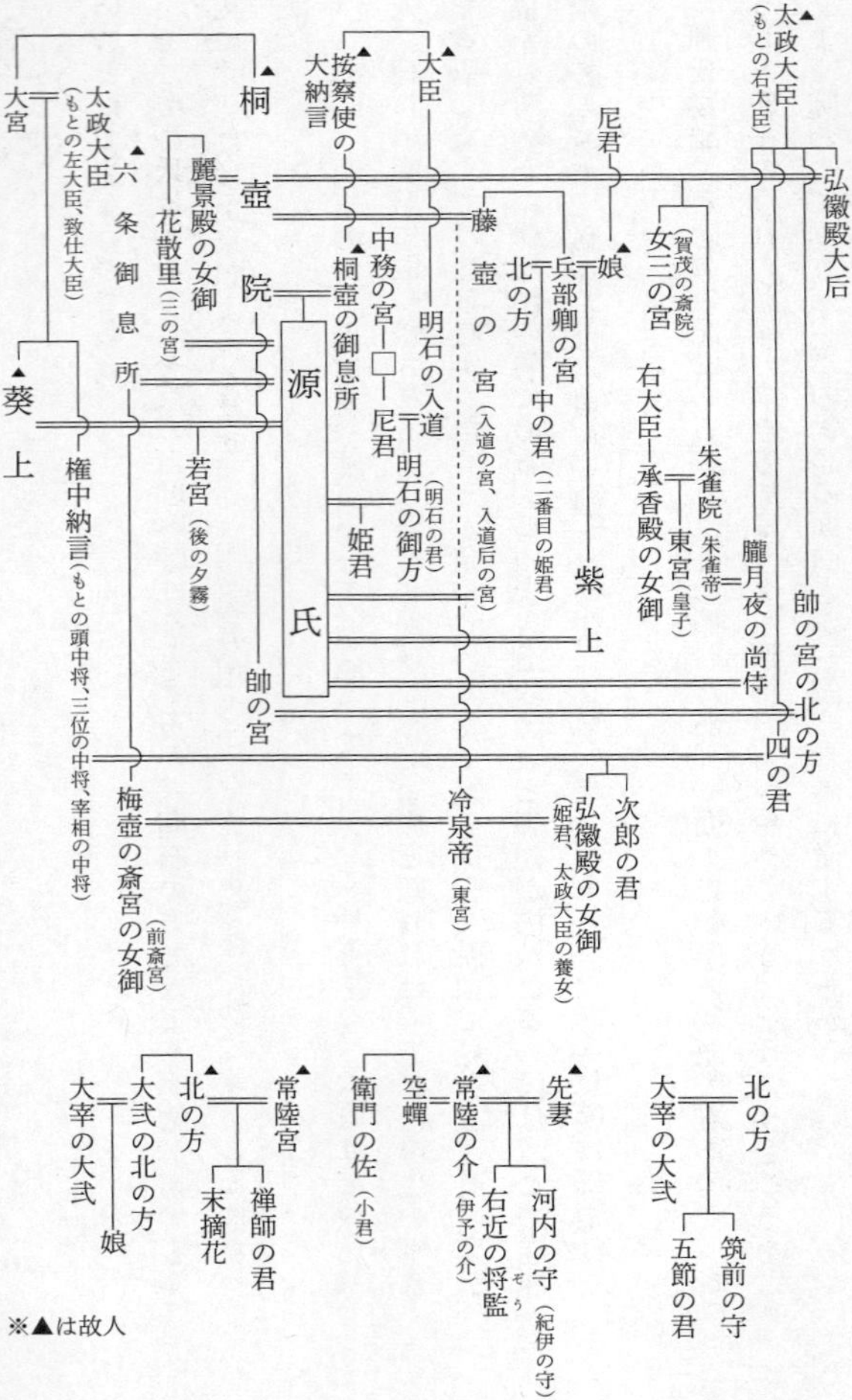

※▲は故人

寝殿造

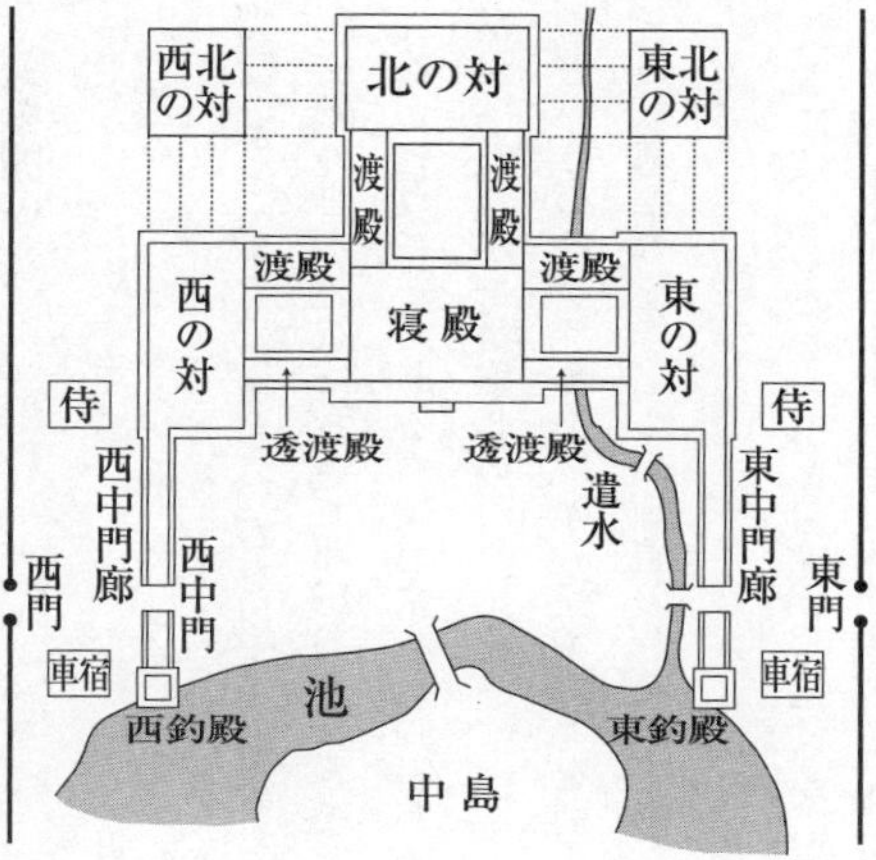
西北の対
北の対
東北の対
渡殿
渡殿
渡殿
渡殿
西の対
寝殿
東の対
侍
侍
透渡殿
透渡殿
遣水
西中門廊
西中門
東中門廊
西門
東門
車宿
車宿
池
西釣殿
東釣殿
中島

解説――与謝野晶子訳以来の現代語訳の歴史に、林望訳は新しいページを開いた。これは奇跡である

鹿島《かしま》 茂《しげる》（明治大学教授）

林望訳の『謹訳 源氏物語』がどのようにすごいかを以下、解説してみたい。

古典の現代語訳や外国語文献の日本語訳において理想とされることは、原テクストと訳文がイコール記号で結ばれるということである。換言すれば両者が等価であるということだ。しかし、簡単なようだが、これが一番難しい。

というのも、等価の実現というのは、マルクスの『資本論』を引き合いに出すまでもなく、使用価値と交換価値という基準の違う二つの価値の合計が等価となるようにしなければならないからだ。

といきなり言っても、読者にはなんのことかさっぱりわからないと思うので、『源氏物語』の具体的な箇所を引き合いに出して説明してみよう。

『源氏物語』における使用価値とは何か？

まずは紫式部と同時代の女房たちが宮廷で消費していた「物語性」を挙げることができる。つまり、今日、女子高校生や女子学生、ＯＬたちがライト・ノベルに求めるようなストーリー・テリングの妙味が第一の価値であり、それは当時の「必要」を満たしていたという意味で、『源氏物語』には、手に取って読んで時間潰しをするだけの価値、つまり使用価値は十分にあったというべきである。その使用価値には、同時代の閉じられたサークルにのみ共有されている暗黙の合意や符丁のようなものも含まれる。具体的にいえば、桐《きり》壺《つぼ》の更衣が参上しようとする板の橋や渡殿《わたどの》に汚物を撒き散らしたのはじつは誰々が誰それに対して行なったイジメをヒントにしているといった噂や、末摘花《すえつむはな》の独特の鼻のモデルは誰々だといったような、その閉鎖サークルに生きた人でなければ理解できないような情報である。もちろん、敬語だとか平安文特有の文法構造だとか、あるいは今日とはかなり意味のずれてしまっている語彙の類《たぐ》いもこの使用価値に属する。こうした使用価値はひとたび消費されてしまえばそれで終わりであり、一〇〇〇年後のわれわれにとってはどうでもいいような刹那《せつな》的な価値といえる。大衆文芸のほとんどはこうした使用価値において消費される文芸であり、原則として永続性を持たない。

これに対して、『源氏物語』の交換価値というのは、物語構造の複雑さ。二〇世紀のアヴァンギャルド小説を思わせるようなナレーションの転換や視点の移動。また、二一世紀小説を思わせる語りと物語のメタ構造。そして、もちろん、人間性への深い洞察などなど、ようするに、今日、われわれが現代語訳の『源氏物語』を通しておおいに感心するさまざまな価値であり、その特徴は時代を超えた永続性にある。

では、使用価値は滅んで、交換価値のみが永遠に生き延びるとすれば、交換価値だけを掬《すく》い出せば、現代語訳の使命は果たせたということになるのか?

たとえば、既存の現代語訳のいくつかを参照して、自分なりの訳文を創り出すことによって交換価値の抽出を可能にするという手も考えられる。交換価値さえ担保できるなら、それでもOKだし、むしろ、読みやすくて個性のある訳文、つまり「超訳」になっていたほうが好ましいと言う考え方もありえる。

しかし、一方で、こうした交換価値だけの抽出という翻訳の態度はおかしいという考え方もある。というよりも、そんなのは翻訳(現代語訳)ではないと断罪する人もいる。

個人的なことをいえば、私はこの立場に立つ。

それは、古文の現代語訳ではなく、外国語の文学作品の翻訳を例として考えてみればすぐにわかることだ。シェイクスピアの『ハムレット』を既訳だけを参考にして、原文に当たらずに「翻訳」することは可能だ。現代の舞台にふさわしい言葉に置き換えて、セリフ回しが容易になるようにすればいい。

しかし、果たしてこれを『ハムレット』の翻訳ということができるのだろうか？　翻訳と呼んではいけないだろう。なぜか？　等価でなくなってしまうからだ。

原テクストでは、当たり前だが、使用価値と交換価値が分かち難く結びついている。というよりも、前者の部分があるからこそ後者も生まれてくるような構造になっているのである。だから、使用価値の部分は現代では不要だとして、その復元を放棄してしまったのでは、翻訳は等価でなくなってしまうのである。

ところで、私が使用価値と呼んでいるものを対象とする研究というものも存在している。文学研究と呼ばれる分野がそれである。文学研究は、使用価値の完全復元を究極の目標としている。しかし、反面、文学研究においては交換価値は原則として対象としてはならないという不文律がある。対象としてもいいが、それをやるとルール違反ということになり、アカデミズム内部での出世の妨げとなることすらある。特に国文学と呼ばれる日本文学研究においては、その傾向が著しい。

これに対し、もっぱら交換価値の抽出を目的とする分野も存在している。文芸評論という分野である。文芸評論においては、文学研究のような使用価値の復元は馬鹿にされる。重要なのは、いまもなお有効な交換価値が作品にあるか否かということだけである。

さて、以上の二点を踏まえて、『源氏物語』の現代語訳の問題を見てみるとどうなるのか？

何種類か出ている学者訳というのは、使用価値重視の文学研究の成果であるが、学者訳では原テクストの交換価値は救い出せない。なるほど、当時はこういう使用価値があったのかということが確認できるだけである。

対するに、小説家や歌人の現代語訳というのはどうかというと、こちらは使用価値のほうは全面的に学者の研究に依拠《いきょ》してそのまま動かさず、交換価値の部分だけを抽出して自分なりの訳文を工夫し、それをもって自己表現に代えるという態度である。しかし、これだと、『源氏物語』の交換価値的なものは引き出せるが、同じ楽譜を用いた演奏のバリエーションに過ぎないという見方もできる。

すなわち、どちらも一長一短であるのだが、学者訳のほうは、使用価値の新しい解釈が出にくくなっていることもあり、新しい全訳はあまりない。いっぽう、小説家訳のほうは、演奏のバリエーションは無限だということもあり、次々に新顔が登場する。しかし、基本的に演奏のもととなる楽譜は同じだから、表現が異なるだけで、原テクストの解釈は同じである。

さて、以上の比較を行なった上で林望の『謹訳 源氏物語』を検討してみよう。

まず、『源氏物語』の使用価値に関していえば、林望は第一級の国文学者であり、平安期のテクストの指示表出の解釈では専門家であるから、一行一行、一字一句を新しい角度から見直すことから始めている。いいかえれば、楽譜そのもののクリティックな検証がなされているのである。これは思っているよりもはるかに大きな力である。

しかも、その一方で、林望は、丸谷才一《まるやさいいち》がその文才に驚嘆したように、明晰《めいせき》で、かつ艶《つや》のあるエッセイの書き手として知られているから、批評・検討の済んだ使用価値に基づき、そこから独自の交換価値を引き出すことが出来る。

ひとことでいえば、林望は、これまでの現代語訳者がどちらか一方しか持っていなかった側面を二つながらに合わせもっている稀有《けう》な訳者なのであり、それによって、翻訳の等価性という最大のアポリア（難関）を難無くクリアーすることができたのである。

もちろん、それは使用価値プラス交換価値という総量が等しいという意味であり、それぞれのテクストの箇所において使用価値は使用価値で、交換価値は交換価値で、というように、どちらも等価になっているという意味では決してない。

一例を挙げると敬語の問題がある。

使用価値に属する敬語を現代語において等価に訳出しようとすると、不思議なことに、オリジナルと現代語訳は等価でなくなってしまう。これは学者訳や、また敬語にこだわった谷崎潤一郎《たにざきじゆんいちろう》訳における顕著な特徴である。

林望訳は、この点、敬語が煩瑣《はんさ》であるがために日本語としてわけがわからなくなるところは思い切って敬語をやめ、敬語に現われる上下関係、身分関係を他の要素で補うように処理してある。賢明な布置《ふち》であるといえる。

使用価値の移し替えについてはもう一つ大きな工夫がある。

それは、あまり指摘されていないことだが、林望訳においては、源氏のオリジナルなテクストのそれぞれの語を、外国語を読むようなファンクション（機能）分析の仕方で処理してから、その機能構造を現代の日本語に流し込もうと努力していると思われる。すなわち①機能分析②機能構造の解明③解明された機能構造とパラレルな構造を現代日本語に求める④その構造に基づく語彙とシンタックスの探索、という順序で訳文が決定されていったのだ。

そして、それが使用価値の側面における新解釈をもたらし、楽譜そのものの変更を導き出したのである。

この部分が、他の現代語訳と比較して決定的に異なるところであり、与謝野晶子《よさのあきこ》訳以来、綿々《めんめん》と続く現代語訳の歴史に、林望訳が新しいページを開いたというのはこうした意味なのだ。すなわち新しく確定された楽譜に基づき、自由な解釈が可能な部分では、存分に個性を発揮しているということだ。

このような工夫があるから、使用価値パートと交換価値パートで案分《あんぶん》が異なるのは当然なのである。しかし、作品全体の総量ということになると、いいかえると、読後感ということになると、オリジナルなテクストと林望の謹訳は見事なくらいに等価になっているのだ。

ほぼ完全に等価な現代語訳という奇跡、それこそが林望の『謹訳 源氏物語』の成し遂げた成果なのである。

単行本　平成二十二年六月　祥伝社刊『謹訳 源氏物語三』に、
増補修訂をほどこし、書名に副題（改訂新修）をつけた。
なお、本書は、新潮日本古典集成『源氏物語』（新潮社）を
一応の底本としたが、諸本校合の上、適宜取捨校訂して解釈した。
「訳者のひとこと」初出　単行本付月報

祥伝社文庫

謹訳《きんやく》 源氏《げんじ》物語《ものがたり》 三《さん》

改訂新修

平成29年11月20日　初版第1刷発行
令和6年3月20日　第2刷発行

著者　林《はやし》 望《のぞむ》

発行者　辻 浩明

発行所　祥伝社《しょうでんしゃ》

東京都千代田区神田神保町3-3　〒101-8701
電話 03(3265)2081(販売部)
電話 03(3265)2080(編集部)
電話 03(3265)3622(業務部)
www.shodensha.co.jp

印刷所　図書印刷
製本所　ナショナル製本

ISBN978-4-396-31723-2 C0193

林望『謹訳 源氏物語 改訂新修』全十巻

【一巻】桐壺／帚木／空蟬／夕顔／若紫
【二巻】末摘花／紅葉賀／花宴／葵／賢木／花散里
【三巻】須磨／明石／澪標／蓬生／関屋／絵合／松風
【四巻】薄雲／朝顔／少女／玉鬘／初音／胡蝶
【五巻】蛍／常夏／篝火／野分／行幸／藤袴／真木柱／梅枝／藤裏葉
【六巻】若菜上／若菜下
【七巻】柏木／横笛／鈴虫／夕霧／御法／幻／雲隠
【八巻】匂兵部卿／紅梅／竹河／橋姫／椎本／総角
【九巻】早蕨／宿木／東屋
【十巻】浮舟／蜻蛉／手習／夢浮橋